D0446192

CHAMPOLLION
L'ÉGYPTIEN

CHRISTIAN JACQ

CHAMPOLLION
L'ÉGYPTIEN

Roman historique

LE ROCHER

© Le Rocher, 1987.

ISBN 2-266-03206-2

AVERTISSEMENT

Ce livre est un roman, mais il présente la particularité d'avoir été écrit par un égyptologue célébrant la mémoire du premier et du plus génial des égyptologues, Jean-François Champollion, né à Figeac en 1790 et mort à Paris en 1832. Si Champollion est connu comme le découvreur de la signification des hiéroglyphes, on oublie souvent son œuvre scientifique et littéraire qui comprend grammaire, dictionnaire, essais historiques, notices descriptives, lettres.

De juillet 1828 à décembre 1829, Champollion vit les moments les plus exceptionnels de sa trop brève existence : lui, que l'on appelait « l'Égyptien », parvient enfin à se rendre dans cette Égypte dont il avait tant rêvé. C'est ce voyage extraordinaire par son intensité, ses drames et ses découvertes que raconte le roman de Christian Jacq. L'auteur donne la parole à Champollion lui-même, intégrant les phrases capitales qu'il a prononcées ou écrites. La plupart des événements rapportés correspondent à la réalité des faits. Le rôle du romancier a consisté à revivre de l'intérieur un voyage qui fut aussi un pèlerinage vers les sources de l'Esprit, à amalgamer certains personnages et à combler les « blancs » laissés par Champollion dans ses écrits.

Si le but du roman n'est pas d'être fidèle, à la lettre, à la vérité historique, du moins est-il de l'être à Jean-François Champollion, l'un des plus grands génies de tous les temps.

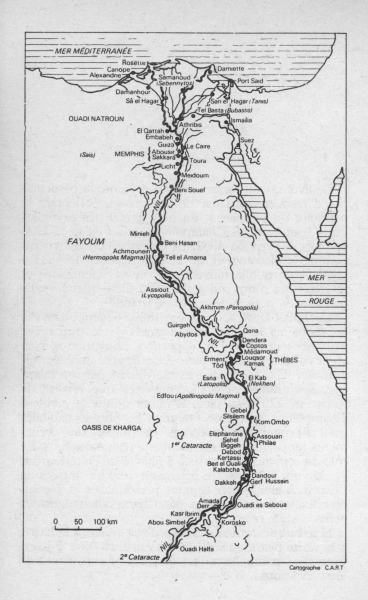

MER MÉDITERRANÉE

Rosette
Canope
Alexandrie
Damiette
Port Saïd
Samanoud
(Sebennytos)
Damanhour
Sâ el Hagar
San el Hagar (Tanis)
Tel Basta (Bubastis)
OUADI NATROUN
Athribis
Ismailia
El Qattah
Embabeh
Suez
Guiza
Le Caire
(Saïs)
MEMPHIS
Abousir
Sakkara
Toura
Licht
Meidoum
Beni Souef

FAYOUM
Minieh
Beni Hasan
Achmounein
(Hermopolis Magma)
Tell el Amarna

NIL

MER

ROUGE

Assiout
(Lycopolis)
Akhmim (Panopolis)
Guirgeh
Qena
Abydos
Dendera
Coptos
Médamoud
Louqsor
Erment
THÈBES
Tôd
Karnak
Esna
(Latopolis)
El Kab
(Nekhen)
Edfou (Apollinopolis Magma)
Gebel
Silsileh
OASIS DE KHARGA
Kom Ombo
Elephantine
1er Cataracte
Sehel
Assouan
Biggeh
Philae
Debod
Kertassi
Beit el Ouali
Kalabcha
Dandour
Gerf Hussein
Dakkeh
Amada
Derr
Ouadi es Seboua
Kasr Ibrim
Abou Simbel
Koroskô

0   50   100 km

NIL

2e Cataracte
Ouadi Halfa

Cartographie C.A.R.T

8

PROLOGUE

Le docteur Brousset, les traits tirés et la mine assombrie, vida un verre de rhum.

— Quel est votre diagnostic, mon cher confrère ?

Le docteur Robert s'essuya le front avec son mouchoir.

— Crise de goutte remontant de l'estomac, phtisie, début d'apoplexie, paralysie de la moelle épinière, maladie de foie venant de l'absorption des eaux du Nil... Champollion va mourir. Cette fois, le poulain fougueux qui demandait toujours triple ration a dépensé trop d'énergie.

— Excellente analyse. L'organisme est épuisé. Son voyage laborieux, l'art funeste émanant des tombeaux des pharaons, l'ardeur de son cerveau, les préoccupations continuelles de son esprit lui ont calciné le sang et le conduisent au cercueil. J'y ajouterai une hypertrophie du cœur. A mon avis, il n'atteindra pas l'aube.

*

Champollion va mourir.

Zoraïde, la petite fille de huit ans, cachée derrière un rideau, avait entendu la terrible prédiction. Elle savait que son père allait l'abandonner pour toujours. Souvent, déjà, il était parti au loin. Surtout quand il avait quitté la France pour cet Orient mystérieux qu'il aimait tant et dont elle portait la marque dans son prénom.

Depuis son retour d'Égypte, Champollion était souffrant. Il ne parvenait plus à supporter Paris. Il n'avait pu donner que quelques cours au Collège de France où il occupait la première chaire d'égyptologie créée dans le monde. Des malaises répétés l'avaient obligé à interrompre son enseignement, à étouffer la voix claire et passionnée qui faisait resurgir la lumière de l'ancienne Égypte.

Zoraïde n'avait pas besoin de la science des deux médecins qui, depuis plusieurs semaines, tentaient en vain de soigner Jean-François Champollion. Zoraïde était voyante. Elle savait que cette nuit du 4 mars 1832 serait la dernière.

Violant les ordres des docteurs, elle s'introduisit dans la chambre du mourant.

— Papa... tu dors ?

Jean-François Champollion ouvrit les yeux.

— Viens... viens vite !

Zoraïde courut jusqu'au lit et se jeta au cou de son père. Elle pleura longtemps, le visage sur sa poitrine.

— Apporte-moi mon costume d'Égypte, demanda-t-il d'une voix très faible.

Zoraïde se précipita. Elle ouvrit l'armoire où son père conservait ses souvenirs d'Orient, de longues robes bariolées, des turbans, des sandales. Trop pressée, elle fit tomber une pile de carnets couverts d'une écriture fine et rapide.

— Papa, j'ai trouvé ça aussi !

Champollion, d'une main tremblante, ouvrit le carnet que lui tendait sa fille. Il contenait les premières notes qu'il avait prises en Égypte, pendant ce voyage où il avait atteint l'apogée de sa vie.

— Papa... pourquoi ne m'as-tu jamais raconté ?

— Raconté... tu veux dire... là-bas ?

— Oui, là-bas, ton vrai chez toi. Je veux que tu me dises tout. Tout ce que tu n'as jamais dit.

La douleur fit tressaillir Champollion. Zoraïde lui embrassa les mains.

— A toi, je ne refuserai rien... mets ta tête sur mon épaule.

Zoraïde obéit. C'était bon d'obéir à ce père-là dont la voix très douce commençait à raconter le plus fabuleux des voyages.

CHAPITRE PREMIER

— Monsieur Jean-François Champollion, je présume ?

— Lui-même. Heureux de faire votre connaissance, capitaine.

Cosmao Dumanoir, un homme de taille moyenne au sourire avenant, était capitaine de la corvette *L'Églé*. Visage lisse, impeccablement rasé, boutons d'uniforme astiqués avec le dernier soin, il m'accueillit à bord de son bâtiment avec une réelle chaleur.

Ce 24 juillet 1828, à Toulon, alors que les derniers feux du couchant embrasaient la Méditerranée, la route tant espérée s'ouvrait enfin devant moi. La route de l'Égypte.

Peut-être parlerait-elle à nouveau. Peut-être la sagesse des anciens Égyptiens serait-elle de nouveau transmise. J'étais sur le chemin de ses mystères, j'avais commencé à déchiffrer les hiéroglyphes, ces paroles des dieux chargées de magie. Mais une clef essentielle me manquait encore. Une clef que je ne pourrais trouver qu'en Égypte. Il me faudrait vérifier pas à pas mes intuitions, demander à la terre des pharaons les réponses qui me faisaient défaut.

Après des mois et des mois de tracas administratifs, j'avais enfin réussi à bâtir une expédition à laquelle participeraient plusieurs scientifiques qui, sous ma direction, gagneraient Alexandrie à bord de *L'Églé*.

— Auriez-vous l'obligeance de me suivre, monsieur Champollion ?

J'avais eu le sentiment, en franchissant la passerelle de la corvette, de passer un point de non-retour. Me voici obligé d'aller jusqu'au bout de moi-même, de risquer ma vie dans cet Orient inconnu.

Jusqu'à présent, mon existence a été un perpétuel combat. Pour obtenir la moindre chose, j'ai dû lutter, me défendre pied à pied, déjouer des manœuvres, affronter la calomnie. Sans le vouloir, je déclenche autour de moi la jalousie d'incapables et d'incompétents qui me reprochent d'aller trop loin et trop vite. Rien ne m'a jamais protégé des langues empoisonnées. Je suis comme une truite jetée vivante dans la poêle. Mais je suis si heureux d'être déjà loin de Paris ! L'air de cette ville me mine. J'y crache comme un enragé et je perds ma vigueur. Paris est horrible. Des fleuves de boue courent dans les rues.

Avec l'élégance un peu raide des hommes vieillis sous l'uniforme, le capitaine Cosmao Dumanoir me conduisit jusqu'à sa cabine où il m'offrit du champagne.

La joie fugace qui pétillait dans ce liquide fut impuissante à dissiper les angoisses qui m'avaient accablé tout au long de mon voyage d'Aix à Toulon.

Comment ne pas songer aux deux lettres si dissemblables qui m'étaient parvenues de la manière la plus mystérieuse et que j'avais dissimulées parmi mes notes scientifiques ?

La première proférait les plus graves menaces.

« *Oubliez vos projets, demeurez chez vous ; sinon, c'est la mort qui vous attend en Égypte.* »

La seconde paraissait plus encourageante, quoique fort énigmatique :

« *Nous vous attendons. Si vous avez réellement déchiffré la langue des dieux, nous saurons vous accueillir.* »

Des fous ? Des illuminés ? J'en ai tellement rencontré, depuis ce matin d'hiver, à Figeac, où mes yeux d'enfant se sont posés pour la première fois sur des hiéroglyphes égyptiens, sur ce monde foisonnant de symboles et de signes porteurs d'une vie éternelle. J'ai su aussitôt que la patrie de mon âme se trouvait là et qu'il me faudrait un jour lire ma propre destinée en déchiffrant ces énigmes, cette parole perdue depuis tant de siècles. L'ancienne Égypte est mon sang. Elle est mon cœur. Elle exige tout de moi.

L'essentiel de mes découvertes se trouve dans une petite valise noire qui me servira de viatique. Un instant, j'ai eu envie de fuir. Toucher ce modeste objet, palper les liasses de feuillets où s'est inscrit le meilleur de moi-même m'en a dissuadé. L'Égypte a triomphé. Elle triomphera toujours.

Dès mon arrivée, je me rendrai dans les locaux de l'Institut d'Égypte. Il y a là un vieux savant, qui se fait appeler « le Prophète » et qui détient des documents essentiels pour mes recherches. Il n'a jamais voulu les communiquer à personne. En apprenant que mon expédition s'organisait, il m'a fait savoir qu'il m'attendait et qu'il me procurerait la pierre manquant à mon édifice.

Une femme d'une altière noblesse, à la chevelure d'un blond vénitien presque irréel, entra dans la cabine du capitaine. Elle était vêtue d'une robe gris perle aux reflets moirés qui mettait en valeur son teint pâle. De grands yeux vert clair animaient un visage d'une beauté que j'oserais qualifier d'égyptienne. De longues mains fines me rappelaient certains dessins de reine que j'avais sauvegardés en créant la section pharaonique du Musée du Louvre dont on avait bien voulu me nommer conservateur... sans solde. Agée d'une trentaine d'années, cette femme possédait une distinction innée non dépourvue d'étrangeté.

— Je vous présente Lady Redgrave, indiqua le commandant Dumanoir. Elle voyagera avec nous jusqu'à Alexandrie.

J'éprouve une haine instinctive pour les mondanités.

Personne ne m'a jamais forcé à en accomplir. Mû par une impulsion qui me surprit moi-même, je m'inclinai pourtant, baisant la main de cette aristocrate britannique qui salua ma soumission d'un sourire énigmatique.

— J'ai beaucoup entendu parler de vous, monsieur Champollion, dit-elle d'une voix tendre, ensoleillée, pimentée d'un léger accent. A Londres, vous êtes un sujet de scandale. Mon compatriote, Thomas Young, prétend qu'il a déchiffré les hiéroglyphes avant vous et que votre système est tout à fait erroné.

Gêné, le capitaine Dumanoir regarda la mer. Mon sang ne fit qu'un tour.

Thomas Young... cet hypocrite doublé d'un prétentieux. L'Anglais ne s'y connaît pas plus en égyptien ancien qu'en malais ou en mandchou dont il est professeur. Ses découvertes annoncées avec tant de faste ne sont qu'une ridicule forfanterie. Sa clé des hiéroglyphes me fait pitié. Je plains les malheureux voyageurs qui, en Égypte, seront contraints de traduire les inscriptions, le passe-partout du docteur Young à la main !

— J'ai beaucoup d'estime pour M. Young, madame, et je n'aime pas critiquer un confrère, quels que soient ses agissements à mon égard. Si vous le connaissez bien, donnez-lui un conseil : qu'il change de métier.

— Je le connais bien, rétorqua-t-elle avec une vivacité amusée. Thomas Young est mon oncle. Nous nous verrons plus tard...

Suffoqué, je la regardai sortir de la cabine sans pouvoir trouver la moindre réplique. C'est ainsi depuis toujours : ma sensibilité est si exacerbée que je prends trop au sérieux le moindre événement contrariant ma Quête.

— C'est... c'est un traquenard, parvins-je enfin à articuler, prenant à témoin le capitaine Cosmao Dumanoir.

— Calmez-vous, recommanda le brave homme, aussi troublé que moi. Vous oublierez vite cet incident.

14

— Thomas Young est mon pire ennemi, expliquai-je, un peu haletant. Voilà des années qu'il me persécute, qu'il trafique des communications scientifiques, qu'il essaye de mettre fin à mes travaux par tous les moyens. Cette femme est une espionne de la pire espèce.

Le capitaine Dumanoir réfléchissait. Il tenta de me réconforter.

— Elle est seule, monsieur Champollion, et ce n'est qu'une femme. Vous êtes entouré de plusieurs collaborateurs qui vous seront certainement très dévoués. Je suis persuadé que vous ne risquez rien. C'est une simple manœuvre d'intimidation.

Des collaborateurs totalement dévoués... j'étais beaucoup moins optimiste que le capitaine.

— Ces messieurs sont-ils arrivés ?

— Pas encore, répondit Cosmao Dumanoir. Je les attends dans la soirée.

J'avais la gorge serrée. Le ventre me faisait mal. Mes jambes tremblaient un peu. L'apparition de cette diablesse, au cœur même de cette corvette qui m'emmenait vers le but ultime de mon existence, ne constituait-elle pas le plus sinistre des présages ? Ne fallait-il pas renoncer à ce voyage, le remettre à plus tard, prendre davantage de précautions ?

J'étais atterré. De l'exaltation que j'avais éprouvée en arrivant à Toulon, je tombai dans une sorte de désespoir qui me fit monter les larmes aux yeux. Mon entreprise semblait condamnée avant même d'avoir pris naissance.

— Je dois vous emmener en Égypte et je le ferai, quels que soient les obstacles, affirma le capitaine Dumanoir. Vous pouvez compter sur moi.

— Quels obstacles ? m'inquiétai-je.

— Notre corvette, répondit-il, est destinée à convoyer les bâtiments marchands. Pendant votre voyage, elle ne convoiera personne. On n'ose plus se mettre en mer, non qu'il y ait danger de perte de corps ou de biens, mais parce que le commerce avec l'Égypte est dans un état complet de torpeur ; l'Égypte elle-même n'envoie plus de coton. Mais je vous le répète, affirma-t-il en me posant la main sur l'épaule gauche, vous pouvez compter sur moi.

J'avais rarement rencontré une telle expression de bonté. Cosmao Dumanoir participait réellement à ma détresse. Mais son aide ne m'était d'aucun secours. Elle ne supprimait pas la présence de cette intrigante doublée d'une espionne.

— Vous devriez vous reposer, proposa-t-il.

A peine avait-il prononcé ces mots qu'on frappa à la porte de la cabine. C'était un matelot.

— Il y a un docteur qui veut voir M. Champollion, annonça-t-il.

— Un docteur ? m'étonnai-je. Que me veut-il ?

Le matelot écarta les bras en signe d'ignorance. Irrité par ce nouveau mystère, je me décidai à le suivre.

Au bas de la passerelle m'attendait un homme vêtu d'une redingote noire. Petit, mal rasé, le nez pointu, l'œil méchant, il ressemblait à une caricature de la médisance ou de la discorde. Il me rebuta dès l'abord.

— Monsieur Champollion ?

— Moi-même.

Sa voix était aigrelette comme celle d'une jeune fille nerveuse. Il me regardait par en dessous.

— J'ai une nouvelle importante à vous communiquer.

— Parlez, je vous prie.

Il prit son temps, comme pour mieux savourer sa révélation.

— Monsieur Champollion, votre expédition est annulée.

CHAPITRE 2

Je contemplai le petit homme noir avec un étonnement mêlé de fureur.

— Que voulez-vous dire ?

— L'épidémie de peste, monsieur Champollion. Elle gagne toutes les villes du Midi. La quarantaine doit être déclarée partout. Si vous partiez aujourd'hui, vous seriez condamné à demeurer en mer. Aucun port ne vous accueillera.

Un formidable éclat de rire me traversa le corps. L'homme noir, que j'avais d'abord considéré comme un démon, ne m'apparut plus que comme un diablotin ridicule.

— Vous lisez trop les journaux, docteur ! m'exclamai-je avec passion. Ils traitent leurs lecteurs comme des imbéciles. Bien entendu, nous mourons par centaines, à Marseille comme ici ! Je crois que vous avez un peu brouillé dans votre tête la peste physique et la peste morale qui désole notre pays.

Alors que je tournais déjà les talons, il bondit vers moi, telle une araignée courant sur sa toile, et m'agrippa le bras.

— Un instant, Champollion ! Vous attendez des savants venant de Toscane... j'ai établi un cordon sanitaire autour de Toulon. Des régiments ont marché pour occuper tous les débouchés des Alpes. Les lettres et les journaux venant de France sont taillardés et passés au vinaigre. Vos amis ne franchiront pas les barrages. Si le capitaine de cette corvette est assez fou pour prendre la mer, vous serez son unique passager.

— Monsieur, lui dis-je avec férocité, vous êtes un menteur. Cette épidémie est une invention de médecins en mal de gloriole. Je vous enjoins de laisser accéder à ce bateau les membres italiens de mon expédition, Rosellini et le professeur Raddi.

Le démon grimaça, extirpant une liasse de papiers.

— Ces rapports vous dénoncent comme agitateur politique, Champollion! Ils ne se trompent pas. Personne n'est au-dessus des lois. Le cordon sanitaire ne sera pas levé avant extinction totale de l'épidémie. Deux ou trois mois, je suppose...

Sans doute l'aurais-je étranglé si mon attention n'avait pas été attirée par l'étrange spectacle qui se déroulait sur le quai. Un curé vêtu d'une soutane digne d'un vestige archéologique harcelait, à coups de canne, une mule chargée de bagages. Je reconnus le père Bidant, un religieux bedonnant, presque chauve, féru d'orientalisme. Son apathie naturelle masquait un esprit vif et malin. Sa présence n'avait pas de quoi me réjouir. Il était missionné par les autorités ecclésiastiques pour s'assurer que mon expédition ne franchirait pas les bornes de la religion. Cette dernière, en effet, redoutait que la chronologie biblique ne fût remise en question par des découvertes gênantes en terre égyptienne.

Derrière le père Bidant, ahanant et soufflant, se profila la haute stature de Nestor L'Hôte, un dessinateur de talent qui s'était accoutumé au tracé des hiéroglyphes. Solide, ce fier gaillard avait un caractère entier et emporté. Mais je comptais beaucoup sur lui pour recopier les inscriptions avec la dextérité nécessaire.

— Nous voilà enfin! clama le père Bidant, bousculant le diable en noir pour venir me saluer. Savez-vous qu'on nous a traités de pestiférés? J'ai écarté une bande de faquins avec ma canne et une lettre de l'archevêque.

— Qui est celui-là? interrogea Nestor L'Hôte de

18

son impressionnante voix de basse en dévisageant le petit docteur.

— Un médecin qui veut nous retenir à quai, répondis-je.

— Voulez-vous bien décamper! rugit L'Hôte en brandissant le poing.

Le diablotin en noir ne tergiversa pas. Marmonnant quelques menaces indistinctes, il partit à reculons et s'enfuit sans demander son reste.

— Vous avez l'air contrit, Champollion, observa Nestor L'Hôte, bien campé sur ses jambes, les poings sur les hanches.

— Ce n'est pas sans raison. Ce cordon sanitaire risque d'amputer notre expédition de ses membres toscans, Rosellini et Raddi. Sans eux, nous ne pourrons pas respecter notre programme de travail.

— Mettez votre confiance en Dieu, susurra le père Bidant. Si notre cause est juste, il nous viendra en aide.

Le religieux me défiait. Sans doute avait-il recueilli des confidences sur la tiédeur de ma dévotion envers le dieu des chrétiens. Mes proches, quelques savants, des échotiers avaient fini par me surnommer « l'Égyptien », estimant que ma véritable patrie était celle des pharaons et que je professais une foi enthousiaste et sincère à l'égard des dieux de Thèbes.

En regardant la mer, au-delà de laquelle se trouvait le pays des pharaons, je dus admettre qu'ils avaient raison.

*

Le capitaine Cosmao Dumanoir relut une fois encore la lettre de Drovetti, consul général de France en Égypte, qui lui avait été apportée, deux jours plus tôt, par un courrier en provenance de Paris. Drovetti y émettait les plus extrêmes réserves sur l'opportunité de l'expédition organisée par Champollion. Il préconisait même un retour immédiat à Paris, s'estimant incapable de garantir la sécurité du savant sur le territoire égyptien. Méhémet-Ali, le pacha tout-puissant installé au

Caire, était fortement influencé par des conseillers détestant les Européens. Il verrait certainement d'un très mauvais œil l'arrivée du déchiffreur de hiéroglyphes.

Fallait-il prévenir ou non Champollion des dangers qui le guettaient? La lecture d'une telle lettre aurait transformé son découragement en désespoir. Sans doute aurait-il définitivement renoncé au voyage pour ne pas mettre en péril la vie des membres de son expédition.

Mais Cosmao Dumanoir se moquait du pacha comme des pharaons. Renoncer à cette traversée était au-dessus de ses forces. De ses ultimes forces, car ce serait le dernier voyage du capitaine de corvette, à l'organisme usé par une maladie qui ne lui accordait plus que quelques mois à vivre. Son seul souhait était de s'éteindre à bord de son bateau, en pleine mer ou dans un havre oriental, loin de l'Europe avec laquelle il n'avait plus aucune attache. L'Orient, source de lumière... Cosmao Dumanoir espérait que sa vie mourante y trouverait un au-delà.

Le destin déciderait. Certes, le consul général Drovetti annonçait une future lettre officielle annulant l'expédition pour raison de sécurité avec interdiction formelle d'embarquer. Par bonheur, les communications entre Paris et Toulon étaient fort lentes. Sans doute, le ministre de l'Intérieur utiliserait-il le courrier de jour et de nuit, réservé au gouvernement, pour toucher Champollion avant l'éventuel départ de la corvette *L'Églé*. Le voyage dépendait à présent de la rapidité du courrier, de l'importance des vents et de l'arrivée des collaborateurs italiens de Champollion.

Dans sa missive, Drovetti indiquait qu'il y avait des troubles graves à Alexandrie et au Caire. Le pacha se voyait menacé par les membres virulents du parti d'opposition. Si les grandes cités d'Égypte connaissaient révolte et sédition, le sang des Européens serait le premier à couler. Mais le consul général n'avait-il pas exagéré, maquillant la gravité réelle de la situation, pour empêcher Champollion d'atteindre l'Égypte et de découvrir son véritable rôle? Des marins avaient confié à Dumanoir que Drovetti était un redoutable trafiquant d'antiquités, n'hésitant pas à abuser de son autorité pour ajouter aux cargaisons de navires marchands des statues, des stèles, des papyrus volés sur des chantiers de fouille. Ces trésors prenaient le chemin de l'Europe où le consul général les retrouverait un jour. Or Champollion passait pour un homme intègre, inaccessible aux manipulations financières et fort désireux de préserver le patrimoine artistique de l'antique Égypte. Si les rumeurs concernant Drovetti s'avéraient exactes, Champollion risquait de devenir gênant.

*

Voilà plusieurs jours que je suis prisonnier à Toulon. Cette ville me devient insupportable. La corvette est amarrée à quai, comme un oiseau en cage. Le cordon sanitaire a été renforcé, alors qu'aucun cas de peste n'a été identifié avec certitude. J'ai marché des heures durant, consulté mes notes, joué aux échecs avec le père Bidant qui manie les Fous avec une rare habileté. Nestor L'Hôte connaît à présent les tavernes du port, non qu'il soit porté sur la boisson, mais parce qu'il aime rencontrer les gens. Il est curieux de tout. Je n'ai pas revu la belle « espionne » anglaise qui se confine dans sa cabine où elle se fait servir ses repas.

Depuis l'aube de ce 31 juillet, le ciel s'est couvert. Le vent soulève quelques vagues. Impossible de prendre ma plume. D'ordinaire, écrire est une joie profonde, un moment de plénitude suspendu entre temps et éternité. Mais j'ai le cœur trop serré par l'angoisse. Si je ne pars pas pour l'Égypte, je crois que ma vie sera privée de sens et que je serai un homme perdu pour lui-même et pour autrui.

Cosmao Dumanoir est entré dans la petite salle à manger où je déguste un café noir brûlant. Il a la mine défaite.

— Si nous ne larguons pas les amarres ce matin, monsieur Champollion, je crains que notre voyage ne soit définitivement compromis.

Le capitaine de *L'Églé* avait raison. Refusant de me rendre à l'évidence, je n'avais pas voulu croire que le cordon sanitaire empêchât les Toscans de parvenir jusqu'à la corvette. Mais ils n'étaient que des savants, désarmés devant des mesures administratives.

Un matelot fit irruption.

— Un homme bizarre demande M. Champollion.

Je m'apprêtai à suivre le matelot vers la passerelle, mais ce dernier m'indiqua la mer. En me penchant par-dessus le bastingage, je vis une barque remplie de caisses. A l'avant, manœuvrant les rames avec mala-dresse, le professeur Raddi, la figure tannée comme le parchemin d'un vieil herbier, la barbe négligée comme un jardin d'automne, une loupe dans la poche de sa veste et deux paires de lunettes sur le nez.

— Champollion! cria-t-il en m'apercevant. Nous sommes là!

— Où se trouve Rosellini?

— Caché derrière mes caisses de minéraux. Nous avons dû passer par la mer pour éviter une bande de fous qui nous traitait de pestiférés.

L'embarquement du matériel scientifique que le professeur Raddi jugeait indispensable à ses expé-riences prit deux bonnes heures. Autant il était petit et gros, autant Rosellini était mince et grand. Raddi sur-veilla lui-même l'installation de ses précieuses caisses, tandis que mon élève Rosellini, à qui j'avais enseigné les principes du déchiffrement, s'avançait vers moi, ému jusqu'au tréfonds de l'âme.

— Maître... il faut lever l'ancre immédiatement.

Mon disciple italien n'était pas homme à s'émouvoir aisément. Froid, distant, réfléchi, il serait bientôt un grand savant qui ferait honneur à l'égyptologie nais-sante. Pour l'heure, il paraissait bouleversé.

— J'ai reçu une lettre du consul général Drovetti annonçant que notre expédition serait annulée. Dépi-tée d'avoir échoué dans sa tentative de conquête de la Grèce, la Turquie est décidée à déclarer la guerre aux Russes et à entraîner l'Égypte dans le conflit. Notre sécurité ne pourra plus être assurée.

— Balivernes, décidai-je avec aplomb, comme si j'exerçais la moindre influence sur cette politique de déments que je haïssais. Êtes-vous décidé à me suivre, quels que soient les risques ?

La joie qui illumina le visage de Rosellini fut la plus rassurante des réponses. Mais mon disciple s'assombrit aussitôt.

— Un ordre écrit de Paris ne vous est-il pas parvenu ?

— Partons vite !

Je m'enflammai au point de prêter main-forte aux matelots qui finissaient de monter à bord les caisses du minéralogiste. Rosellini, d'abord hésitant, m'imita. Nestor L'Hôte, trop heureux d'utiliser sa force physique, se joignit à la fête.

Midi plein sonnait aux clochers de Toulon lorsque la corvette *L'Églé*, utilisant des vents favorables, leva l'ancre vers l'Orient. La brise d'ouest, qui rafraîchissait l'air, nous jetterait en pleine mer en moins d'une heure. Je me laissai envahir par les puissantes senteurs venant du large quand j'aperçus un courrier à cheval arrivant au grand galop sur la jetée. Minuscule silhouette nous interpellant, il brandit un document.

La lettre du ministre Martignac, avertissant le préfet de Toulon que notre expédition ne pourrait avoir lieu en raison de la situation internationale.

De la main, je lui adressai un signe d'adieu.

J'en étais désolé pour le gouvernement de la France, mais « l'Égyptien » venait de prendre la route d'un autre monde. Celle de sa véritable patrie.

CHAPITRE 3

A cause de la présence de « l'espionne », le capitaine Cosmao Dumanoir avait dû revoir la répartition des chambres. Il m'avait installé de force dans sa cabine. A mes pieds, sur des matelas, dormaient mon disciple Rosellini, le professeur Raddi et le père Bidant. Ce dernier, fameux dormeur, éprouvait la plus grande peine à s'extraire de son apathie naturelle. Raddi passait ses journées et une bonne partie de ses nuits à scruter à la loupe des schistes, des basaltes, des granits, préparant sa rencontre avec les minéraux du désert dont il espérait récolter une abondante moisson.

D'ordinaire, le plus grand calme régnait sur le bateau. Je travaillais les hiéroglyphes avec L'Hôte et Rosellini qui progressaient vite. Leur dessin acquérait une sûreté de trait indispensable à l'enregistrement des inscriptions. Ils reproduisaient à loisir des têtes, des vases, des chouettes, des lions, des portes... la vieille langue revivait grâce à eux. Le père Bidant réussissait rarement à extraire le professeur Raddi de son univers minéral pour l'entraîner dans une partie d'échecs.

Parfois, l'émotion me serrait la gorge, à l'instant où je concevais que nous nous rapprochions de l'Égypte. Je m'accoudais à une rambarde, pour n'avoir sous les yeux que le ciel et la mer. Le tableau n'était varié que par quelques évolutions de marsouins et la lourde apparition de deux cachalots.

Il régnait entre nous une réelle harmonie. Nous formions un véritable corps expéditionnaire, doté d'un indispensable esprit de clan nécessaire pour affronter les épreuves qui nous attendaient. Nestor L'Hôte m'avait baptisé « le général », affirmant que lui et ses compagnons ne recevraient d'ordre que de moi seul.

Alors que nous doublions la côte de la Sardaigne, poussé par un fort vent, le si calme professeur Raddi entra dans une violente colère.

— Inadmissible ! Je ne le supporterai pas plus longtemps ! Je veux retourner immédiatement à Florence !

Le brave minéralogiste paraissait possédé par le démon au point que le père Bidant, inquiet, traça dans l'air un signe de croix. Rosellini se tapit dans un angle de la cabine. Nestor L'Hôte tenta de s'approcher de Raddi qui le repoussa avec une violence peu soupçonnable chez un homme de sa qualité. J'en conclus que « le général » se devait d'intervenir pour ramener la quiétude parmi ses troupes.

— Que se passe-t-il, professeur ?

— Ah, Champollion... si vous saviez... je dois avouer le pire des crimes...

La fureur de Raddi s'était subitement transformée en désespoir. Il accepta de s'asseoir. Le père Bidant, L'Hôte et Rosellini, communiquant par gestes et clins d'yeux, sortirent sans bruit de la cabine. L'heure était à la confession.

— Mon pauvre bureau, mon pauvre Musée, se lamenta-t-il, extirpant une clé de sa poche. Mon bureau... j'ai bien fermé la porte à triple tour, mais j'ai laissé les fenêtres ouvertes ! Vous rendez-vous compte, Champollion ? Ma femme va pénétrer dans ce sanctuaire qui lui a toujours été interdit ! Elle le profanera, j'en suis certain... elle ne rêve que de plumeau et de balai. Il faut que je rentre chez moi pour éviter ce désastre. Et le vol, y avez-vous pensé, Champollion ? On pillera mes collections !

— Et l'Égypte, professeur, y avez-vous pensé ?

Ma question étonna Raddi. Elle interrompit son flux de paroles.

— L'Égypte... oui, je veux voir ses déserts... il y a là-bas d'inestimables trésors ! Mais je n'ai pas le droit... il faut que je rentre fermer les fenêtres moi-même.

Je calmai le professeur. Un Raddi désespéré et geignard aurait tôt fait d'exaspérer autrui et de rendre infernale notre existence quotidienne.

— Croyez-moi, professeur : les dieux égyptiens veillent sur nous. Votre Musée et vos collections ne courent aucun risque.

Je vis s'allumer dans son regard une lueur de confiance.

— Dites-moi, professeur... à l'exception des caisses contenant du matériel scientifique, avez-vous songé à emporter quelques vêtements ?

— Des vêtements ? Bien entendu. Je les ai sur moi. Ce costume de Nankin et de solides chaussures pour la marche. Ajoutez-y un chapeau de paille à large bord et vous connaîtrez ma garde-robe. Ne la jugez-vous pas parfaite ?

*

Ce 19 août, à l'aube, je me trouvais, seul, sur le pont de la corvette, une lunette à la main. Au loin, je distinguais la colonne de Pompée.

Alexandrie, enfin.

Je voyais le Port-Vieux, la ville dont l'aspect devenait de plus en plus imposant, une immense forêt de bâtiments au travers desquels se montraient des maisons blanches.

Je ne songeais plus à la furieuse tempête qui avait semé la panique parmi mes collaborateurs. Le vent soufflait si fort que nous ne parvenions même plus à nous entendre. Je n'ai pas eu peur. Mourir en mer me semblait aussi inconvenant qu'impossible.

L'Égypte... l'Égypte, après tant d'années de rêves et d'espérances. Jacquou le sorcier, qui avait été mon accoucheur un 23 décembre, avait promis à mes parents la plus grandiose des destinées pour leur fils. Mon enfance, pourtant, n'avait pas été si gaie : les

26

folies de la Révolution à Figeac, la violence, les armes, le sang, des bandes hurlant la Carmagnole, des fuyards tremblant de peur et venant se réfugier dans la librairie de mon père, dans cette caverne aux trésors dont il me refusait l'accès.

Les livres sont devenus des amis, des confidents. J'ai appris à lire tout seul, lettre après lettre, mot après mot. Mon meilleur souvenir d'enfance, c'est la chaleur de la grande cheminée de la cuisine. Je me blottissais tout près de l'âtre, un livre à la main, jusqu'à être envahi par un merveilleux sentiment de bien-être, si loin du froid et du ciel gris. Le soleil d'Égypte était caché dans ce feu.

Comme j'avais froid au lycée, à Grenoble ! La nuit, pendant que mes camarades dormaient, je lisais les biographies des hommes illustres écrites par Plutarque. Les empereurs, les chefs, ceux qui avaient porté le monde sur leurs épaules, je voulais les connaître mieux. J'ai découpé des médaillons dans du carton et j'ai dessiné leurs portraits, en ajoutant la date de leur naissance et de leur mort. Ainsi, j'avais auprès de moi ma galerie de personnages célèbres. Cette collection était ma plus grande fierté d'écolier.

Celle d'étudiant fut de pouvoir présenter une étude sur la géographie de l'Égypte à la Société des Arts et des Sciences de Grenoble alors que j'étais âgé de dix-sept ans. Quand je fus nommé professeur à la faculté des lettres de Grenoble, à vingt et un ans, je crus un instant que l'avenir serait riant. Mais il fallut se rendre à Paris, se heurter à la science à la mode, quêter en vain un poste, revenir à Grenoble pour devenir professeur d'histoire, payé au quart du salaire de mes collègues. Puis mon frère et moi fûmes proscrits et assignés à résidence à Figeac parce que nous avions soutenu Napoléon. J'avais vingt-six ans et je désespérais de connaître un jour mon Égypte.

Pourtant, j'ai continué à lutter, à chercher, à tenter de convaincre que j'étais sur la bonne voie, que je devais entreprendre ce voyage...

Nous arrivions à Alexandrie, au soleil levant, après

dix-neuf jours de traversée. Je n'avais pas dormi, tant j'étais nerveux à l'idée de toucher enfin la terre d'Égypte. Ma bonne fortune avait vaincu le mauvais sort. D'un geste de la main, tel un enfant, j'avais salué la Tour des Arabes, marquant l'emplacement de l'antique Taposiris, cité qui avait occupé tant d'heures de recherches lorsque j'écrivais mon premier livre, *l'Égypte sous les pharaons.*

— Satisfait, monsieur Champollion ?

Le capitaine Cosmao Dumanoir s'était approché sans bruit. Rasé de frais, impeccable, il possédait une humeur inaltérable. Avec son demi-sourire aux lèvres, cet homme semblait inaccessible aux assauts du monde extérieur.

— Au-delà de toute espérance, capitaine.

— Il vous faudra encore un peu de patience avant de fouler le sol égyptien.

— Pourquoi donc ?

— Les Européens ont imposé un blocus à Alexandrie. Nous entrerons dans le vieux port, à l'ouest. La manœuvre ne sera pas facile, car il y a quantité de navires de guerre français et anglais qui en gênent l'accès.

De profondes rides creusèrent mon front. L'air vif du petit matin me sembla soudain glacial.

— Quelle vérité me cachez-vous, capitaine ? Avez-vous reçu de mauvaises nouvelles ?

Cosmao Dumanoir marqua un temps d'hésitation.

— Les troupes égyptiennes doivent bientôt revenir de Grèce, expliqua-t-il. Elles sont même autorisées à rapatrier matériel et prises de guerre.

— Mais... c'est merveilleux ! Cela signifie que les troupes françaises et égyptiennes ne s'affrontent plus dans le Péloponnèse ! C'est la paix, capitaine... le pacha nous accueillera les bras ouverts.

— Je vous le souhaite, monsieur Champollion... cette situation n'est pas appréciée de tous. Le parti d'opposition reproche ses décisions au pacha. Le blocus assure le maintien de l'ordre à Alexandrie. Mais il ne sera pas éternel. Et j'ignore ce qui se passe au Caire.

— J'ai confiance, capitaine.

— Je vous envie.

Une expression d'infinie tristesse fit brusquement vieillir de plusieurs années le visage de Cosmao Dumanoir. J'eus envie de susciter ses confidences mais, prétextant que sa présence était indispensable pour diriger la manœuvre, il rompit là.

*

A l'entrée de la passe, un coup de canon de la corvette salua la venue à bord d'un pilote arabe. Il nous guida au milieu des brisants, et nous mit en toute sûreté au milieu du Port-Vieux. Nous nous trouvâmes là entourés de vaisseaux français, anglais, égyptiens, turcs et algériens, et le fond de ce tableau, véritable macédoine de peuples, était occupé par les carcasses de bâtiments orientaux rescapés du désastre de Navarin. Tout était en paix autour de nous. Nous ne jetâmes l'ancre qu'à cinq heures de l'après-midi.

Mes compagnons d'aventure, accoudés au bastingage, observaient avec curiosité la cité d'Alexandre le Grand qui allait nous accueillir. *Alexandria ad Aegyptum*, disaient les Anciens, signifiant que la cité, d'origine grecque, occupait la bordure de l'Égypte, sa lisière, sans en faire réellement partie.

J'avais la gorge serrée et je respirais avec peine. Pour moi, Alexandrie devenait la frontière du paradis. Je vivais ma deuxième naissance. J'avais le sentiment de retrouver enfin ma véritable patrie, revenant d'un long exil que j'avais mis à profit pour déchiffrer ce qui me serait offert.

— Une barque se dirige vers nous, signala Nestor L'Hôte.

Quelques instants plus tard montait à bord un petit homme vêtu de noir. Je crus qu'il s'agissait du médecin de Toulon qui avait tenté de retenir la corvette à quai.

— Je suis envoyé par le consul général Drovetti, annonça-t-il, pour remettre un pli à M. Champollion.

Le pli contenait une autorisation exceptionnelle de

débarquer en dépit du blocus et de la quarantaine imposée en raison d'une épidémie de typhus. Je ne jugeai pas nécessaire de transmettre ces informations à mes compagnons pour ne pas les inquiéter inutilement.

— Nous vous suivons bien volontiers, dis-je d'une voix mal assurée.

Alors que mes compagnons m'emboîtaient le pas, prêts à descendre avec moi dans la barque, Cosmao Dumanoir s'interposa.

— Je crois que M. Champollion mérite d'être le premier à débarquer et qu'il souhaite être seul.

— Vous avez raison, capitaine, acquiesça Rosellini.

— Que le général affronte l'Égypte en éclaireur, s'amusa Nestor L'Hôte.

— Cet honneur revient en effet à l'Égyptien, admit à son tour le père Bidant.

Le professeur Raddi se tenait à l'écart, examinant une roche provenant du Vésuve.

Des larmes me montèrent aux yeux. Mon cœur battait la chamade. J'éprouvai la plus grande difficulté à m'exprimer.

— Je vous remercie... je...

— Allez, général, exigea Nestor L'Hôte. Nous aussi avons hâte de connaître cette terre.

Cosmao Dumanoir me considérait d'un étrange regard. Je sentis qu'il voulait me confier une ultime pensée avant que nos chemins se séparent à jamais. Cet homme, à qui je devais d'avoir franchi sans encombre l'immense pas séparant Toulon d'Alexandrie, était devenu un ami. Mais la mort ne traçait-elle pas son épure sur son visage fatigué ?

— Adieu, monsieur Champollion, dit-il en me serrant la main avec chaleur.

Debout dans la barque qui progressait lentement vers le quai, j'avoue avoir oublié Cosmao Dumanoir, mes compagnons, la corvette *L'Églé*. Voilà tant d'années que j'espérais ce moment avec le plus brûlant des désirs.

La barque accosta. Un matelot, me prenant par le bras, m'aida à grimper sur le quai. Je ne pus m'empêcher de m'agenouiller, d'embrasser et de bénir ce sol sur lequel avaient vécu les plus grands sages de l'Histoire et où était née la civilisation dont nous, Européens, sommes les héritiers.

*

Les descriptions que l'on peut lire de cette ville ne sauraient en donner une idée complète ; ce fut pour nous comme une apparition des antipodes, et un monde nouveau : des couloirs étroits bordés d'échoppes, encombrés d'hommes de couleur et de chiens endormis ; des cris rauques partant de tous les côtés et se mêlant à la voix glapissante des femmes, une poussière étouffante, et par-ci par-là quelques seigneurs magnifiquement habillés, maniant de beaux chevaux richement harnachés.

Nous cheminions tant bien que mal au sein d'une foule grouillante, en direction du palais du consul général. Je marchais immédiatement derrière le guide arabe chargé de nous frayer la voie dans ce magma humain, peuplé d'hommes enturbannés, d'enfants à demi nus s'agrippant à nos basques, de femmes voilées portant de longues robes noires. Des chameaux, chargés de couffins remplis de nourriture, bousculaient les promeneurs. Nous passâmes devant un kiosque aux boiseries dentelées où trois musiciens jouaient une chanson entêtante comme les lourds parfums de rose et de jasmin qui s'imprégnaient dans nos vêtements, masquant d'autres odeurs moins suaves qui montaient des rigoles creusées dans la terre. Çà et là, au détour d'une ruelle, surgissaient des minarets. Nous progressions sous des arcades nous abritant des rayons du soleil. La chaleur était tempérée par des souffles d'air venant de la Méditerranée. Nestor L'Hôte se tenait à mes côtés. Rosellini, le père Bidant et le professeur Raddi éprouvaient quelque difficulté à suivre la cadence imposée par notre guide qui semblait pressé de se débarrasser de nous. Être vu en compagnie d'étrangers ne semblait guère lui convenir.

Un bruit de galop. Devant moi, la foule s'écarta avec une vivacité stupéfiante. Je vis apparaître un personnage barbu, coiffé d'un turban lui descendant bas sur le front et juché sur un mulet qui fonçait vers moi. Je demeurai stupidement cloué sur place, voyant le museau fumant du quadrupède s'approcher à grande vitesse.

Nestor L'Hôte me prit par la taille et m'écarta de la trajectoire du mulet qui continua à fendre la populace et disparut dans un grand concert d'indignation.

— Vous l'avez échappé belle, général.

— N'exagérons rien, rétorquai-je, affichant une tranquillité d'âme fort artificielle. Je vous sais gré de votre intervention. Nos compagnons ?

Le religieux français et les deux savants italiens avaient eu de meilleurs réflexes que les miens, se plaquant contre les façades des maisons pour éviter d'être renversés par ce mulet en folie. Le guide arabe s'approcha vers moi. Il parlait un mauvais français.

— Pas blessé ?

— Continuons. Je suis impatient de rencontrer le consul général.

Je portais sur moi les deux lettres mystérieuses qui m'étaient parvenues avant mon départ pour l'Égypte. Cet incident était-il une agression déguisée ? Mon imagination m'entraînait-elle à divaguer ?

Le palais du consul général était une construction pompeuse édifiée au centre d'un jardin planté de palmiers. Sa façade, percée d'une porte couronnée d'un arc-en-ciel ouvragé, était ornée d'une large poutre supportant une loggia aux volets clos. Sur le seuil, deux jardiniers accroupis.

J'entrai. Un intendant, vêtu d'une galabieh blanche, m'invita à le suivre et pria mes compagnons d'attendre dans le hall, pourvu de banquettes de pierre. Il me conduisit jusqu'au vaste bureau de Bernardino Drovetti, consul général de France.

Âgé de cinquante-trois ans, né à Livourne et naturalisé français, il avait participé à l'expédition de Bonaparte en Égypte. Avocat, militaire de haut rang, diplomate, il passait pour l'un des personnages les plus influents du pays. Tissant sa toile dans l'ombre, il régnait, disait-on, sur un gigantesque trafic d'antiquités. D'aucuns prétendaient qu'il se préparait à prendre sa retraite, fortune faite. Je n'avais pas coutume de me forger une opinion sur quiconque à partir des on-dit. J'ai trop souffert moi-même de la rumeur publique pour en accabler autrui.

Bernardino Drovetti était assis à son bureau, les mains croisées devant lui, tel un juge se préparant à rendre sa sentence. L'homme avait de quoi impressionner ses interlocuteurs : le front haut, une épaisse chevelure brune bouclée, les sourcils drus, les yeux noirs, les pommettes saillantes, un nez droit et pointu, une moustache épaisse et longue se terminant en volutes.

— Asseyez-vous, Champollion, et écoutez-moi bien, ordonna-t-il d'une voix sèche, caractéristique d'un homme habitué à donner des ordres et à être obéi.

Je restai debout, défiant du regard le consul général dont j'avais tout à redouter. Lui seul pouvait m'accorder l'autorisation nécessaire pour visiter les sites archéologiques et acheter des objets destinés à enrichir la collection du Louvre. Drovetti avait la capacité de limiter mon expédition à une brève promenade.

— Votre arrivée n'est pas opportune, Champollion. La situation politique est embrouillée. J'ai demandé à Paris d'expédier un ordre à Toulon pour annuler votre voyage. Je suppose que vous ne l'avez pas reçu ?

La question était mordante, incisive, contrastant avec l'aspect luxueux et feutré de cette vaste pièce meublée à l'orientale, avec des tapis chamarrés et des sièges bas.

— Votre supposition est exacte, monsieur le consul général. Il était écrit là-haut que je verrais mon Égypte cette année.

La colère empourpra les joues de Bernardino Drovetti qui se contint avec peine.

— Puisque le vin est tiré, il faut le boire, n'est-ce pas ? Si la guerre éclate entre les Russes et les Turcs, l'Égypte sera entraînée dans le conflit et je ne pourrai plus garantir votre sécurité. Vous-même et les membres de votre expédition courrez alors les plus grands périls.

Je baissai la tête. Drovetti crut à ma soumission.

— Je vois que vous êtes raisonnable, Champollion. Vous résiderez à Alexandrie jusqu'à ce que le blocus soit levé, puis vous retournerez en France. Soyez certain que je veillerai personnellement à votre confort.

Estimant l'entretien terminé, il se leva.

— Alexandrie n'est pour moi qu'une étape, monsieur le consul. Explorer l'Égypte est le but de ma vie. Aucune guerre ne m'empêchera d'accomplir ma destinée, fût-ce au prix de mon existence.

Drovetti ne manquait pas d'intelligence. La puissance de ma détermination ne lui échappa pas. Il se cala à nouveau dans son fauteuil.

Il avait un fameux motif pour me causer les pires ennuis. J'avais réussi à exposer au Louvre une partie de la collection de Salt, consul général d'Angleterre et grand ennemi de Drovetti. Jomard et le comte de Forbin, directeur général des Musées, avaient tout fait pour m'empêcher de devenir conservateur. Mais, le 15 décembre 1827, n'ayant pu compter que sur moi-même, j'avais inauguré la galerie égyptienne du musée Charles X.

— Êtes-vous un ami personnel d'Henry Salt, Champollion ?

— Je ne le connais même pas.

— Tant mieux pour vous. Il ne sera plus jamais utile à quiconque. Il est mort. La connaissance approfondie des antiquités est un art difficile. Un amateur risquerait de gâcher le métier.

— C'est bien pourquoi mon expédition ne comprend que des professionnels, monsieur le consul.

— Que souhaitez-vous voir, en Égypte ?

— Les monuments du Delta...

— Parfait, Champollion. Je vous fais préparer les autorisations nécessaires.

— Il m'en faudra d'autres pour la Thébaïde et la Nubie, ajoutai-je d'un ton tranquille.

Mes nerfs étaient tendus à craquer. Je jouais grand jeu face à un aussi puissant adversaire. S'il avait pu lire en moi, il aurait constaté à quel point je me sentais fragile et ému. Mais une force inaltérable me poussait à affronter l'obstacle. N'avais-je point à mes côtés la meilleure des alliées, mon Égypte ?

— Pourquoi Thèbes ?

— Elle est le cœur de l'Égypte. J'espère y conduire le plus important programme de fouilles jamais entrepris.

— Avec quel argent ?

— Avec celui que vous me procurerez, monsieur le consul général. Étant en mission officielle, je compte sur l'aide financière que vous avez le devoir de m'attribuer.

— Bien entendu... mais il faudra un peu de temps. Cet argent vous parviendra à Thèbes, lorsque vous serez prêt à fouiller. Qu'espérez-vous encore ?

— Votre confiance. Je suis un chercheur, venu ici pour vérifier mes théories sur le terrain et satisfaire un rêve d'enfant. Faire revivre la civilisation des pharaons sera pour moi la plus belle des récompenses.

Ce fut au tour de Drovetti de baisser un peu la tête. J'attendis avec anxiété le résultat de ses méditations.

— Vous coucherez ici ce soir, Champollion, dans la chambre où a dormi Kléber, le vainqueur d'Héliopolis. Mon palais a servi de quartier général à l'armée de Napoléon. Ma protection vous est acquise. J'aime les idéalistes.

— Un ultime détail... j'aimerais me rendre immédiatement à l'Institut d'Égypte pour y rencontrer un vieux savant...

— Le Prophète ?

— Lui-même.

— Épargnez-vous ce déplacement, Champollion. Le bureau dans lequel il travaillait vient de brûler. Les paperasses qu'il y entassait ont été détruites et lui-même a péri dans l'incendie.

Le consul général me tendit un sauf-conduit rédigé en arabe.

— Soyez prudent, Champollion. L'Égypte est un pays dangereux.

*

Bernardino Drovetti regarda sortir de son bureau ce curieux M. Champollion dont la détermination farouche l'avait étonné et inquiété. Un simple savant ? Un illuminé ? Un espion envoyé par le gouvernement français pour découvrir la nature du négoce auquel le consul général se livrait ces dernières années ? Difficile d'apprécier la menace que représentait ce Champollion. Hors de question de prendre le moindre risque si près du but.

Drovetti agita une clochette.

L'intendant à la galabieh blanche apparut presque aussitôt.

— Tu ne quitteras pas d'une semelle l'homme que je viens de recevoir. Tu me feras rapporter ses moindres faits et gestes. Que rien ne t'échappe. Et tu diras à notre ami de redoubler de vigilance.

CHAPITRE 4

J'avais revêtu mes plus beaux habits après une nuit agitée dans la chambre autrefois occupée par le grand Kléber. Lors du dîner auquel Drovetti m'avait convié, nous parlâmes de la France, de Napoléon, de l'art égyptien. Puis le consul général m'avait annoncé qu'une entrevue avec le pacha s'avérait indispensable pour confirmer ma liberté de circuler sur le territoire égyptien.

Le consul général se déclara trop occupé pour me conduire en personne auprès du pacha et vice-roi, Méhémet-Ali. Il confia cette charge à son intendant, un nommé Moktar. Ce dimanche 24 août, à sept heures du matin, assis dans l'antichambre du palais du pacha, situé dans l'ancienne île de Pharos, j'attendais d'être reçu.

Il faisait délicieusement frais dans cette immense bâtisse, si haute de plafond que le regard se perdait dans les caissons sculptés formant un ciel de marqueterie du plus bel effet.

J'étais presque désespéré. Le Prophète, sur lequel je comptais tant pour me guider, avait disparu. Je me retrouvais seul sur cette terre inconnue, comme un enfant abandonné. Il me fallait faire appel à mes propres ressources, et à elles seules. Suffiraient-elles pour me mener au terme de ma quête ? L'Égypte consentirait-elle à répondre aux questions qui me brûlaient l'âme ?

Un homme aux cheveux gris s'assit à mes côtés. Élégant, racé, il s'exprima à voix basse, comme s'il avait peur qu'on nous surprenne. Moktar, mon mentor, venait de s'éclipser.

— J'ai peu de temps pour vous parler, monsieur Champollion. Mon nom est Anastasy.

— Vous...

Ma surprise n'était pas feinte. D'origine arménienne, le diplomate Anastasy représentait la Suède en Égypte. Véritable Crésus, possédant une bonne moitié de la flotte commerciale alexandrine, il passait surtout pour un grand collectionneur à qui les Pays-Bas avaient d'ailleurs acheté quantité de pièces magnifiques.

— Je connais vos projets, monsieur Champollion. Étant un ami personnel de Méhémet-Ali qui ne dédaigne pas d'avoir recours à mes compétences financières, je suis intervenu personnellement en votre faveur. Mais impossible de savoir si le pacha est heureusement disposé à votre égard.

Anastasy se montrait fort modeste. En réalité, il tenait en son pouvoir plusieurs ministres et renflouait régulièrement les caisses du pacha en échange d'organisation de fouilles sur des sites privilégiés qu'il avait su repérer avec un flair infaillible.

— Comment vous exprimer ma reconnaissance, Excellence, mais pourquoi...

— Nous partageons la même passion, monsieur Champollion, mais vous êtes beaucoup plus qualifié que moi pour déchiffrer les mystères de l'Égypte. Ne mésestimez pas les dangers qui vous guettent. Sachez que mon plus grand ennemi est le consul général Drovetti qui tient votre sort administratif entre ses mains. La manière dont il dépouille ce pays de ses trésors me scandalise. Méfiez-vous de lui, même s'il paraît céder à vos exigences de savant. Drovetti ne s'intéresse qu'à l'argent et au pouvoir. Je suis persuadé qu'il est sur le point de réussir une énorme affaire dont j'ignore la nature exacte. Votre arrivée risque de brouiller les cartes qu'il a savamment disposées depuis plusieurs mois.

J'éprouvais envers cet homme une confiance instinctive, immédiate. Sa seule présence me rassurait. Il possédait ce calme merveilleux des êtres intègres dont la mémoire n'est encombrée d'aucune forfaiture. Une question me monta aux lèvres.

— Excellence... m'auriez-vous fait parvenir une lettre avant mon départ pour l'Égypte ?

— Moi ? Non. Point du tout. Drovetti avait proclamé que votre voyage était annulé et que vous ne fouleriez jamais le sol d'Égypte.

La longue silhouette de Moktar apparut à l'extrémité d'un couloir donnant sur le grand hall. Anastasy se leva.

— Prenez garde, Champollion, murmura-t-il.

Il s'éloigna à petits pas, me tournant le dos. Quelques instants plus tard, mon mentor s'inclina devant moi.

— Méhémet-Ali vous attend.

Le pacha me reçut dans un petit salon encombré de divans et de coussins. La lumière ne filtrait que par une petite fenêtre grillagée. Sur une table basse, au plateau de marbre veiné de rose, une théière et des tasses en porcelaine. Debout, encadrant le maître de l'Égypte moderne, deux impressionnants gardes du corps, armés d'un sabre.

— Bienvenue, monsieur Champollion, dit Méhémet-Ali en détachant ses syllabes.

Le pacha était une sorte de colosse d'aspect débonnaire. Malheur à qui se fiait à cette apparence. Orphelin, né en Macédoine, Méhémet-Ali avait jeté son dévolu sur l'Égypte, abandonnée aux Turcs par les Anglais. Il avait balayé la médiocre autorité des petits potentats locaux pour imposer sa poigne de fer sur un peuple habitué à nombre d'occupations depuis la fin de l'empire pharaonique. Il avait chassé mamelouks et wahabites, se posant en interlocuteur respecté des puissances européennes. A Paris, les diplomates le décrivaient comme un tyran et un homme cruel. On vantait son intelligence aiguë, son acharnement à conserver sa toute-puissance.

Méhémet-Ali tenait une pipe enrichie de diamants. Devant lui, un narguilé de vermeil couvert de pierres précieuses.

Ses yeux avaient une expression vive et pénétrante. Une magnifique barbe blanche couvrait sa poitrine. Sa physionomie était sombre, presque taciturne.

— On me calomnie, en Europe, poursuivit-il, comme s'il avait lu dans ma pensée. On m'accuse d'être impatient, trop pressé, d'exploiter le peuple, de lui imposer de trop lourds impôts, de placer un policier derrière chaque fellah. Et comment agir autrement pour maintenir l'ordre ? Je suis obligé d'être le seul propriétaire foncier, d'avoir le monopole du riz, du blé, des dattes et de la fiente de bestiaux qui sert de combustible. Ainsi, je peux régir l'économie et la redresser. Même les filles de joie, les baladins et les escrocs me payent tribut pour le plus grand bonheur de mon peuple.

Un hoquet convulsif interrompit le discours du pacha. Cette incongruité était la conséquence d'une tentative d'empoisonnement à laquelle Méhémet-Ali avait survécu. Les meilleurs médecins n'avaient pas réussi à en débarrasser le maître de l'Égypte.

— Je modernise le pays, reprit-il. Commerce, industrie, agriculture, j'agis sur tous les fronts... jamais on n'a bâti autant de manufactures ! N'est-ce point votre avis ?

— J'espère, Votre Béatitude, que les monuments de l'ancienne Égypte n'ont pas eu trop à souffrir des indispensables progrès dont vous êtes l'instigateur.

Le pacha sourit dans sa barbe drue.

— Vos espoirs ne seront pas déçus, répondit-il avec onctuosité. J'apprécie beaucoup les vieilles pierres.

Méhémet-Ali n'avait-il pas livré les trésors des pharaons aux marchands et aux diplomates, se moquant bien de préserver un art qui n'était pas celui des musulmans ? Les antiquités ne lui servaient-elles pas à attirer des personnages fortunés, susceptibles de lui verser une dîme confortable à condition qu'il fermât les yeux sur leur trafic ?

— J'en suis heureux, Votre Béatitude. Je compte sur votre bienveillance pour faciliter mon travail sur cette terre que j'aime tant.

— Souhaitons qu'une guerre avec la Russie ne trouble pas la paix dont je suis le garant, rétorqua le pacha tandis qu'on nous servait le thé.

— Chacun compte sur votre sagesse. Vous fûtes assez philosophe pour rire de votre défaite de Navarin, dans le Péloponnèse, où la flotte égypto-turque a été anéantie par les Français, les Anglais et les Russes.

J'osai piquer au vif le vice-roi. Mieux valait s'assurer dès à présent de ses véritables dispositions d'esprit à mon égard. En lui rappelant le souvenir cuisant de la bataille qui avait mis un terme à ses rêves d'expansion, je sortais du rang des courtisans flatteurs pour me montrer soucieux de vérité. Cette attitude m'avait souvent valu des déconvenues et de profondes inimitiés, mais je n'en concevais pas d'autre.

La poitrine de Méhémet-Ali fut secouée d'un énorme rire communicatif.

— Vous êtes un curieux lascar, Champollion ! lança-t-il avec force. On prétend que vous connaissez la signification des signes bizarres que les Égyptiens ont gravés sur leurs monuments ?

— Il me reste à vérifier mes théories sur le terrain.

— Vous avez rencontré le consul général Drovetti, je crois ?

Les yeux de Méhémet-Ali s'étaient faits plus perçants.

— En effet, Votre Béatitude. Il m'a donné un laissez-passer en précisant que vous seul aviez la possibilité de valider ce document.

Je perçus le contentement du pacha en même temps que sa faiblesse. Cet homme avait un culte immodéré de la puissance. Contester son autorité lui apparaissait comme le pire des crimes. L'exalter, au contraire, lui procurait le plus vif des plaisirs.

— J'aime beaucoup la France, indiqua-t-il. Les plus brillantes intelligences du Caire vont étudier à Paris. Ils y sont bien reçus. Votre consul général, Drovetti, est

41

un homme remarquable qui m'a aidé à remettre l'Égypte sur la bonne voie et à me débarrasser des ambitieux tentant de former des factions contre moi.

Sa voix se fit plus sourde.

— Savez-vous, Champollion, que c'est un commerçant français qui m'a évité de mourir de faim lorsque j'étais enfant ? Il m'a ramassé dans une rue de mon village et m'a nourri comme si j'étais son fils. Aujourd'hui, il est au paradis d'Allah. Je me suis juré d'être utile aux Français qui auraient besoin de moi.

Je crus à la sincérité du pacha.

— J'ai besoin de votre aide. Outre votre autorisation de me rendre sur les sites d'Égypte et de Nubie, il me faudrait des bateaux et de l'argent pour payer porteurs et serviteurs qui accompagneront les membres de mon expédition.

— Impossible.

J'étais abasourdi. Cette réplique était d'une cruauté inouïe, inexplicable.

— Impossible... mais pourquoi donc, Votre Béatitude ?

— Je n'accorde plus d'autorisations de fouilles aux simples voyageurs. Le consul général Drovetti tient à éviter le pillage.

— Mais... je ne suis pas un visiteur ordinaire ! m'emportai-je, indifférent aux conséquences de mon attitude. Ma mission a un caractère officiel ! J'ai été nommé par le roi Charles X conservateur des monuments égyptiens et je jouis des prérogatives d'un commissaire du gouvernement français si la sauvegarde de l'honneur national l'exige. Tel est bien le cas ! Il me faudra en référer aux ministres du roi. Je sais que les marchands d'antiquités et les trafiquants ont tous frémi à l'annonce de ma venue. Une cabale a été organisée contre moi pour me supprimer toute autorisation et m'empêcher de donner un seul coup de pioche. S'il en est ainsi, je ferai connaître au roi les motifs qui m'ont interdit de remplir ma tâche. En me faisant injure, c'est lui que l'on défie !

Méhémet-Ali demeurait d'un calme absolu.

42

— Que souhaiteriez-vous ?

— Avoir accès à la totalité des sites de l'ancienne Égypte.

— Exigences raisonnables... mon meilleur chaouiche, Abdel-Razuk, partira avec vous. C'est un policier d'élite. Il vous sera utile, en haute Égypte, pour faire respecter mon autorité. Là-bas, les populations sont parfois hostiles aux Turcs. Il existe encore des bandes de brigands qui n'hésitent pas à dévaliser les voyageurs. Soyez prudent, Champollion.

— Je me conformerai à vos exigences et à celles de la science, déclarai-je en arabe, dans le dialecte du Caire.

Méhémet-Ali me considéra avec stupéfaction. Il éprouvait une immense surprise.

— Vous parlez notre langue ?

— C'est indispensable pour bien connaître l'Égypte.

— Bien sûr, admit le pacha, sans enthousiasme. Les paysans étaient-ils heureux, sous les pharaons ?

Cette question inattendue cachait un piège. Peu importait. Mentir m'était insupportable.

— Je crois que oui. La nature se montrait parfois cruelle, lorsque la crue du Nil était trop abondante ou, au contraire, insuffisante. Mais Pharaon, qui possédait l'Égypte entière, suppléait aux défaillances du fleuve. Les anciens Égyptiens mangeaient à leur faim et avaient plaisir à vivre. N'est-ce pas une aspiration éternelle ?

Le pacha fit resservir du thé à la menthe.

Nous n'eûmes pas le temps de le consommer.

Un groupe de Bédouins, encadrés par des soldats, interrompit l'audience. Ils se précipitèrent vers le pacha, s'agenouillèrent et baisèrent le bas de son vêtement. Puis, s'écartant, ils laissèrent le passage à trois hommes qui portaient dans leurs bras une jeune panthère, une gazelle blanche et une petite autruche. Avec grand soin, ils déposèrent leurs présents au pied du trône.

Méhémet-Ali ne prononça pas le moindre mot de remerciement. Les soldats, avec brutalité, firent sortir les Bédouins qui continuèrent à s'incliner en reculant.

— Puis-je vous faire partager ma plus grande angoisse, Votré Béatitude ?

Le regard de Méhémet-Ali s'assombrit. Il ne m'interdit pas de continuer.

— Il s'agit de Thèbes, la cité du dieu Amon, la plus belle ville du monde... a-t-elle été préservée de la destruction ? A-t-on bien veillé sur ses temples ?

Ces questions m'obsédaient depuis plusieurs mois. D'inquiétantes rumeurs circulaient sur le pillage des monuments anciens. Mutiler Thèbes aurait privé le monde de lumière.

— Soyez rassuré, Champollion. Je veille sur la Thébaïde avec le plus grand soin. C'est la plus chérie de mes provinces. Vous trouverez votre vieille capitale intacte avec toutes ses splendeurs.

— Grâce en soit rendue à Votre Béatitude, déclarai-je, sans que mes inquiétudes fussent tout à fait dissipées.

*

L'heureuse issue de mon entrevue avec le pacha eut la meilleure influence sur le comportement de Drovetti. Le consul général invita mes compagnons à sa table et les logea dans son palais. La corvette *L'Églé* avait levé l'ancre sans que j'eusse la chance de revoir le capitaine Cosmao Dumanoir.

« Les préparatifs de votre expédition prendront plusieurs semaines », m'avait prévenu Drovetti. Mensonge diplomatique ? Tentative de me retenir à Alexandrie en se servant de prétextes ? Je me trouvais plongé dans l'incertitude. Je connaissais trop l'administration pour ignorer ses lenteurs qu'accroissait encore l'indolence naturelle des Orientaux. Drovetti et le pacha souhaitaient-ils vraiment la réussite de mon entreprise ? N'avaient-ils pas choisi de me donner le change par de bonnes paroles ?

J'agitais ces sombres pensées en contemplant, au soleil couchant, la colonne de Pompée dressant ses vingt-cinq mètres de haut dans le quartier sud-ouest d'Alexandrie. Examinant le socle avec attention, je m'aperçus qu'il était composé de blocs appartenant à des monuments plus anciens. Je parvins même à déchiffrer le nom de l'illustre pharaon Séthi Ier, le père de Ramsès II. Tout près d'ici trônait la fameuse bibliothèque d'Alexandrie, incendiée par des mains criminelles.

La brise de mer me fouetta le visage. Une infinie tristesse m'envahit. Cette colonne isolée, seule trace d'un monde disparu, devenait le symbole de l'échec. L'Égypte du crépuscule, désolante et désolée, s'enfonçait dans les ténèbres d'une mémoire détruite. Sans doute ne connaîtrais-je jamais que ce misérable vestige, élevé à la gloire d'un Romain sur les ruines de la cité d'Alexandrie. Il ne me parlait pas d'éternité mais de déchéance. Mon Égypte des pharaons se trouvait loin, très loin de cette Alexandrie moderne qu'avaient désertée les dieux égyptiens. Je m'appuyais de tout mon poids contre la colonne de Pompée avec l'espoir de la voir s'écrouler et de mettre un terme à mon rêve.

— A quoi pensez-vous, monsieur Champollion ?

Lady Ophelia Redgrave, vêtue d'une robe de mousseline jaune aux parements argentés, se profilait dans la lumière orange des derniers moments du jour. Je distinguais à peine son visage, nimbé de clartés irréelles. Elle m'apparut d'une singulière beauté, m'évoquant la déesse du ciel prête à accueillir en son sein le soleil du soir pour le régénérer.

— M'auriez-vous suivi, madame ?

— Point du tout. Je me promenais, comme vous. Cette colonne est le rendez-vous des curieux déçus par Alexandrie. Il n'y a que du grec et du romain dans ce passé-là. L'Égypte n'y a pas laissé sa marque.

— Deviendriez-vous égyptologue ? ironisai-je. Votre rôle d'espionne nécessite-t-il autant de science ?

Elle sourit, amusée.

— Vous vous croyez acerbe et vous n'êtes que passionné. Vous n'êtes pas le seul à aimer ce pays à la folie. Si je vous affirme que je ne suis pas votre ennemie, vous ne me croirez pas. Qu'importe. Je ne tenterai pas de vous convaincre. Sachez que je fais désormais partie de votre expédition. Là où vous irez, j'irai.

J'étais abasourdi. Lady Redgrave s'éloigna dans le couchant.

*

Le 22 août, de grand matin, j'errai au milieu des dunes, au sud de la ville. Alexandrie était devenue un lieu de supplice. Mes compagnons d'aventure découvraient avec une curiosité amusée les charmes de l'Orient, fouinant dans les souks, se prélassant dans le jardin du palais de Drovetti, s'entretenant avec les lettrés arabes, les ulémas, qui tentaient de les convertir à l'islam en évoquant les bienfaits passés de la présence française en Égypte.

J'avais le plus grand besoin de respirer, de remplir mes yeux d'un peu de désert, de me sentir attiré vers le sud, vers Le Caire. Je pris du sable au creux de ma main droite et le laissai lentement s'écouler entre mes doigts.

Un vieil Arabe, s'appuyant sur une canne, progressait dans ma direction. Je regardai autour de moi, redoutant une agression. Mais l'homme était seul, marchant avec lenteur. Un aveugle.

— Bonjour citoyen, me salua-t-il. Donne-moi quelque chose. Je n'ai pas mangé depuis longtemps.

« Citoyen » ? Avais-je bien entendu ce qualificatif républicain fort inattendu dans la bouche d'un Alexandrin ?

— Dépêche-toi, insista-t-il, mon estomac crie famine.

Je fouillai dans mes poches et lui offris l'argent français dont je disposais. Il tâta les pièces avec dextérité et les jeta dans le sable.

— Cette monnaie-là n'a plus cours ici, mon ami. Cherche mieux.

Ce vieillard insolent me fascinait. Je me sentais obligé de lui obéir. Je parvins à trouver une piastre. Elle parut le satisfaire.

46

— C'est bon, jugea-t-il. Je te remercie, citoyen. Tu es digne de Bonaparte. Je regrette l'armée venue de France. Je croyais qu'elle nous protégerait des rapaces qui dévorent l'Égypte. Il y avait des hommes qui aimaient ce pays, parmi eux. Il y avait même des savants. Des fous de vérité, comme toi.

— Qui êtes-vous ?

— Un aveugle. Garde bien sur toi la lettre que tu as reçue avant ton départ. Un jour, on te la demandera.

J'aurais voulu le retenir, lui demander qui il était, de laquelle des deux lettres il parlait. Mais, marchant à une vitesse surprenante, il disparut derrière une dune.

*

C'est à la fin du mois d'août que je fus convoqué de toute urgence au palais de Méhémet-Ali. Il y régnait la plus grande agitation. Des ministres couraient en tout sens, s'apostrophaient, sortaient, rentraient. Je me faufilai dans cette foule de courtisans, bientôt repoussé par les deux gardes-chiourme armés de sabres qui avaient assisté à ma première entrevue avec le pacha.

Ce dernier me reçut dans un salon d'apparat aux murs couverts de trophées. Lui-même avait revêtu un habit chamarré, mêlant l'or et le rouge. Hautain, presque méprisant, le vice-roi voulait apparaître comme un chef d'État. Ce décorum ne présageait rien de bon.

— Ah, Champollion ! s'exclama-t-il en m'apercevant. J'ai de très mauvaises nouvelles.

Je ne cachai pas mon anxiété.

— Les troupes françaises viennent d'occuper la presqu'île grecque de Morée, expliqua-t-il, gêné.

Cela signifiait-il que l'Égypte allait devenir partie prenante d'un conflit avec la France et que, en conséquence, mon expédition serait mort-née ?

— Vos compatriotes ne sont pas raisonnables, estima-t-il, fort mécontent. Je crois que j'ai eu tort de leur témoigner de la reconnaissance. Vous me posez un problème délicat, Champollion. Dois-je vous traiter en ami ou en ennemi ?

Je soutins le regard du pacha.

— Comme votre décision est déjà prise, Votre Béatitude, il ne vous reste plus qu'à me la communiquer.

Un sourire féroce illumina le visage de Méhémet-Ali.

— Vous vous trompez, Champollion. Je la prends à l'instant même. Vous êtes insolent et fier, mais vous poursuivez le but que vous vous êtes fixé. J'aime les êtres de votre race. Allez voir Drovetti. Je ne ferai rien contre vous.

*

Je forçai plus d'une dizaine de fois la porte du consul général Drovetti pendant les premiers jours de septembre. Il me reçut toujours avec la plus grande courtoisie, déplorant des retards dont il ne pouvait être tenu pour responsable. En raison du climat politique troublé, il ne parvenait pas à trouver un équipage suffisamment courageux pour nous accompagner jusqu'en Nubie.

Impossible de prendre au sérieux une telle explication. Drovetti temporisait. Rien de plus facile, pour lui, que de lever une troupe de dociles serviteurs. Méhémet-Ali m'avait offert pieds et poings liés à son complice qui, proclamant officiellement sa bienveillance à mon égard, me clouait à Alexandrie.

Ayant vu clair dans leur jeu, je décidai d'agir à ma façon. Je réunis mes compagnons dans le jardin du palais consulaire et leur exposai mes plans, à l'abri d'oreilles indiscrètes.

CHAPITRE 5

Moktar, l'intendant du consul général Drovetti et Abdel-Razuk, le policier au service du pacha, se demandaient s'ils ne rêvaient pas. Les deux Turcs étaient consciencieux. Conformément aux instructions reçues, ils n'avaient pas quitté des yeux Champollion. Où qu'il aille, le savant français faisait l'objet d'une filature discrète et efficace. Il facilitait d'ailleurs la tâche de ses suiveurs car, perdu dans ses pensées, il ne se retournait jamais.

Pourquoi, en ce dimanche torride, à une heure de l'après-midi, Champollion avait-il pris la direction de la nécropole occidentale d'Alexandrie, Kôm el-Chougafa, une suite de collines longeant le bord de mer ? La chaleur était à peine atténuée par un faible souffle de vent venant de la Méditerranée. Champollion ne semblait guère en souffrir, marchant d'un pas rapide qui surprenait les Alexandrins assis à l'ombre pour boire un café avant de pratiquer une longue sieste. « Cette excellente chaleur est une inestimable source de santé, avait affirmé Champollion à ses compagnons ; nous fondons comme des cierges et nous perdons nos mauvaises graisses. »

Moktar, habitué à la fraîcheur du palais de Drovetti, n'avait plus l'habitude de courir les ruelles de la ville pendant les heures caniculaires. Abdel-Razuk ne se sentait guère plus à l'aise. Ils n'auraient pourtant aucune excuse s'ils perdaient la trace de Jean-François Champollion qui, à deux cents pas des fortifications, quittait le domaine des vivants pour entrer dans celui des morts. Le savant français, en effet, s'engouffrait dans un escalier donnant accès à des catacombes creusées dans des rochers calcaires.

Les deux Turcs se regardèrent, inquiets. Ils n'aimaient pas cet endroit. On ne connaissait pas trop la religion des défunts enterrés là. On savait seulement qu'ils n'étaient ni chrétiens ni musulmans et que des dieux dangereux veillaient sur leur repos éternel.

Quelques pillards avaient bien réussi à dépouiller les cadavres de leurs bijoux mais on racontait qu'ils n'en avaient tiré qu'un maigre profit, ce larcin ayant d'ailleurs abrégé leurs jours.

— Il faut le suivre, estima Moktar.

— Ce n'est peut-être pas nécessaire, répliqua Abdel-Razuk. Il n'y a pas d'autre accès. Il suffit d'attendre qu'il réapparaisse.

L'argument avait du poids. Mais n'existait-il pas une sortie inconnue des deux hommes ? Prendre un risque parut inconvenant à l'intendant de Drovetti qui connaissait la sévérité de son maître envers les serviteurs incompétents.

— Reste ici. Je descends voir.

Abdel-Razuk, dont la ferveur religieuse augmentait avec l'âge, ne redoutait rien tant que les lieux mortuaires où les esprits malins ne supportaient guère la présence des intrus. Il accepta donc sans protester la proposition de Moktar.

Ce dernier s'engagea à son tour dans l'escalier dont les premières marches étaient couvertes de sable. Il parvint presque aussitôt à une première chambre très étroite, au plafond en forme de voûte surbaissée. Creusées dans les murs, des niches contenant des urnes. Dans le sol, une ouverture. Moktar, peu rassuré, s'y introduisit, découvrant un escalier circulaire qui desservait des tombes disposées sur plusieurs étages, s'enfonçant de plus en plus profondément sous terre.

Aucune trace de Champollion.

L'intendant osa poursuivre son exploration. La gorge serrée, il parcourut les salles où l'on entreposait les sarcophages et celles où les familles venaient célébrer des banquets à la mémoire des défunts. Mis en présence d'un chacal habillé en légionnaire romain et peint sur un mur, il recula instinctivement, se plaquant contre une niche. Quelque chose de mou lui heurta le dos. Effrayé, il s'écarta, faillit tomber. Le cœur battant, persuadé d'avoir été attaqué par un esprit dérangé pendant son sommeil, il recouvra peu à peu son calme et s'aperçut que la niche contenait un tas de vêtements : ceux de Champollion !

Ce dernier s'était donc déshabillé... Moktar hésita. Fallait-il descendre encore ou remonter prévenir Abdel-Razuk ? Pourquoi le Français avait-il agi ainsi ? L'air raréfié de la nécropole, les figures inquiétantes qui la peuplaient emportèrent sa décision. Il repartit vers la surface en courant.

Abdel-Razuk l'attendait avec impatience.

— Champollion ? interrogea-t-il.

— Disparu. Quelqu'un est-il sorti d'ici ?

— Non. J'ai seulement vu un Arabe se promener sur la colline, là-bas.

Moktar se précipita vers l'endroit indiqué par son compatriote. Il y avait là l'entrée d'un boyau qui conduisait à l'intérieur de la nécropole.

*

Coiffé d'un turban, vêtu d'une galabieh marron, chaussé de babouches, le teint suffisamment hâlé, je ressemblais à un vieux musulman. J'avais eu raison de laisser pousser ma barbe depuis l'arrivée à Alexandrie. Peu à peu, l'apparence européenne avait disparu pour laisser place à un visage et à une allure orientaux qui avaient abusé le policier du pacha. J'avais conseillé à mes compagnons de suivre mon exemple et de prendre les habitudes locales. Le père Bidant avait protesté avec obstination, refusant d'abandonner sa soutane.

Pour l'heure, après m'être habillé à l'égyptienne dans

la nécropole, et avoir semé mes suiveurs qui connaissaient mal le plan de ces catacombes, je me dirigeais vers le port. Alexandrie, disait-on, n'était qu'une gigantesque boutique. Il me fallut, de fait, traverser des quartiers entiers composés d'échoppes, de magasins et d'ateliers plongés dans la torpeur de la sieste. Personne derrière moi. Les chantiers maritimes s'annonçaient par des entrepôts. Puisque Drovetti se prétendait incapable d'affréter les embarcations nécessaires pour l'expédition, je m'en chargerais moi-même.

La construction navale était l'un des grands arts alexandrins. J'étais persuadé de pouvoir trouver un loueur. Les quais semblaient déserts, mais je savais que des dizaines d'yeux m'observaient. Je m'obligeais à marcher lentement, avec une certaine nonchalance, pour ne point éveiller l'attention. Je gagnai un bassin où sommeillaient de petits bateaux. Un gardien dormait à demi, adossé à une bitte d'amarrage.

Je m'adressai à lui en arabe et lui demandai de m'indiquer une personne capable de me procurer des embarcations pour aller vers le sud. Le bonhomme hésita avant de me répondre. Il tenta d'obtenir davantage de renseignements mais, déjà pénétré de stratégie orientale, je sus me montrer évasif. Tendant la main, il consentit à m'indiquer un entrepôt apparemment fermé. Je réussis sans peine à faire coulisser la grande porte de bois et à m'introduire à l'intérieur.

Malgré la pénombre, je distinguai sans peine le visage sarcastique de Moktar, l'intendant de Drovetti, entouré d'une dizaine d'hommes armés.

— Nous vous attendions, monsieur Champollion.

*

— Qu'est-ce que ça signifie, Champollion ? Pourquoi êtes-vous déguisé en Arabe ? Pourquoi cherchiez-vous à louer des bateaux ? N'avez-vous pas confiance en moi ? Ne savez-vous pas que je m'occupe de tout ?

Le consul général Drovetti masquait mal sa colère

par ce flot de questions. Son intendant m'avait ramené à son palais avec une ferme courtoisie. Je n'avais manifesté aucune velléité de fuite, d'ailleurs vouée à l'échec, en raison de l'imposant cortège qui m'accompagnait. Ma malheureuse expérience m'avait permis de mesurer le pouvoir réel de Drovetti sur la population alexandrine. Ses hommes étaient partout, faisant régner un ordre parallèle à celui du pacha.

— J'éprouve un goût profond pour la vie orientale, répondis-je. Comment connaître l'Égypte si l'on n'adopte pas ses coutumes?

Aux côtés de Moktar se tenait Abdel-Razuk, portant mes vêtements européens rassemblés en un ballot.

— Je suppose que vous souhaitez récupérer vos habits?

— À votre guise, Excellence. Je me sens bien dans ma nouvelle peau.

Irrité par mon arrogance, Drovetti congédia ses gens. Nous restâmes en tête à tête.

— Votre comportement est stupide, attaqua-t-il. Vous vous rabaissez au rang d'un esclave. Jamais vous n'aurez la moindre autorité sur vos serviteurs musulmans.

— Permettez-moi d'être d'un avis différent, rétorquai-je avec fougue. Vous régnez par la peur. Moi par l'amitié.

Drovetti me lança un regard meurtrier. Le dernier vernis mondain disparaissait. Il laissa sa haine transparaître.

— Vous n'avez plus rien à faire en Égypte, Champollion. Il y a deux ou trois ans, votre expédition aurait été la bienvenue. Le pays était mis à sac par des voleurs et des marchands d'antiquités ne songeant qu'à leur intérêt et non à la préservation des monuments. Grâce à Anastasy et à moi-même, la situation a bien changé. Nous avons mis fin à ces trafics sordides. Il n'y a plus rien à réformer ni à découvrir. Les sites ont été explorés et fouillés.

Drovetti me tourna le dos, contemplant le jardin du

consulat par l'une des fenêtres de son bureau. Sans doute croyait-il avoir prononcé des paroles définitives. Je m'installai dans un fauteuil.

— J'aimerais tant vous croire, Excellence ! Mais j'ai une autre version des faits, étayée sur des témoignages et des observations personnelles. Les marchands d'antiquités ont tous frémi sur tout le territoire. Vous-même et le pacha refusez de m'accorder les autorisations réelles, indispensables pour organiser mon expédition. Vous oubliez le caractère officiel de ma mission. Je suis venu ici afin de fouiller pour les musées du roi. J'ai donc rédigé une note à son intention et à celle de ses ministres pour leur faire connaître les causes qui m'empêchent de remplir mes instructions. J'y explique que les difficultés administratives sont probablement dues à de sordides intrigues mercantiles. Venant au nom du roi, mandaté par lui et son gouvernement, c'est lui faire injure que de me refuser les papiers nécessaires. Si le pacha tient à sa réputation de protecteur des arts et des sciences, il devrait à présent se hâter de conclure mon affaire. Sinon, les journaux européens et l'opinion publique égyptienne pourraient bien s'en emparer et lui causer le plus grand tort, ainsi qu'à vous-même.

Bernardino Drovetti se retourna, très pâle.

— Des menaces, Champollion ?

— En quoi vous sentiriez-vous menacé ? Auriez-vous commis quelque action blâmable ?

— Je vous interdis de me parler sur ce ton ! hurla-t-il. Le pacha est hors de cause. Je suis le seul à pouvoir vous accorder les autorisations que vous exigez. Mais ce serait une erreur fatale pour la France. Vous ne serez pas en mesure d'assurer la protection des sites. Anastasy se frottera les mains. Lui gardera ses concessions en toute tranquillité.

— Inexact, Excellence.

— Que voulez-vous dire ? interrogea-t-il, aussi intrigué qu'inquiet.

— Anastasy m'a cédé ses droits de fouille dans les sites réservés qu'il contrôlait jusqu'à présent. Le seul à demeurer dans une situation illégale vis-à-vis de mon expédition, c'est vous.

La peur déforma les traits de Drovetti, atténuant sa superbe. Il se sentait pris dans une nasse dont il lui serait difficile de sortir sans perdre quelques privilèges. Sa réputation et sa fortune étaient en jeu.

— A supposer que j'imite Anastasy, comment vous procurer des bateaux ? Ils sont tous réquisitionnés par le pacha.

— Problème résolu, Excellence. Je ne suis pas seul à me promener habillé en Arabe. Mes compagnons m'ont imité. Grâce à mon ordre de mission officiel, ils sont parvenus à convaincre les capitaines de l'*Isis* et de l'*Hathor* qui sont, paraît-il, de fidèles amis d'Anastasy.

Il se produisit, je crois, un instant de connivence entre Drovetti et moi. Il reconnut que j'étais un adversaire digne de lui et qu'il avait commis l'erreur de me sous-estimer. Mais ce que je lus dans son regard aurait effrayé l'âme la mieux trempée. La rancune du consul général devait être redoutable.

— Vous aurez vos autorisations dès demain, Champollion.

*

Le 13 septembre au soir, mes compagnons de voyage étaient réunis dans le salon d'honneur du consulat de France, en présence de Drovetti. Le consul général porta des toasts au roi, à la France, au pacha. Il souhaita la réussite de notre expédition. Je le remerciai, avec le plus grand sérieux, pour l'aide qu'il nous avait apportée. Un élan de sincérité traversa mon bref discours, tant j'étais exalté à l'idée de partir enfin vers la civilisation pharaonique.

— On ne peut pas sortir d'ici ! annonça Nestor L'Hôte. Des dizaines d'âniers obstruent l'entrée du consulat.

La nouvelle de notre départ, que j'aurais voulu discret, s'était répandue dans Alexandrie. Drovetti ne devait pas être étranger à cette divulgation. Elle ajoutait à sa réputation de grand seigneur libéral et généreux. Amusé, il me réconforta.

— Allons, Champollion, ne vous inquiétez pas pour si peu ! Les chaouiches du pacha disperseront ces gens. La populace aime faire la fête pour un rien, mais elle a le sang trop chaud.

Les âniers n'étaient guère menaçants. Ils chantaient, hurlaient, voulaient toucher les membres de l'expédition, obtenir d'eux quelques pièces. Les policiers du vice-roi, armés de bâtons, frappèrent çà et là avec une violence qui me révolta. Était-il nécessaire de mener une répression aussi brutale ?

Le soir tombait quand une longue caravane, suivie de curieux, parvint au canal Mahmoudieh où étaient ancrés les deux bateaux devant nous conduire vers le sud. Rosellini, L'Hôte et moi-même embarquâmes à bord de l'*Isis*, un imposant bâtiment que le pacha lui-même n'avait pas dédaigné d'utiliser. Le professeur Raddi et le père Bidant montèrent à bord de l'*Hathor*. Le personnel — domestiques, cuisiniers, porteurs — se répartit conformément aux instructions de Moktar, l'intendant de Drovetti et d'Abdel-Razuk, le policier préféré de Méhémet-Ali. Bien entendu, ces deux derniers avaient choisi l'*Isis*, s'attachant avec beaucoup de vigilance à ma personne.

On s'apprêtait à larguer les amarres. Deux marins ôtaient la passerelle lorsqu'un cri de femme les cloua sur place.

— Attendez ! ordonna Lady Redgrave, accompagnée de quatre âniers tirant de malheureux quadrupèdes chargés de lourdes valises.

Aux côtés de l'aristocrate anglaise, Méhémet-Ali en personne, protégé par une garde d'honneur.

Le vice-roi fit remettre la passerelle en place.

— Je vous souhaite bonne chance, Champollion, dit-il avec solennité. Qu'Allah vous protège. Prenez soin de mon invitée.

Lady Redgrave passa devant moi, aérienne, légère.

— Je vous avais prévenu, monsieur Champollion, et je n'ai qu'une parole.

Le bruit délicieux du premier sillon tracé dans l'eau du canal par l'étrave de l'*Isis* m'ôta le désir de répliquer.

Le vrai voyage avait commencé.

CHAPITRE 6

Le canal Mahmoudieh reliait directement Alexandrie au Caire. Je réalisais l'un de mes vœux les plus chers : voyager sur le Nil à la manière des anciens Égyptiens, me sentir progresser sur le fleuve divin qui desservait temples et villages. Chaque instant m'offrait un émerveillement nouveau. Je découvrais des paysages verdoyants, des paysans travaillant avec des instruments identiques à ceux qu'utilisaient leurs lointains ancêtres, j'identifiais des sites, des plantes, des arbres... un monde de hiéroglyphes vivants se déployait devant mes yeux insatiables. On m'arrachait difficilement à ma contemplation pour me rappeler l'existence des repas et la nécessité du sommeil.

Dès le premier jour de cette croisière vers un passé éternel, une heureuse surprise m'avait confirmé dans le sentiment que le nom des bateaux, l'*Isis* et l'*Hathor*, était un présage favorable plaçant notre expédition sous la protection de deux des plus aimables déesses égyptiennes. Un Arabe d'une trentaine d'années, très digne, portant une fine moustache, m'attendait dans ma cabine. Il s'inclina respectueusement à mon entrée.

— Mon nom est Soliman, dit-il dans un français rugueux. Je suis préposé à votre service.

Soliman, le nom d'un prince connaissant les pouvoirs des génies, grand magicien capable de manipuler les forces d'en-haut... l'homme qui me saluait m'apparut très différent des serviteurs arabes que j'avais rencontrés jusqu'à présent. Sa noblesse naturelle m'impressionna. Il me paraissait impossible de donner des instructions à un être comme celui-là.

— Soyons amis, proposai-je. Il est vrai que j'aurai besoin de vous, Soliman. Si vous avez confiance en moi, nous pourrons travailler ensemble.

Je m'étais exprimé en arabe. Soliman n'afficha pas la moindre surprise, mais son regard me parut être d'une absolue franchise. Il s'inclina à nouveau, non à la manière d'un serviteur devant son maître, mais à celle d'un hôte honorant son égal : la main touchant le front, la bouche et le cœur, pour signifier que sa pensée, sa parole et ses sentiments étaient orientés vers moi de manière favorable.

Je ne tardai pas à constater les effets bénéfiques de cette alliance. Soliman, qui connaissait la moindre parcelle de son pays, me permettait de corriger les cartes de la *Description de l'Égypte*, rédigée par les savants de Bonaparte, qui, jusqu'à ce voyage, était la référence scientifique. Au fil du Nil, au rythme lent de l'*Isis*, je me faisais nommer les moindres agglomérations afin de rectifier les erreurs et de compléter les vides. Heure après heure se traçait une nouvelle carte de l'Égypte où apparaissaient les correspondances entre les localités anciennes et modernes. Ce premier résultat, à lui seul, était d'une inestimable valeur.

Nestor L'Hôte, dont le solide appétit se satisfaisait d'une intendance à la française, mettait au net mes indications en compagnie de Rosellini dont la passion scientifique se nourrissait déjà d'éléments de choix. A Alexandrie, ce dernier n'avait pas perdu son temps. Il avait acheté de nombreuses pièces destinées à la collection qu'il devait rapporter au grand-duc de Toscane, Léopold II.

Lady Redgrave ne daignait pas m'adresser la parole. Sans doute sa qualité d'invitée privilégiée du pacha la plaçait-elle au-dessus des simples mortels. Elle se contentait de prendre le soleil et n'avait de contacts qu'avec les deux serviteurs attachés à sa personne. Il me faudrait trouver un moyen de l'abandonner au Caire.

Alors qu'en plein midi, je savourais un verre d'eau du Nil, dont la saveur me paraissait préférable à celle du plus suave des champagnes, je discernai, au milieu d'un bosquet d'acacias, un minuscule village d'un charme particulier. Le hasard voulut que l'*Isis* accostât pour acheter des fruits frais.

— Je voudrais visiter cet endroit, demandai-je à Soliman qui m'indiqua le nom du village : Ed-Dahariye.

A l'instant où je m'engageai sur la passerelle, le policier Abdel-Razuk intervint.

— Restez à bord, exigea-t-il. Le lieu n'est pas sûr.

— Merci de votre conseil, répondis-je en sautant à terre.

J'étais attiré par ces huttes de fellahs, bâties en terre, précédées de carrés dessinés avec soin pour faciliter l'irrigation. Les pauvres demeures bénéficiaient de l'ombre dispensée par des palmiers et des acacias. De grandes jarres, où l'on conservait de l'huile et du blé, étaient dressées contre la façade de la plus vaste des maisons. Ici, le temps s'était définitivement arrêté. Il n'y avait d'autres événements que les saisons, les naissances, les mariages et les morts. La notion de progrès n'avait aucune signification. La vie se réduisait à ses composantes les plus simples et les plus essentielles.

Ed-Dahariye semblait désert. Les habitants travaillaient aux champs. M'approchant de la demeure principale, je m'aperçus avec horreur qu'une tête masculine, les yeux clos, dépassait de la plus haute des jarres. Incapable de bouger, je vis un vieillard sortir de la maison et, menaçant, se diriger vers moi.

— Qui vous envoie ? demanda-t-il avec hostilité.

— Personne, répondis-je, la gorge sèche.

— Êtes-vous français ?

— Oui...

Le vieillard cracha à mes pieds et leva la main droite pour me maudire.

— Partez d'ici ! Il ne vous suffit pas d'avoir assassiné mon fils ? Il vous faut encore troubler son repos ?

J'expliquai au malheureux que ses accusations ne me concernaient point. Réussissant à comprendre son discours très haché, je parvins à reconstituer les événements qui avaient abouti à la mort tragique d'un homme. Ce dernier avait volé un bronze antique à l'un des rabatteurs de Drovetti. En tentant de me le vendre, il s'était fait arrêter par les chaouiches du sultan. Son corps avait été retrouvé dans un canal. Les policiers avaient expliqué à la famille que le prisonnier s'était évadé pendant la nuit et qu'il s'était égaré dans la campagne. Son père prétendait qu'on l'avait assassiné.

Fort troublé par cette triste affaire mettant en cause Drovetti et ses sbires, je me concentrai avec peine, une fois remonté à bord, sur mon travail de cartographe. L'aide de Rosellini, précis et méticuleux, me fut précieuse. Combien de générations de savants faudra-t-il pour explorer complètement l'immensité du Delta, le royaume de la « Couronne rouge », qui avait compté tant de villes saintes sous les pharaons ?

Vint la nuit du 16 septembre que nous attendions tous avec une impatience mal contenue. Après être passés devant le village d'Es-Ssafeh, les bateaux accostèrent pour nous permettre d'atteindre le premier grand site enfin accessible à d'autres qu'à des pilleurs d'antiquités : la mystérieuse cité de Saïs, dont les anciens avaient fait le centre d'une haute sagesse, détenue par la déesse Neith. Après avoir créé l'univers en prononçant sept paroles, elle avait tissé la vie dont les secrets étaient transmis par des collèges initiatiques féminins, fabriquant les tissus sacrés pour l'ensemble de l'Égypte. Je consultais les plans de Saïs établis d'après les descriptions d'Hérodote lorsqu'on frappa à la porte de ma cabine.

J'allais ouvrir. C'était le père Bidant, monté en toute hâte à bord de l'*Isis*.

— J'ai un service à vous demander, Champollion.

— Je vous en prie, mon père. Si je puis vous aider...

Le père Bidant hésitait à formuler sa requête.

— Ne nous arrêtons pas à Saïs. Ce lieu est maudit. Poursuivons jusqu'au Caire.

Abasourdi, je posai ma plume. Sans doute avais-je mal compris.

— Vous êtes un grand savant, Champollion, mais aussi un grand naïf. Cette terre est peuplée de démons. Ils ne sont pas inoffensifs. Croyez-moi : évitons Saïs.

Je me levai, mi-furieux, mi-amusé.

— En quoi cette vieille cité pourrait-elle déranger la foi chrétienne, mon père ? Il n'y demeure aucun document remettant en question la Bible, que je sache ?

— Saïs était une académie de sorciers, précisa-t-il. Les effets de leurs maléfices n'ont pas disparu. Nous risquons d'être contaminés et de voir notre expédition corrompue.

— Vous voilà bien superstitieux, mon père ! m'étonnai-je. Le Dieu des chrétiens ne nous protège-t-il pas de ces illusions-là ?

Le père Bidant me gratifia d'un regard bien peu charitable et s'éclipsa. Lui succédèrent Nestor L'Hôte et Rosellini, fort excités à l'idée de découvrir leur premier chantier de fouilles. Ils m'apprirent que le professeur Raddi, fasciné par l'étude de morceaux de calcaire récoltés dans une carrière d'Alexandrie, ne s'était pas aperçu que nous faisions escale. Personne n'avait le courage de l'interrompre dans ses recherches.

— Nous voilà à pied d'œuvre ! déclara Nestor L'Hôte avec chaleur. Les instructions, mon général ?

— Avant tout la prudence. Avez-vous pris vos carnets de note ?

Mes collaborateurs étaient prêts à dessiner et à enregistrer une moisson de trouvailles. Nous nous donnâmes l'accolade, fiers et heureux d'être là, en cette nuit d'été où nous allions faire revivre le plus merveilleux des passés.

Soliman et une dizaine d'aides portant des torches nous conduisirent jusqu'au site de San el Hagar où s'élevait autrefois la ville sainte. Cette lumière, s'ajoutant à celle de la lune brillant au cœur d'un ciel étoilé d'une admirable pureté, nous offrit la plus fantomatique des explorations.

J'avais cru à l'existence d'un grand temple, d'une immense demeure divine, de hauts murs couverts de reliefs. En passant par une brèche ouverte dans une gigantesque enceinte, je ne découvris qu'un champ de ruines. Saïs, ville détruite, cité perdue. Ma curiosité fut à la mesure de ma déception. Il aurait fallu des mois entiers pour inventorier ces fragments de blocs, mesurer l'enceinte, ramasser les fragments de statues. En silence, j'invoquai la déesse Isis dont le voile avait été soulevé ici même par les initiés à ses mystères. Qui avait pu se montrer assez cruel pour détruire ce haut lieu de la spiritualité, transformer des pierres vivantes en débris semblables à des rochers déchirés par la foudre ou des tremblements de terre ? Une horrible odeur montait de masses d'eaux dormantes dont certaines s'étaient infiltrées dans un cimetière arabe voisin, bien mal entretenu. Je distinguai vite, au nord-est du mur d'enceinte, une zone bien sèche que survolaient d'innombrables petites chouettes, considérées par les Anciens comme symbole de la sagesse et de la science. Je cheminai jusque-là à pas pressés, suivi de Rosellini et de L'Hôte. Nous fûmes vite convaincus d'avoir identifié un tertre funéraire dans lequel se trouvaient des tombes. Mes compagnons prenaient des notes avec une célérité qui me rassura sur la suite de notre entreprise. L'Hôte se montrait fougueux, Rosellini plus méthodique. Si le destin m'était favorable, je me jurai de revenir à Saïs, de redonner vie à ce corps délabré.

Pendant que mes compagnons dessinaient un plan précis des ruines, je m'attardai, seul, dans le secteur sud-ouest, au pied de l'enceinte, là où j'avais repéré des fragments de statues. J'eus le sentiment que se dressait ici la célèbre Maison de Vie dont la science avait rivalisé avec celle d'Héliopolis, le centre spirituel de l'ancienne Égypte. Ici avait été percé le mystère de l'immortalité. Mais la transmission de ce savoir s'était perdu dans les sables. Il me faudrait chercher plus loin, plus avant. Saïs m'échappait, dévastée par l'ignorance et la folie des générations. Ce vide lamentable, qui m'avait d'abord découragé, se transformait en appel.

— Saïs n'était qu'une étape, monsieur Champollion, dit une voix féminine, enchanteresse.

Lady Ophelia Redgrave, drapée de lumière lunaire, était habillée d'une robe de soirée brodée de fils d'argent.

— Vous ressemblez à une déesse, lui accordai-je, charmé par tant de grâce, oubliant mes préventions à son égard.

J'attendais un sourire, je ne recueillis qu'une expression de gravité.

— Ne parlez pas ainsi. « Déesse » est un mot encore chargé de sacré à mes yeux. Je ne suis qu'une femme, ce qui vous semble sans doute négligeable au regard de Neith...

— Ne croyez pas cela, protestai-je.

— Que pensez-vous de ceci ?

Elle me montra le petit objet qu'elle avait ramassé. Une statuette de serviteur de l'autre monde, répondant aux ordres des glorifiés qui, dans les champs paradisiaques, faisaient appel à lui pour fertiliser la terre. Il suffisait de lire les hiéroglyphes ornant son corps de pierre ou de bois pour le rendre vivant.

— Une jolie pièce d'époque tardive... je ne peux vous permettre de l'emporter. Elle devra être inventoriée et transmise au musée.

— Je sais. Inutile de me faire la morale. Je n'appartiens pas aux hordes de Drovetti.

Ulcéré, je l'agrippai par les poignets.

— Qui êtes-vous réellement, Lady Redgrave ?

Elle se dégagea avec la souplesse d'une chatte.

— Déchiffrez-moi donc, monsieur Champollion !

Elle fut la première à quitter Saïs pour regagner l'*Isis*. Je demeurai un long moment sur le site. Je ne savais plus quoi penser de cette femme. D'ordinaire, mon jugement sur les êtres se forgeait vite. Cette fois, j'étais désorienté au point d'en oublier les siècles d'histoire qui dormaient sous mes pieds.

Nestor L'Hôte m'arracha à ma méditation.

— Il faut partir d'ici, général. Les indigènes sont menaçants. Ils croient que nous dérangeons les esprits des morts.

Je me laissai entraîner vers le bateau, non sans

remarquer la présence attentive d'Abdel-Razuk, le policier du pacha, qui ne me quittait pas de l'œil.

*

Je ne cessais de travailler, des heures durant, pour oublier Saïs et Lady Redgrave. N'importe quel archéologue eût été satisfait, mais je cherchais davantage que les traces d'une gloire éteinte. Mon humeur s'avérait si sombre que je refusais d'ouvrir la porte de ma cabine à quiconque, prétextant une recherche minutieuse. Mes compagnons, habitués à de telles crises de solitude, ne s'en offusquèrent pas.

Seul Soliman se permit d'insister. Je cédai.

— Je dois vous signaler un incident grave. L'*Hathor* est bloqué à quai par un magistrat turc.

— Pour quel motif?

— Taxe fiscale. Deux matelots ont été arrêtés. Ils n'ont pas payé leur dîme au pacha.

— Le père Bidant n'a pas réussi à résoudre cette affaire?

Soliman se tut. Son mutisme exprimait un désaveu. En tant que « général », je me sentis le devoir d'intervenir sans délai. Je suivis donc Soliman, quittant l'*Isis* pour gagner le lieu du drame, le bourg de Zaouiyet er-Redsin.

A l'ombre d'un mur de la mosquée, assis sur des coussins douillets, environné d'une petite cour de féaux, le magistrat turc fumait une longue pipe. Devant lui, les poignets liés dans le dos, les deux marins de l'*Hathor*. Tête basse, ils semblaient résignés au pire.

Le Turc, d'un œil cruel et malicieux, me regarda approcher. Il était fort satisfait de m'avoir attiré jusqu'à son tribunal en plein air. Ridiculiser un Européen serait une preuve éclatante de sa puissance. La négociation serait difficile.

Soliman se lança dans une péroraison fleurie où il était question des innombrables qualités du sultan et de ses serviteurs, de la soumission totale de ses sujets et de la justice divine. Le Turc apprécia le discours, me permettant de dire pourquoi je me présentais devant lui.

— Je voudrais savoir quelle faute ont commise ces hommes pour être ainsi ligotés.

Le Turc répondit avec hargne qu'ils devaient une somme importante au fisc. Ils méritaient une bastonnade et sans doute la mutilation. La foule grossissait. Nestor L'Hôte, Rosellini et le père Bidant furent bientôt à mes côtés.

— Je possède des documents officiels, indiquai-je. Ils portent le sceau du sultan.

Le Turc voulut voir mes laissez-passer. Il les examina avec attention.

— Pourquoi n'avez-vous pas payé pour eux ? demandai-je à voix basse au père Bidant. Nous aurions évité cette comédie.

— Eh bien... il y a des dépenses inutiles... ces deux forbans seront aisément remplacés.

Si le religieux et moi-même avions été seul à seul, je ne sais si je serais parvenu à dompter ma colère.

— Le père n'a pas tort, renchérit Nestor L'Hôte. Il est inutile de perdre du temps à cause de deux voleurs.

Le magistrat turc me rendit les documents. Ils ne lui convenaient pas. Certes, ils m'agréaient comme un personnage important et digne de respect mais n'innocentaient pas les accusés, menacés de tout perdre. Un puissant sentiment de révolte contre cette injustice m'envahit.

— Messieurs, je ne partirai pas d'ici sans ces deux matelots. Que le respectable fonctionnaire du fisc en soit bien conscient. A travers moi, c'est la personne du vice-roi qu'il insulte.

Ces lourdes menaces furent transmises au fonctionnaire qui les prit fort au sérieux et demanda conseil à ses courtisans.

— Vous êtes beaucoup trop sensible, général, observa Nestor L'Hôte. Si vous désirez régler le sort de tous les indigents, autant rebrousser chemin.

— Ces hommes font partie de notre équipage, monsieur L'Hôte. Si nous les abandonnons, leurs collègues n'auront plus la moindre confiance en nous. Et ils n'auront pas tort. Quant à vous, mon père, dis-je en me tournant vers Bidant, soyez assez charitable pour me débarrasser de votre présence. Votre soutane importune nos hôtes.

De vaguement inamical, le religieux devint franchement hostile. Je comptais un ennemi de plus. Il regagna l'*Hathor*, indifférent à l'issue du combat.

— Ne croyez-vous pas... intervint Rosellini avec douceur

— Je ne reviendrai pas sur ma décision.

Se sentant inutiles, L'Hôte et Rosellini sortirent du cercle des badauds. Le Turc me fit savoir que mes menaces ne l'impressionnaient pas. Il avait la loi pour lui et le pacha ne le désavouerait pas. Une cohorte de malheureux s'agglutinait à l'assistance. L'événement prenait de l'ampleur. On ne défiait pas souvent un émissaire du fisc.

— Que l'on m'indique la somme due par les inculpés. Je me charge de la verser en échange de leur libération.

La proposition parut scandaleuse ou vint trop tôt... elle sema le plus grand trouble dans le tribunal du Turc qui recourut à l'invective pour rétablir l'ordre. Refusant de répondre à ses questions, je demeurai immobile, signifiant ainsi qu'il s'agissait de ma dernière proposition. Il me fallut attendre l'issue de la délibération presque une heure sous le soleil brûlant qui ne m'incommodait pas.

Le Turc, haineux, cracha un chiffre. Le double de la somme due. La différence était pour lui et ses courtisans. Je ne discutai pas, au risque de passer pour un benêt. Les deux matelots de l'*Hathor* furent délivrés de leurs liens. Ils me remercièrent avec une émotion qui me dilata le cœur, comme auraient écrit les anciens Égyptiens.

— Méhémet-Ali est un tyran, commenta calmement Soliman sur le chemin qui nous conduisait à l'*Isis*. Il a fait la guerre, il a distribué des sommes considérables aux Européens dont il a besoin, mais le peuple est affamé et les percepteurs sont plus impitoyables que les chacals. Ils prennent encore à ceux qui n'ont déjà plus rien. Le vice-roi possède terres, commerce et industrie. A lui la richesse, à son peuple la misère. Les sangsues turques et sa poignée d'hommes de main vident l'Égypte de son sang. Vous aussi en serez un jour victime. Soyez vigilant.

Je me gardai de prendre l'avertissement à la légère. Rosellini venant à notre rencontre, je ne pus interroger Soliman sur la signification précise de sa mise en garde.

Lady Redgrave nous obervait depuis le pont du bateau. Elle souriait, comme illuminée par une joie intérieure.

*

A l'aube du 19 septembre, je vis pour la première fois les pyramides. Nous approchions de Memphis, la capitale des pharaons de l'Ancien Empire, dont le seul nom me fascinait depuis mon adolescence. La cité était protégée par le dieu Ptah, le patron des maîtres d'œuvre, des artisans, des orfèvres.

Soudain, notre bateau donna sur un banc de sable, et fut stoppé. Nos matelots se jetèrent au Nil pour le dégager, en se servant du nom d'Allah, et bien plus efficacement de leurs larges et robustes épaules. La plupart de ces mariniers sont des Hercule admirablement taillés, d'une force étonnante, et ressemblant, quand ils sortent du fleuve, à des statues de bronze nouvellement coulées.

Nous atteignîmes sans embûche la pointe du Delta où se séparent les bras de Rosette et de Damiette. La perspective est magnifique. La largeur du Nil est immense. A l'Occident, la masse des pyramides se détache d'un horizon de palmiers. Une multitude d'embarcations court, les unes à droite dans la branche de Damiette, les autres à gauche dans celle de Rosette. D'autres encore se dirigent vers Le Caire, puissante cité qui s'affiche par ses minarets, la colline du Moqattam et son austère citadelle montant le guet au-dessus du désert.

Je demandai qu'on s'arrête à la hauteur du village d'El-Qattah pour que Nestor L'Hôte dessinât ce paysage sublime. Les autres membres de l'expédition nous rejoignirent.

— Si l'on démontait ces pyramides pierre par pierre, dit le professeur Raddi dont l'état extatique s'accentuait au fil des jours, quelle belle contribution à la minéralogie !

— Ces monuments n'ont pas grand intérêt, le contredit le père Bidant. Ils ont été édifiés par d'abominables tyrans qui ont fait mourir des milliers d'hommes, condamnés à d'épuisantes corvées.

Comment ne point s'enflammer en entendant pareilles inepties ?

— Voilà bien des mensonges qu'il faudrait cesser de colporter, mon père. La religion égyptienne n'a jamais produit d'esclaves. Les pyramides sont un symbole de la Connaissance.

— Balivernes, grogna le religieux, préférant s'éloigner.

— Je me demande si nous y trouverons quelque inscription, espéra Rosellini.

Laissant chacun à ses rêves, je me laissai emplir du spectacle surhumain des pyramides au soleil levant, dans le lointain.

Une longue et fine main gantée de cuir fauve se posa sur la mienne. Je fus incapable de réagir, alors que j'aurais dû protester avec force.

— Imaginiez-vous pareille lumière, monsieur Champollion ? interrogea Lady Ophelia Redgrave dans un murmure que moi seul entendis. Ne sommes-nous pas les plus chanceux des privilégiés ?

La belle aristocrate avait encore changé de toilette, adoptant une robe au dégradé de teintes ocre faisant d'elle un soleil à diverses heures du jour.

— Je crois avoir mérité cette chance-là. Et je ne sais pas encore quel genre de privilège elle me réserve.

Sur mon cœur, il y avait les deux lettres.

CHAPITRE 7

A trois heures de l'après-midi, le 19 septembre, nous entrions dans les faubourgs du Caire. Je marchais en tête, accompagné de Soliman. Au débarcadère nous attendait un envoyé du pacha. Suivaient Abdel-Razuk et Moktar, à qui je n'avais pas adressé la parole depuis Alexandrie ; Rosellini et L'Hôte, qui identifiaient la longue allée d'arbres plantée par les soldats de Bonaparte dont ils évoquaient la victoire aux pyramides ; le père Bidant et le professeur Raddi, poursuivant un dialogue de sourds, chacun dans sa spécialité. Au port de Boulaq, nous avions été immergés dans le plus grand capharnaüm qu'un cerveau dérangé eût imaginé : les barques et les bateaux étaient si serrés qu'aucun d'entre eux ne pouvait manœuvrer. Pourtant, on y entrait et on en sortait, sans doute par les effets d'une magie dont les lois nous échappaient encore. Sur les quais, un fourmillement de matelots, de marchands, de mendiants. Nubiens, Arabes et Européens se mélangeaient. Çà et là, on discutait ferme sur la valeur d'une cargaison, le prix d'un transport ou sur quelque autre opération moins licite.

Il y avait là des hommes habillés d'une façon très bizarre : des bonnets en pain de sucre, bariolés de couleurs tranchantes ; des barbes et d'énormes moustaches d'étoupe blanche ; des langes étroits, serrant et dessinant toutes les parties de leur corps ; et chacun d'eux s'était ajusté d'énormes accessoires en linge blanc fortement tordu. Ce costume, ces insignes et leurs postures grotesques figuraient au mieux les vieux faunes peints sur les vases grecs d'ancien style.

Nous nous arrêtâmes dans la cour d'un bâtiment délabré et fort peu accueillant. Des pans de murs entiers menaçaient ruine. Sur le seuil, un soldat en uniforme crasseux dormait à poings fermés, son fusil posé à côté de lui. L'envoyé du pacha nous pria d'attendre, entra dans le bâtiment, y demeura quelques minutes et revint vers nous, le visage fermé.

— Accès au Caire interdit, déclara-t-il en arabe à Soliman.

— Pourquoi donc ? lui demandai-je dans sa langue.

— La douane, répondit-il, surpris. Il manque des papiers. Avez-vous les autorisations ?

J'appelai Rosellini qui détenait les documents signés de Méhémet-Ali et de Drovetti. Notre interlocuteur s'en empara et disparut à nouveau dans le bâtiment des douanes.

— Cela devrait s'arranger facilement, dis-je à Soliman.

— Peut-être, répondit-il, évasif.

Sa réserve m'inquiéta. Que craignait-il ? Aucune expédition ne jouissait de recommandations semblables aux nôtres. Pour tromper mon angoisse naissante, je fis quelques pas dans la cour, tandis que mes compagnons prenaient leur mal en patience, dégustant du thé vert qui leur était offert par un militaire dépenaillé. J'observai des femmes voilées puiser de l'eau avec leurs jarres dans une grande cuve posée sur des cales de bois. Sa forme m'intrigua. Je m'approchai et, à ma stupéfaction, je m'aperçus qu'il s'agissait d'un magnifique sarcophage en basalte appartenant à un prêtre de l'époque saïte ! Non sans brutalité, j'écartai les ménagères pour déchiffrer les hiéroglyphes de cette époque tardive, voulant ressembler à ceux du temps des pyramides. Ils parlaient d'immortalité et du destin stellaire du Justifié devant le tribunal de l'autre monde. Je lisais, je lisais avec facilité ! Les signes me parlaient ! Avec fièvre, je recopiai les principales inscriptions et me précipitai vers L'Hôte et Rosellini, dont la mine me parut fort sombre.

— J'ai trouvé un chef-d'œuvre pour le Louvre, ici même ! annonçai-je.

Soliman apparut.

— La douane refuse de nous accorder l'entrée du Caire, déclara-t-il avec fatalisme.

— Comment ? La signature du sultan ne suffit pas à ses fonctionnaires ?

Je m'engouffrai dans le bâtiment administratif, me heurtant aussitôt à un cerbère moustachu et bedonnant qui m'apostropha avec véhémence et m'ordonna de déguerpir. Je répliquai avec la même véhémence. Tout dialogue se révéla impossible, car le bonhomme refusait d'expliquer sa décision. Sous la menace d'une arrestation, je dus regagner la cour où m'attendaient, mortifiés, mes compagnons. Je tentai de trouver des paroles de réconfort, alors que j'étais moi-même désemparé.

Lady Redgrave passa devant nous, hautaine. Nous la suivîmes des yeux et la vîmes entrer, ahuris, dans le bâtiment des douanes.

— Ils vont la malmener, s'inquiéta L'Hôte.

— Soyez sans crainte, rétorqua Soliman. Mes compatriotes n'ont pas l'habitude d'agresser les femmes.

— Que se passe-t-il ? s'inquiéta enfin le professeur Raddi. Nous perdons du temps !

Le père Bidant lui expliqua la situation. Rosellini se rongeait les ongles. Je lisais dans sa pensée : notre expédition allait-elle échouer aux portes du Caire par la faute d'un douanier borné ?

— Il faut avertir le sultan et Drovetti, proposa le père Bidant.

— Ce ne sera pas nécessaire, dit Lady Redgrave, dont la robe parme brillait au soleil. Voici nos autorisations.

Elle me présenta une dizaine de feuillets crasseux couverts de tampons, puis s'éloigna. Je la rejoignis, bouillant de curiosité.

— Comment avez-vous procédé ?

— Vous agissez trop à l'européenne, monsieur Champollion. Vos papiers ne pouvaient en aucun cas impressionner le chef de ce bureau de douane.

— Et pourquoi donc ?

— Parce qu'il ne sait pas lire.

Je demeurai bouche bée. Lady Redgrave s'était contentée, comme tout un chacun, de demander les feuilles tamponnées d'avance, sans montrer au douanier illettré des laissez-passer qui dépassaient son entendement.

— Mais... vous parlez donc arabe ?

— Chacun ses petits secrets, monsieur Champollion. Si nous entrions au Caire ?

*

Ce fut donc le 20 septembre que l'expédition, au grand complet, se présenta, dans un strict ordre hiérarchique, devant la porte d'Omar. A cheval, habillés à la turque, nous avions fière allure. J'occupais la tête du cortège, le front enfiévré tant par l'orgueil du succès que par la vision du monde nouveau qui s'offrait dans son bouillonnement de couleurs et d'odeurs. Une foule innombrable emplissait les rues de la cité.

Des centaines de turbans blancs et colorés se faufilaient entre carrosses, chameaux et ânes. Les âniers de cette ville sont sans doute les plus fameux des polyglottes et des physionomistes ; au premier coup d'œil, ils identifient l'Allemand, l'Anglais, le Français, l'Italien ou quelque autre étranger et lui adressent quelques mots dans sa langue natale. Nul mieux que leurs grisons, quadrupèdes petits et robustes, ne sont mieux qualifiés pour circuler dans les étroites ruelles. Par des cris et des coups d'aiguillon, les âniers dirigent leurs grisons avec une précision qui force l'admiration. M'étonnant d'en voir plusieurs avec une oreille coupée, j'en demandai la raison à Soliman. Il m'expliqua qu'étaient ainsi châtiés les ânes surpris à voler sur le pré d'autrui.

Qu'on n'imagine point, à ce mot d'« âne », notre malheureux quadrupède d'Europe, insulté et battu, asservi aux plus durs travaux, réduit à la plus triste des conditions, n'inspirant pas la moindre pitié. Qu'on n'imagine pas non plus un âne rebelle, doté du plus mauvais des caractères, jetant sur le pavé quiconque ose l'enfourcher. Non, celui qui n'a pas vu l'âne d'Égypte ne connaît pas l'un des plus admirables animaux de la création. Il est vif, coquet, léger, se tient la tête haute, manifeste son intelligence à tout propos. Son propriétaire aime le soigner, le brosser, astiquer son poil jusqu'à ce qu'il ressemble à du velours.

« Ta droite ! », « Ta gauche ! », « Ton pied ! », hurlaient les âniers, évitant à grand-peine deux cortèges qui se croisaient, l'un de mariage, l'autre de funérailles ! Des cavaliers dont les montures étaient couvertes de housses de velours brodées d'or n'hésitaient pas à bousculer qui encombrait le passage, fût-ce femme ou enfant.

Partout, on mangeait et on buvait à satiété. Dans les cuisines en plein vent, des femmes, encombrées d'une nuée d'enfants, préparaient des fèves chaudes. Navets cuits, concombres confits, boulettes de viandes faisaient bon ménage dans une appétissante sauce rouge à base d'épices. Un marchand de thé, pourvu d'appareils en laiton d'une propreté impeccable, proposait son excellent breuvage, rivalisant d'habileté avec le porteur d'eau et les vendeurs de sirops de fruits, d'eau de réglisse, d'infusion de caroubier ou de datte, de jus de raisin sec. Des adolescents vantaient le mérite de leurs fruits, pastèques, grenades, dattes, raisins, pommes d'amour, figues. On dégustait des galettes tièdes, des citrons, des oignons. Dans de grandes marmites en cuivre cuisaient des pièces de mouton.

Le Caire, pour nous accueillir, s'était transformé en salle de festin.

Nous arrivions au bon moment ; ce jour-là et le lendemain étaient ceux de la fête que les musulmans célébraient pour la naissance du Prophète. La grande et importante place d'Ezbékieh était couverte de monde entourant les baladins, les danseuses, les chanteuses et de très belles tentes sous lesquelles on pratiquait des actes de dévotion. Ici, des musulmans assis lisaient en cadence des chapitres du Coran ; là, trois cents dévots, rangés en lignes parallèles, assis, mouvant incessamment le haut de leur corps, en avant et arrière comme des poupées à charnière, chantaient en cœur *La-Allah-Ell'Allah*, « il n'y a d'autre Dieu que Dieu » ; plus loin, cinq cents énergumènes, debout, rangés circulairement et se serrant les coudes, sautaient en cadence et poussaient, du fond de leur poitrine épuisée, le nom d'Allah, mille fois répété, mais d'un ton si sourd, si caverneux, que je n'ai entendu de ma vie un chœur plus infernal : cet effroyable bourdonnement semblait sortir des profondeurs du Tartare. A côté de ces religieuses démonstrations, circulaient les musiciens et les filles de joie ; des escarpolettes de tout genre étaient en pleine activité. Ce mélange de jeux profanes et de pratiques religieuses, joint à l'étrangeté des figures et à l'extrême variété des costumes, formait un spectacle d'un autre monde.

Les mères plongeaient leurs enfants dans l'eau boueuse, autant pour les amuser que pour les laver. Ils en sortaient noirs comme des crapauds et riaient aux éclats. Chacun vouait un culte à cette eau qui montait parfois si haut que se formait un lac sur lequel venaient circuler des barques remplies d'élégants et d'élégantes.

— Champollion ! Regardez par là !

Le cheval de Rosellini était parvenu à la hauteur du mien. Je dirigeai le regard dans la direction indiquée par mon élève, mais ne distinguai qu'une troupe de danseurs exerçant leur art près d'un chaudron fumant autour duquel s'attroupaient des convives.

— J'en suis sûr, dit Rosellini, ému. C'est bien lui que j'ai vu.

— Qui donc ?

— Drovetti, le consul général.

— Impossible.

— Je vous jure que je l'ai vu.

Un mouvement de foule nous obligea à nous séparer et à reprendre notre progression en file indienne. Je ne doutai pas de la bonne foi de Rosellini, sans croire pour autant à la présence de Drovetti. Il lui aurait fallu voyager en même temps que nous dans un autre bateau. Et dans quelle intention ?

— La rose était épine, énonça une voix grave. Par la sueur du Prophète, elle a fleuri.

Juste devant moi marchait un marchand de pistaches. Je ne voyais pas son visage.

— Êtes-vous celui qui sait lire l'écriture des vieilles pierres ? demanda-t-il avec le même timbre profond.

— Je crois pouvoir y parvenir, en effet... mais qui êtes-vous ?

— L'avertissement de la lettre va bientôt se réaliser. Allez demain, à sept heures, à la mosquée de Thouloun.

L'homme pressa l'allure et se dirigea vers une ruelle qui partait sur la gauche.

— Attendez ! De quelle lettre...

Le marchand de pistaches avait déjà disparu.

*

On a dit beaucoup de mal du Caire. Pour moi, je m'y trouve bien. Ces rues de huit à dix pieds de largeur, si décriées, me paraissent bien calculées pour éviter les grandes chaleurs. Voilà une ville monumentale, une cité des Mille et une Nuits, quoique la barbarie turque ait détruit ou laissé détruire la plupart des délicieux produits des arts et de la civilisation arabes. Comment le nier ? Je suis épris de cet enchevêtrement de demeures, souvent si délabrées, de ruelles étroites où travaillent tanneurs, potiers, orfèvres, où passent colporteurs et cuisiniers ambulants. Tout cela est laid, parfois sordide, mais il s'en dégage une magie qui fait de cette ville repoussante, presque inhumaine, un attrape-cœur. On flâne au Caire jusqu'à en perdre son âme. A condition, bien sûr, de quitter le quartier réservé où se réfugient résidents et voyageurs européens, à l'abri derrière les grandes portes de bois qui se ferment chaque soir, les isolant de la population et les protégeant des émeutes et des épidémies. Les maisons du Caire s'agglutinent les unes aux autres pour former des quartiers anarchiques dont les seuls poumons, les cours intérieures, sont le plus souvent occupés par une multitude d'animaux. Pour respirer un peu, on se dirige naturellement vers les endroits calmes et dégagés, la grande place d'Ezbékieh, les mosquées ou la citadelle. Du haut de cette dernière, où je me trouvais pour saluer le lever du soleil, la laideur disparaît. Au loin, dans le désert, je vis une caravane se former. Il y avait là une trentaine de chameaux, la plupart assis. A côté d'eux, d'énormes ballots de marchandises. Les chameliers, à l'aide de bâtons, commencèrent à regrouper leurs bêtes. Au-dessous de moi, la capitale de l'Égypte moderne déployait son immensité. Je découvris des milliers de terrasses, des minarets, des dômes. A l'Orient se dessina le trait de feu du levant, créant l'or de la naissance du jour. Rayons de lumière pétrifiés, les pyramides surgirent du désert. Là-bas s'étendait le royaume de la mort, la terre des dieux : Saqqarah, Dahchour, Abousir, Gizeh où les anciens Égyptiens avaient creusé l'éternité jusqu'à en découvrir le secret. Le seul secret qui méritait d'être découvert.

Dieu, que cette vision était sublime ! J'eus le sentiment d'être au ciel, loin des petitesses humaines, de ressentir l'élan qui avait animé l'esprit et la main des bâtisseurs. Mais il y avait ce rendez-vous donné par le marchand de pistaches.

Un ânier me conduisit jusqu'à la mosquée de Thouloun, édifice du IXe siècle. Bien qu'en partie ruinée, elle est le plus beau monument arabe d'Égypte. L'élégance de ses lignes, la sobriété de son architecture imposent le respect. Pendant que j'en considérais la porte, un vieux cheikh me fit proposer d'entrer dans la mosquée ; j'acceptai avec empressement et franchis lestement la première porte. On m'arrêta court à la seconde : il fallait pénétrer dans le lieu saint sans chaussures. J'avais des bottes, mais j'étais sans bas ; la difficulté s'avérait pressante. Je quittai mes bottes, utilisai un mouchoir pour envelopper mon pied droit, un autre pour le pied gauche. Et me voilà sur le marbre de l'enceinte sacrée, déserte à cette heure-là. J'attendis un assez long temps, n'osant trop déambuler dans cet endroit dont le calme contrastait avec l'agitation des rues.

Apparut un Turc de haute taille, un sabre de mameluk au côté. Son visage était presque entièrement mangé par une barbe noire. Il s'arrêta à un mètre de moi, sévère comme un Anubis gardien de tombeau. Je craignis soudain d'être tombé dans un traquenard. Quoi de plus facile que de faire disparaître un intrus en l'accusant d'avoir violé le recueillement d'une mosquée ? Pourtant, je ressemblais à présent à un Arabe de pure souche. Mais l'ânier m'avait pris pour l'un de ses compatriotes, oubliant de me voler. Si ce cerbère m'agressait, c'est que j'avais été dénoncé. Me sentant pris dans une nasse, je manquai de souffle. Me battre ? A aucun moment, dans ma courte existence, je n'ai eu recours à la violence. Elle me répugne. Même pour défendre ma vie, je m'estimai incapable d'entamer un combat.

Nous demeurions immobiles, comme fascinés l'un par l'autre. Sans doute aurais-je dû tenter de m'enfuir, mais je jugeai cette attitude indigne. Peut-être le premier coup porté déclencherait-il en moi une volonté nouvelle. Le Turc avança, sabre au clair, avec une infinie lenteur. Le goût des hiéroglyphes me vint à la bouche. Leur appel irrésistible m'arracha à la résignation qui me clouait au sol. Serrant les poings, je décidai de me défendre.

— Partez d'ici, ordonna-t-il. On vous attend au bazar, à Khan el-Khalil. Le marchand de livres.

Rengainant son sabre, il se détourna de moi, comme si je n'existais plus.

*

Khan el-Khalil était la plus fameuse et la plus encombrée des entrées du bazar. Quantité d'échoppes en interdisait presque l'accès. Vendeurs de galettes, mendiants, fumeurs de narguilés, âniers s'entremêlaient dans un tumulte continu, modulé comme une houle inépuisable. Des confiseurs apostrophaient des athlètes qui, en démontrant leur aptitude à soulever des blocs de pierre, empêchaient la clientèle d'approcher de l'étal. Un fabricant de pantoufles en cuir rouge s'amusait de l'incident.

Aucun libraire en vue. Le fabricant s'approcha de moi.

— On juge les actions des hommes selon leurs intentions, dit-il, et à chaque homme sa récompense selon ses intentions.

Il énonçait le proverbe inscrit sur la porte des barbiers.

— Quelles sont les vôtres ? demandai-je.

Écartant les rangées de pantoufles, il dévoila une série de livres reliés en rouge.

— Prenez-en un.

Je tirai un exemplaire du Coran.

— Celui d'à côté vous intéressera davantage.

Lui obéissant, je découvris un récit de voyage écrit par un Vénitien qui avait visité l'Égypte au XVIIe siècle et redécouvert Thèbes ! Alors que je me plongeais dans une lecture passionnée, le libraire-savetier me tapota l'avant-bras. Je levai les yeux, aperçus dans la foule des promeneurs une silhouette familière : Drovetti !

Habillé à la turque, il marchait de son allure martiale et décidée, tranchant sur la nonchalance des Orientaux. Oubliant le livre du Vénitien, je m'élançai à sa poursuite, décidé à ne point le perdre de vue et à lui demander des comptes. Ainsi, Rosellini ne s'était pas trompé. Pourquoi donc le consul général s'était-il rendu au Caire en même temps que nous ?

Un cortège nuptial déferla sur moi. S'immobilisant au milieu de la ruelle, jeunes gens et jeunes filles dressèrent un kiosque sur quatre hampes de bois, avec une bande d'étoffe pour toit. Des joueurs de tambour se déchaînèrent tandis qu'on suspendait des lanternes et que l'on disposait des banquettes pour permettre aux invités de se reposer. On servit le café aux passants qui prirent part à la fête. Ce déferlement de joie me plongea dans l'embarras car Drovetti en avait profité pour disparaître. Me faufilant entre des rangs serrés, prenant soin de ne bousculer personne et de ne pas me montrer impatient, je parvins à franchir l'obstacle.

Devant moi surgit Lady Ophelia Redgrave.

Sa robe parme formait une tache incongrue au milieu des galabiehs marron. Immobile, au cœur du tournoiement des passants, elle me considéra d'un œil inquiet.

— Que faites-vous ici ?

— C'est plutôt à moi de vous poser pareille question. Ne venez-vous point d'apercevoir le consul général Drovetti ?

Embarrassée, elle hésita.

— Non... bien sûr que non... Drovetti n'est pas au Caire. Il est resté à Alexandrie.

La ruelle était trop étroite pour qu'elle n'ait point vu Drovetti. Sans doute avaient-ils eu le temps d'échanger quelques paroles. J'étais à présent persuadé qu'ils s'étaient fixé rendez-vous au bazar, cachés dans la populace. Ma présence avait dû les déranger.

— M'avez-vous envoyé une lettre, en France, avant le départ de l'expédition ?

Ses beaux yeux vert clair se teintèrent d'étonnement.

— Je n'ai jamais eu le plaisir de vous écrire, répondit-elle avec une ironie légère dans la voix.

Lady Redgrave avait d'exceptionnels talents de comédienne, mais la situation réelle s'éclaircissait. L'Anglaise et Drovetti avaient conclu un pacte contre moi, mandatés par mes adversaires européens, décidés à m'empêcher de vérifier mes découvertes sur le terrain. Drovetti m'observait à distance, prenant les dispositions nécessaires pour entraver tout progrès tandis que Lady Redgrave effectuait son travail d'espionne auprès de moi. Ainsi tendu, le piège ne laisserait pas échapper sa proie. Ne sortirait d'Égypte qu'un Champollion brisé, vaincu et ridiculisé. J'étais condamné à échouer ou à mourir sur cette terre sans avoir transmis au monde le fruit de mes travaux.

— Vous êtes bien soucieux, monsieur Champollion. N'accepteriez-vous pas de me servir de guide dans ce dédale ? Vous seul pourriez me faire découvrir les merveilles qui se cachent sous les oripeaux et les fausses pièces d'orfèvrerie.

Son sourire me désarma. Des flots humains nous contournaient, sans nous heurter. Nous formions un îlot d'immobilité au sein de cette inépuisable mouvance. Bien que mes préventions à l'égard de Lady Redgrave demeurassent aussi vives, je n'eus pas le courage de repousser sa requête.

Me donnant le bras, elle m'entraîna dans les profondeurs du souk, vers le quartier des orfèvres. Là se mélangeaient de misérables imitations et de petits chefs-d'œuvre façonnés par des artisans pour lesquels le temps ne comptait pas. N'ayant nullement besoin de mes conseils pour distinguer le vrai du faux, Lady Redgrave porta son choix sur un bracelet en or agrémenté de lapis-lazuli dont la couleur bleu nuit évoquait le ciel nocturne d'Égypte où se révèlent les myriades d'étoiles, abris des âmes des pharaons défunts.

Alors qu'elle examinait le bijou en marchandant son prix, selon la règle locale, mon cœur tressaillit. Le bloc de pierre servant d'établi à l'orfèvre comportait une dizaine de hiéroglyphes, gravés dans le style si pur de l'Ancien Empire ! Interrompant la discussion d'affaires, je suppliai l'artisan de me laisser contempler cette pierre précieuse entre toutes. Intrigué, le bonhomme accepta, ôtant outils, bijoux et balance qui encombraient l'auguste vestige.

Je blêmis. Il y avait un cartouche, cet ovale terminé par une boucle dans lequel étaient inscrits les noms des pharaons.

— Je vous l'achète, dis-je à l'orfèvre.

Ce dernier refusa.

— D'où provient cette pierre ?

— Elle appartient à ma famille depuis plusieurs générations. C'est notre talisman. Il nous protège et ne quittera jamais notre atelier.

Je connaissais trop la force de la superstition pour me croire capable de la vaincre. Ce bloc extraordinaire était à jamais perdu pour la science. Dès notre départ, l'orfèvre n'aurait pas tâche plus urgente que de le cacher en quelque endroit inaccessible.

— Que vous révèle cette inscription ? s'inquiéta Lady Redgrave, alors que je copiais les hiéroglyphes.

— Une nouvelle preuve de mon système de déchiffrement et le souvenir d'un des plus grands rois que la terre ait jamais portés ! Regardez... ce tamis se transcrit *kh*, ce poussin de caille *ou*, cette vipère à cornes *f* et de nouveau le poussin, *ou...* vous lisez comme moi : Khoufou, le nom du pharaon que les Grecs ont appelé Kheops et dont le nom égyptien signifie « Que Dieu me protège ».

— Le constructeur de la grande pyramide ?

— Lui-même.

— Cette pierre provient-elle de son monument ?

— Sans doute... certains voyageurs affirmaient qu'une bonne partie du Caire avait été construite avec des blocs arrachés aux pyramides... je crains que ce soit bien l'affreuse réalité.

Lady Redgrave était émue. Malgré la maîtrise d'elle-même qu'elle affichait en toutes circonstances, je constatai que ma démonstration l'avait au moins ébranlée. Pour la première fois, sans doute, germait en son esprit l'idée que je n'étais ni un escroc ni un fantaisiste.

— Si Dieu a protégé Kheops, dit-elle avec gravité, puisse-t-il se montrer aussi généreux à votre égard.

*

Nous visitâmes les souks jusqu'à la tombée du jour, moment où des surveillants turcs fermèrent les portes du bazar devant lesquelles ils resteraient en faction jusqu'à l'aube prochaine. En Orient, la nuit tombe en quelques minutes. Avec elle vint le silence. La marée humaine disparut. Les chiens sortirent de leur torpeur pour arpenter les rues en quête de quelque nourriture.

Les cafés s'illuminèrent de lanternes de même que les échoppes demeurant ouvertes. Les gardiens des riches demeures disposèrent des lits de palmes sur le seuil des maisons qu'ils avaient la charge de protéger contre les voleurs. Ils s'y étendraient et y dormiraient jusqu'au lever du jour. Des appels de muezzins traversèrent l'air tiède, invitant les croyants à la prière.

Il me sembla que Lady Redgrave serrait mon bras un peu plus fort. Enivré de la douceur de la nuit égyptienne, baigné de ses parfums, troublé par la présence d'une ennemie trop séduisante, j'oubliai un instant les exigences de ma quête. Le bonheur passa à travers moi comme un souffle de vent, comme cette brise rafraîchissante que les anciens Égyptiens goûtaient au tréfonds de leur être, lorsque s'atténuait l'ardeur du soleil.

Mais que me réservait demain ?

CHAPITRE 8

Deux jours après notre arrivée au Caire, où nous étions agréablement logés dans des villas du quartier européen, j'offris à mes compagnons une fête qui dura, selon la coutume, de six heures à minuit. Seul le père Bidant refusa d'y prendre part, persuadé que des diableries licencieuses constituaient l'essentiel de ces réjouissances. Il m'adressa d'amers reproches sur ma conduite, m'accusant de me laisser corrompre par les mœurs orientales. Mes protestations demeurant lettre morte, je négligeai les admonestations du bon père qui se trompait sur la nature de ces distractions cairotes. En fait de diableries, nous n'eûmes droit qu'à un long récital de la chanteuse Nefîse, le rossignol du Caire, idole de tout un peuple. Pour des oreilles européennes, habituées à des harmonies soignées, l'épreuve fut rude. La mélopée lancinante, aux inflexions langoureuses, finit pourtant par nous charmer et même par nous plonger dans une sorte de béatitude.

Comment ne point songer aux orchestres pharaoniques, aux prêtresses musiciennes et chanteuses dont la voix était destinée à ravir les dieux ? Ces incantations arrachaient l'âme aux platitudes de ce monde et, par la magie des sons, l'immergeaient dans le sacré.

Le père Bidant n'avait pas tout à fait tort : l'Orient commençait à prendre possession de nous.

Cette fête fut l'occasion de présenter les membres de

l'expédition aux personnalités influentes du Caire dont, peu à peu, nous gagnions les faveurs. La plus importante d'entre elles n'était pas la plus éclatante ; il s'agissait d'un médecin arménien, Botzari, petit de taille, noir de peau et vif d'esprit. Aux égards qu'on lui témoignait, il était aisé de comprendre qu'il tenait entre ses mains la destinée de nombreux notables.

Au fil des conversations, j'appris qu'il occupait la position enviée de premier intrigant du pacha et qu'aucune affaire d'envergure n'aboutissait sans son accord.

Alors que je m'interrogeais sur la meilleure manière de l'aborder, il vint vers moi, goguenard.

— Sortons dans le jardin, monsieur Champollion. Nous y serons tranquilles pour bavarder.

Qui n'a pas connu la douceur d'un jardin oriental, une nuit d'été, ignore que le paradis existe sur terre. Les parfums des roses s'y mélangent à ceux des hibiscus et des tamaris ; une bienfaisante fraîcheur monte du sol arrosé par les jardiniers au crépuscule.

On se prend à rêver d'un univers où l'être humain saurait à nouveau fraterniser avec la plus humble des fleurs.

Le médecin arménien ne se laissa point aller à d'aussi bucoliques sentiments. Pour lui, Le Caire était une ville d'affaires où il exerçait sa puissance.

— Êtes-vous satisfait de votre séjour, monsieur Champollion ?

— Chaque journée est une révélation.

— Votre réputation ne cesse de grandir... savez-vous comment l'on vous surnomme ?

— Je l'ignore.

— Vous avez droit à de multiples titres : « fils de pharaon », « l'homme qui lit les signes magiques »... celui que je préfère est le plus simple. On vous appelle souvent « l'Égyptien », comme si vous étiez né sur cette terre et que vous ne l'ayez jamais quittée.

Les paroles de Botzari me firent frissonner. Je les jugeai presque effrayantes, me révélant des aspects mystérieux de ma destinée auxquels je refusai de réfléchir.

— Ce n'est là que poésie, répondis-je, mal assuré.

— Méfiez-vous de ce pays, dit l'Arménien avec gravité. Les Arabes n'ont pas réussi à étouffer les anciennes divinités. Elles sont encore bien présentes grâce à ces innombrables pierres gravées dont on prétend que vous possédez la clé. Vous détenez un redoutable trésor, monsieur Champollion. Imaginez-vous bien la conséquence de vos actes ?

A la surprise d'entendre un discours théologique dans la bouche d'un intrigant succéda la fureur. De quelle autorité ce médecin se réclamait-il pour mettre en cause mes recherches ?

— Monsieur Botzari, le déchiffrement des hiéroglyphes est à présent inéluctable. Personne n'empêchera que ce tribut soit bientôt versé à la science.

Une musaraigne, d'un bond gracieux, détala devant nous. Je songeai avec curiosité que le petit animal, ennemi juré des serpents, était l'une des incarnations d'Atoum, le grand dieu créateur des anciens Égyptiens.

— La science, monsieur Champollion, la science... elle n'est qu'une illusion de plus.

Le dégoût imprimé dans l'expression de l'Arménien fit un instant vaciller mes certitudes. Avais-je vraiment mission, sur cette terre, de lire à nouveau la langue des dieux, d'arracher à l'oubli la plus grande des civilisations ? N'était-ce point une folle prétention ?

— Oubliez votre science, monsieur Champollion, recommanda-t-il. Elle ne vous servira à rien lors des grandes épreuves.

Réconforté, je souris.

— Sur ce point, vous vous trompez. Elle est ma meilleure alliée depuis l'enfance. Il n'est point de tourment que je n'aie surmonté en travaillant sur mes chers hiéroglyphes.

Botzari cessa de marcher et me considéra avec acuité, fouillant mon âme de ses yeux perçants.

— Vous avez beaucoup de chance, conclut-il. Interrompez ici votre voyage.

— Pourquoi donc ? m'indignai-je.

— Vous ne parviendrez pas à éviter tous les dangers qui vous guettent.

— Lesquels, je vous prie ? Qui me haïrait au point de vouloir attenter à mes jours ?

— Rentrons, exigea-t-il.

L'Arménien avait réussi à me gâcher cette nuit sucrée. L'angoisse m'obturait la gorge. Les menaces proférées par cet homme calme, à l'esprit rassis, possédaient une sinistre saveur.

Sur le seuil de la vaste demeure, il s'arrêta, songeur.

— Vous connaissez mieux les anciens Égyptiens que les nouveaux maîtres de ce pays, monsieur Champollion. Vos recherches deviennent gênantes pour ces derniers. Les antiquités n'intéressent pas que les savants. Laissez donc la pourriture humaine recouvrir les ruines et les engloutir. L'Égypte n'a que la mort à vous offrir.

— Je suis ici pour redonner vie à l'ancienne Égypte, quel que soit le prix à payer.

Il me regarda par en dessous.

— Je vous aurai prévenu. Je repars demain pour Alexandrie. Adieu donc, monsieur Champollion.

L'Arménien s'éclipsa. Lorsque je retrouvai mes compagnons de voyage, affalés sur des coussins de soie et fumant des narguilés, je parvins mal à contenir mon trouble. Nestor L'Hôte le remarqua.

— Ça ne va pas, général ?

— Si, si...

— Une mauvaise nouvelle ?

— Oui et non. J'ai rencontré un messager de l'au-delà.

*

— Les voilà, les voilà ! hurla le professeur Raddi, debout sur le toit de la cabine de l'*Hathor*, découvrant les célèbres carrières de Tourah, d'où les anciens extrayaient le plus beau calcaire du pays.

Les cris d'enthousiasme du minéralogiste avaient réveillé l'équipage des deux bateaux, ainsi que les fellahs encore endormis dans leurs huttes de clayonnage, sur la rive où nous accostions. Pendant la soirée du

30 septembre, j'avais réuni mes compagnons à bord de l'*Isis* pour leur expliquer mes projets : explorer cette étonnante région d'où étaient sortis la nécropole de Memphis et tous les grands édifices de cette cité. Nul obstacle, fût-ce une chaleur étouffante, ne nous arrêterait. Nous avions la chance d'entrer dans le ventre de pierre où était née l'Égypte des bâtisseurs. Tendus, presque nerveux, nous décidâmes d'aller nous coucher fort tôt.

Je n'avais pas trouvé le sommeil avant deux heures du matin. Comme les autres, je fus réveillé par l'explosion de joie du bon professeur. Pendant ce bref repos, je rêvai de carriers et de tailleurs de pierre extrayant des blocs destinés aux temples. Je crus revivre leurs gestes, leurs efforts, leurs souffrances. Je devenais leurs mains. Raddi m'arracha à cette vision mais, grâce à lui, je goûtai un indicible bonheur : passer d'un rêve à une réalité qui, elle aussi, avait le charme d'un rêve somptueux. Tourah ! Je me trouvais bien à Tourah, près de cet horizon calcaire où soufflait encore le vent de l'éternité.

A cinq heures du matin, nous nous rassemblions sur la rive, devant les bateaux. Lady Redgrave, levée avant nous, attendait, juchée sur un âne gris. De vert vêtue, elle était coiffée d'un chapeau blanc à larges bords. Je m'approchai d'elle.

— Madame, ce n'est pas...

— Ne gaspillez pas vos paroles, monsieur Champollion. Je sais d'avance ce que vous allez dire : ce n'est pas la place d'une femme. N'essayez pas de me démontrer pareille absurdité. Je veux tout connaître de ce pays.

Je n'avais aucun moyen de la faire revenir sur sa décision. Mécontent, je passai devant elle, suivant le professeur Raddi qui n'avait pas attendu mon signal pour s'élancer vers les carrières. La jolie espionne ne relâchait pas sa vigilance. J'aurais dû éprouver la plus vive irritation ; au fond de moi, je me sentais plutôt satisfait de ne pas la voir éloignée de notre petite communauté.

— On croirait d'énormes casernes destinées à une armée de géants, déclara Nestor L'Hôte, découvrant les carrières du haut d'une crête rocheuse. Là-bas, dit-il, en désignant du doigt des excavations dans le roc, il y a des portes et des fenêtres.

Nous nous sentions écrasés par l'ampleur de la tâche. Comment explorer une telle immensité ? J'attribuai à chacun de mes compagnons un secteur de fouilles, de manière à couvrir le plus vaste territoire possible. Rosellini, peu enclin au travail physique, émit une vague protestation. Nestor L'Hôte, heureux de dépenser son trop-plein de force, distribua des sifflets. Il fut convenu que quiconque effectuerait une trouvaille majeure utiliserait l'instrument pour me prévenir.

— Je crois que vous m'avez oubliée, intervint Lady Redgrave.

— Madame, ce n'est pas...

Je n'osai terminer ma phrase. La lueur amusée qui illuminait son regard me couvrit de ridicule à mes propres yeux. Elle tendit la main pour recevoir un sifflet et gagna le secteur que je lui avais octroyé.

Le professeur Raddi travaillait dans un état proche du délire. Il tâtait chaque bloc, l'examinait avec tendresse, introduisait des éclats dans un grand sac, inconscient du poids qu'il accumulait. La chaleur, qui augmentait vite, diminuait l'ardeur de mes compagnons. La mienne ne déclina pas. Je pris en dessin de nombreuses inscriptions datant des plus hautes époques et rappelant le nom de ceux qui avaient œuvré en ces lieux.

Un coup de sifflet.

Il provenait du secteur de Lady Redgrave. Je songeai aussitôt à un accident et, sans me soucier du danger, courus sur une crête calcaire pour la rejoindre.

— Attention, général ! hurla Nestor L'Hôte.

Son avertissement me cloua sur place. Un grondement sourd emplit mes oreilles. Levant la tête, je vis dévaler vers moi un énorme bloc. D'instinct, je reculai, au risque de me rompre le cou une vingtaine de mètres plus bas. Le bloc passa tout près, m'éclaboussant de poussière. Me protégeant les yeux, je suivis la fin de sa course folle au fond de la carrière.

— Par ici, indiqua L'Hôte, me tendant la main.

Atteignant une plate-forme, je repris mon souffle. Les battements de mon cœur se ralentirent.

— Vous l'avez échappé belle, général.

— Où se trouve Lady Redgrave ?

— Là-bas.

Debout sur un promontoire, éblouissante de beauté dans la violente lumière blanche qui semblait naître de la roche, se mêlant à l'or du soleil, elle nous regardait. N'avait-elle pas prémédité un crime ? N'avait-elle pas tenté de m'attirer dans un mortel traquenard ? Il me fallait une certitude. Les jambes encore tremblantes, je la rejoignis.

— Où est votre découverte ? ironisai-je.

— Devant vous, répondit-elle sans se troubler, indiquant une paroi très lisse sur laquelle était gravé un épisode rare, l'élévation d'un monolithe.

Frappé d'admiration par la sûreté du trait, je sortis aussitôt mon carnet pour enregistrer la scène.

— A côté, ajouta-t-elle, il y a le nom du pharaon Psammétique.

Stupéfait, je cessai de dessiner.

— Comment avez-vous réussi à le lire ?

— En utilisant votre méthode, répondit-elle avec le plus charmeur des sourires.

— Impossible.

— Pourquoi donc, monsieur Champollion ?

— Parce que la totalité de ma méthode n'est connue que de moi seul.

— Ignorez-vous que je possède le don de double vue ? Pardonnez-moi : je me sens un peu lasse. Je retourne au bateau.

Je la regardai s'éloigner, légère, telle une déesse née de l'océan de fraîcheur qui, selon les Anciens, environnait la terre.

Elle avait donc fouillé ma cabine et consulté mes papiers.

*

Nous déjeunâmes dans une salle taillée à même le roc, aménagée pendant le règne du pharaon Ahmosis, fondateur de la XVIIIᵉ dynastie qui allait faire de Thèbes le centre du monde. Chacun dressait le bilan de ses découvertes. Rosellini avait retrouvé sa bonne humeur.

— Je n'avais attribué à personne le secteur escarpé d'où a dévalé le bloc. Quelqu'un y travaillait-il au moment de l'incident ?

— Le père Bidant, répondit Rosellini. Il souhaitait voir la carrière de son point le plus élevé.

Le religieux, dos calé contre la paroi du fond de notre étrange salle à manger, avait entamé une sieste. Il semblait dormir profondément. Le réveiller me parut inutile. Comment le père Bidant aurait-il pu concevoir un acte criminel ? L'imagination est mauvaise conseillère.

Un coup de canon déchira la tranquillité d'un midi brûlant. Nous sortîmes pour découvrir un curieux spectacle : une centaine de fellahs et une vingtaine de cavaliers, menés par un cheikh âgé et barbu, coiffé d'un turban vert olive. L'ensemble de cette foule poussait des glapissements. Notre curiosité se transforma en stupeur lorsque nous vîmes les fellahs s'allonger face contre terre, collés les uns contre les autres, formant une véritable route humaine offerte aux sabots des chevaux qui s'apprêtaient à s'élancer sur elle.

Le cheikh passa le premier. Les fellahs hurlèrent de douleur sous le poids du quadrupède qui écrasait les cous, le dos, les reins. Horrifié, je voulus courir vers le lieu du supplice, mais mon serviteur Soliman me barra la route.

— N'intervenez pas. Ces hommes sont volontaires pour le rite de la Dôsêh. Ceux qui ont la chance d'être grièvement blessés voient leurs péchés remis.

De la route humaine montait une incantation, « Allah, Allah ! », qui émergeait avec peine d'un concert de gémissements. Les sabots non ferrés brisaient les os, ouvraient les chairs, mais personne ne s'enfuit avant le passage du dernier cavalier. Lady Redgrave, revenue du bateau pour déjeuner en notre compagnie, me demanda mon bras. Comme moi, elle était incapable de détacher son regard de cette cérémonie abjecte où le sang était versé au nom des croyances les plus folles. Comme cette Égypte-là était loin de celle des pharaons !

Les malheureux, plus ou moins estropiés, se relevèrent avec peine. Leurs vêtements étaient maculés de sang. Ils eurent encore la force de s'incliner devant le cheikh au turban vert. Chacun reprit ensuite son chemin vers Le Caire, les éclopés se soutenant mutuellement pour marcher.

— Il en reste un ! s'exclama Lady Redgrave.

Une forme allongée, dans un creux. Sa vêture n'était plus que sang et sable. Le visage de l'homme était profondément enfoncé dans le sol.

La nuque brisée.

Quand Nestor L'Hôte le retourna pour constater la mort, j'éprouvai une horrible surprise. Je reconnus le vendeur de pistaches qui m'avait conseillé, dans le bazar du Caire. Ses poignets étaient attachés par une mince cordelette. Celui-là, au moins, n'était pas volontaire pour entrer si tôt au paradis d'Allah. Mes adversaires de l'ombre n'auraient pu m'offrir avertissement plus spectaculaire.

*

La triste découverte des ruines de Memphis, la plus ancienne capitale de l'Égypte, ne fit qu'ajouter à la morosité qui s'était emparée de notre petite communauté. Je ne soufflai mot à personne de l'identité de la victime de la Dôséh, ne sachant plus à qui accorder une confiance sans partage. Même mon serviteur Soliman, qui m'avait empêché d'intervenir, me paraissait suspect.

Dans quel néant avait disparu l'immense ville entourée d'un mur blanc, celle qu'on nommait « la Balancedes-Deux-Terres » ? Nous n'avions devant les yeux qu'une étendue d'eau d'où émergeaient de hauts palmiers. Vers la fin du Moyen Age, encore, les temples arrachaient des cris d'admiration aux voyageurs arabes les plus blasés. Aujourd'hui, plus un seul bloc en place. Les barbares modernes avaient tout pillé. Ne tentant point d'atténuer la consternation de mes compagnons, je suivis Soliman qui m'emmena jusqu'à un colosse de Ramsès II, au sud de l'antique enceinte, à l'abri des eaux montantes. Les jambes étaient brisées mais, du visage et du torse intacts, émanait une noblesse qui me saisit l'âme. Sa seule vision me redonna une énergie que je croyais perdue.

— Admirable, commenta Rosellini.

— Beaucoup plus que cela, ami. Je me souviens du dégoût que j'ai éprouvé, à Rome, devant les têtes énormes des empereurs qui furent autant de bourreaux et de tyrans. Ce n'étaient que des horreurs vulgaires. Seuls les Égyptiens ont su unir le grandiose et l'humain. A une aussi grande échelle, la moindre erreur de détail devient une faute capitale. Le sculpteur a eu la sagesse de n'exprimer que le strict nécessaire, sans exclure la finesse, la gravité et le sourire. C'est cette sagesse dont il nous nourrit.

Les paroles m'étaient venues spontanément aux lèvres. J'eus presque honte d'exprimer ainsi mes sentiments, mais j'avais la certitude de percevoir l'un des secrets de l'art des anciens Égyptiens. Je demeurai seul plusieurs heures en compagnie du colosse, poursuivant un dialogue muet avec l'unique rescapé du naufrage de Memphis.

En s'asseyant sur la poitrine de Ramsès, Lady Redgrave interrompit ma méditation.

— N'êtes-vous amoureux que de la vieille Égypte, monsieur Champollion ?

Je sursautai.

— Allons, madame. Saqqarah nous attend.

*

Cette terre d'Égypte, après laquelle je soupirais depuis si longtemps, me traite en mère tendre. J'y conserverai, selon toute apparence, la bonne santé que j'y apporte. Je bois de l'eau fraîche à discrétion, et cette eau-là est celle du Nil qui nous arrive par le canal nommé Mahmoudièh en l'honneur du pacha qui l'a fait creuser.

Mon serviteur Soliman et les Arabes du cru jurent qu'on me prend partout pour un natif d'Égypte. A la pratique de la langue, que je compte maîtriser tout à fait d'ici un mois, s'ajoute le port des habits : turban sur la tête rasée, veste brodée d'or sur gilet de soie rayée, ceinture drapée de même étoffe, pantalons bouffants, pantoufles rouges. Une belle moustache couvre ma bouche. Ce costume est très chaud et c'est justement ce qui convient en Égypte ; on y sue à plaisir et l'on s'y porte de même.

Je suis déjà familiarisé avec les usages et coutumes du pays : le café, la pipe, la sieste, les ânes, la moustache et la chaleur, corroborant ce que m'a dit ma belle-sœur, Zoé, le jour de son mariage avec Jacques-Joseph : vous avez le teint trop basané. Blanchissez-vous au moins le visage pour la cérémonie !

Seul Nestor L'Hôte a sacrifié comme moi à la mode locale. Rosellini est resté sur une prudente réserve en conservant des traces d'Europe. Le père Bidant a juré de ne point quitter sa soutane. Le professeur Raddi hésite entre le Turc et l'Italien, s'habillant au gré de ses trouvailles matinales. Quant à Lady Redgrave, elle utilise une garde-robe savamment orientale, réussissant le miracle de marier l'élégance aux exigences du quotidien. Personne n'ose l'importuner car, en raison de nos vêtements, L'Hôte et moi passons pour ses deux gardes du corps.

La plaine morte de Saqqarah sema l'effroi parmi les membres de l'expédition. Nous avions quitté les deux bateaux ancrés devant Bedrachein pour nous aventurer dans un désert aride, l'ancien cimetière de Memphis, parsemé de pyramides détruites et de tombeaux violés. Le champ des momies, comme l'appellent les Arabes, est formé d'une suite de petits monticules de sable, produits de fouilles aveugles et de rapines, le tout ponctué d'ossements humains. Les tombeaux, ornés de sculptures, sont, pour la plupart, dévastés ou recomblés après avoir été pillés. La rapace barbarie des marchands d'antiquités s'est exercée ici avec la plus extrême férocité.

Un parfum de fin des temps me montait à la tête. Nous plantâmes la tente au cœur de cette immensité froide, peuplée de Bédouins aux visages fermés. Parvenant à communiquer avec eux, je réussis à obtenir leurs services. Ils s'occupèrent de corvées ménagères et montèrent la garde devant notre campement, de jour comme de nuit. Le chef local, le cheikh Mohamed, me témoigna même une réelle affection.

Jamais la solitude ne me parut plus pesante qu'à Saqqarah. Lady Redgrave, à qui mes Bédouins avaient octroyé un magnifique alezan, passait le plus clair de son temps à cheval. Pendant la forte chaleur, elle dormait. Lors des repas, elle devisait gaiement avec mes compagnons.

Depuis trois jours, elle ne m'a pas adressé la parole. Le père Bidant, ressentant sans doute la présence des démons du désert, ne cesse de pratiquer les Saintes Écritures qu'il finira par connaître par cœur. Il a bien tenté d'évangéliser un jeune Bédouin, mais ses efforts se sont soldés par un cuisant échec. Nestor L'Hôte s'amuse comme un jeune chien fou. Il gambade de pyramide effondrée en tombeau dévasté, pénètre partout, suit n'importe quel guide bénévole et me rapporte quantité de croquis dont seule une infime partie aura une valeur scientifique. Je crois préférable de laisser s'exprimer ainsi son dynamisme pour pouvoir mieux le contrôler plus tard. Le professeur Raddi ne sort plus de son état extatique. Le désert est son royaume. Il lui suffit de se pencher pour ramasser des trésors. Je crois bien qu'il reconstitue l'histoire géologique de cette terre et, qui sait, de la planète entière. Rosellini est ravi ; il marchande la journée entière avec les indigènes et a déjà acquis plusieurs belles pièces, dont un sarcophage, pour le Musée de Turin.

Au soir, les Bédouins se rassemblent autour de notre tente. Ils arrivent de tous côtés, ombres silencieuses, et allument de petits feux. Ils se racontent des histoires de revenants, des légendes, des exploits guerriers. Mes compagnons, fatigués par leurs travaux, dorment tôt. Lady Redgrave se retire sous sa tente privée sur laquelle veille Soliman.

Je ne parviens plus à trouver le sommeil. La vision de langes de momies, d'ossements brisés, de crânes blanchis par la rosée du désert m'obsède. Mon voyage commence à peine, je suis encore loin de Thèbes et je touche déjà le néant du bout des doigts. Aucune inscription décisive ne m'a encore permis de mettre définitivement au point mon système de déchiffrement. Je n'ai point identifié le chemin qui mène à la connaissance de la vie en éternité telle que l'ont perçue les anciens Égyptiens. Et que penser des deux mystérieuses lettres dont les auteurs demeurent inconnus ?

Je quittai notre modeste campement pour m'aventurer dans le désert. Cette nuit-là me sembla soudain moins hostile. Les dunes m'apparurent comme les vagues pétrifiées d'un océan à jamais immobile. Des merveilles du passé ne dorment-elles pas sous cette croûte inerte ? Je sentis un fourmillement dans les jambes, m'indiquant qu'un des cœurs de ma vieille Égypte battait encore en ces lieux désolés. Combien de tonnes de sable et de pierrailles faudrait-il déblayer pour mettre à nouveau en pleine lumière les trésors qui sommeillaient sous mes pas ?

La pleine lune éclaira de son rayonnement intense une profonde déclivité au fond de laquelle gisaient des blocs épars. Mon instinct de fouilleur me commanda de l'explorer. La dimension des pierres indiquait assez qu'il s'agissait d'un édifice imposant, peut-être d'une pyramide. Mon pied heurta un petit fragment de calcaire sur lequel était conservé un cartouche, dans le style des hautes époques. Je déchiffrai aussitôt le nom inscrit à l'intérieur : Ounis.

Je venais de découvrir un pharaon inconnu.

*

Le 8 octobre, tôt matin, notre caravane s'arrêta
devant le grand sphinx, gardien du plateau de Gizeh et
des trois grandes pyramides, formes parfaites à jamais
inscrites dans l'éternité des hommes. Nous étions tous
épuisés, après avoir cheminé une partie de la nuit dans
le désert, autant pour éviter la chaleur que pour goûter
la lumière fraîche de ces solitudes apaisantes. Une
nuée de Bédouins se précipita vers nous, offrant
dattes, eau et pain. Nous accueillîmes ces présents avec
une franche satisfaction, mais je dus rappeler à mes
compagnons la présence d'une dame parmi nous pour
que Lady Redgrave fût servie la première.

Nos sept chameaux de bât, regroupés devant le
grand sphinx, goûtèrent un repos bien mérité. Une
gorgée d'eau fraîche suffit à étancher ma soif, tant
j'étais fasciné par la majesté vigilante du sphinx et la
puissance des trois géants de pierre.

Je demeurai de longues minutes devant ces tombeaux. Plus je les contemplais, plus ils semblaient
grandir, m'entraînant, avec eux vers le ciel. Les plus
immenses monuments jamais sortis de la main des
hommes n'étaient-ils, comme l'avaient prétendu Vol-
taire et autres beaux esprits, que des édifices à la gloire
du néant ? L'admiration que je ressentais me prouvait
le contraire. Et soudain, je compris. Ce n'étaient point
là amas de pierre, absurde démonstration de vanité
temporelle mais chants d'immortalité. Les pyramides
ne sont pas des tombeaux mais des demeures de résurrection. Oui, l'homme est néant et poussière. Mais son
esprit est lumière. Pour l'abriter, il lui fallait une
demeure à sa mesure et de même nature.

— Il faudrait démonter ces pyramides pierre par
pierre, estima le professeur Raddi. Je suis certain que
leur noyau doit être passionnant.

— Quelle monstrueuse expression de la plus folle
des vanités ! jugea le père Bidant.

Je l'entraînai aussitôt à l'écart, tandis que Rosellini
commençait à marchander ses futures acquisitions et

98

que Nestor L'Hôte dessinait la tête du sphinx. Lady Redgrave, assise sous un parasol tenu par Soliman, sommeillait.

— Mon père, ces critiques n'ont aucun sens. Puisque vous avez le malheur de détester l'Égypte, ayez au moins le bonheur de vous taire.

Une myriade de faucons dansait une ronde incessante autour des sommets des pyramides. Le religieux évita de me regarder dans les yeux.

— Ne soyez pas insolent, répliqua-t-il. Vous n'avez pas à me dicter ma conduite. C'est moi, au contraire, qui dois surveiller la vôtre. Regardez vous, Champollion ! Vous n'avez plus rien d'un homme de bonnes mœurs ! Si vous continuez à vous laisser séduire par ce pays rempli de démons, vous perdrez bientôt toute religion et serez le plus pernicieux des savants.

— Nous porterons le deuil ensemble, mon père. La vanité que vous attribuez aux pharaons n'existe que dans votre pensée. Ces immenses monuments sont des symboles. Voyez-les en face ! Ne balayent-ils pas notre médiocrité, nos petitesses, notre misérable humanité ?

Le père Bidant haussa les épaules et rompit là, s'éloignant en maugréant. Nestor L'Hôte me tira par la manche.

— Général... venez vite ! Une expérience à ne pas manquer.

Je le suivis sans réfléchir. Hissé par son bras puissant et par celui d'un Bédouin agile comme un singe, j'escaladai malgré moi une arête de la plus grande des trois pyramides, celle de Kheops. Ses blocs formaient des marches gigantesques. D'abord enthousiasmé par cette ascension, j'eus le tort, à mi-pente, de me retourner et de regarder en bas. Mon cœur battit brusquement la chamade, le souffle me manqua, je vacillai. Pour échapper au vertige, je fermai les yeux et me plaquai contre la paroi. J'étais incapable d'avancer ou de reculer ou même de lancer un appel au secours.

— Grimpez, général ! clama L'Hôte, bien au-dessus de moi.

Je demeurai muet. Une vague de terreur m'envahit.

L'Hôte m'aurait-il entraîné jusqu'ici pour que je succombe à un malaise et que je me rompe le cou de la manière la plus naturelle qui fût? Mais comment aurait-il appris ma sensibilité au vertige?

Une main se posa sur mon épaule. Un instant, j'eus l'impression qu'elle me poussait dans le vide.

— Ça ne va pas, général?

— Je me sens mal, bredouillai-je, sans ouvrir les yeux.

— Avez-vous regardé en bas?

J'opinai du chef.

— Imprudence, général. Laissez-vous guider. Vous admirerez le paysage de là-haut. Je suis sûr que vous n'aurez plus le vertige. Prenez ma main, grimpez et ne pensez plus qu'aux pyramides.

Aussi faible qu'un enfant, je m'en remis à la volonté de L'Hôte. Les blocs de pierre devenaient mon refuge, l'ultime recours entre mon corps pantelant et le vide. Les toucher me rassurait. En aveugle, j'accomplis l'ascension d'un pied très sûr, ne fixant mon énergie que sur le but à atteindre : le sommet.

— Nous sommes arrivés, général.

A cent quarante mètres au-dessus du sol, sur le couronnement du plus gigantesque édifice conçu par un esprit humain, j'ouvris enfin les yeux, jouissant d'une incomparable vision. A l'est, le rebord du plateau de Gizeh, le Nil et les rumeurs du Caire. A l'ouest, le désert. Au nord, les pyramides d'Abou Roach. Au sud, Abousir, Saqqarah et les deux gigantesques pyramides de Dahchour érigées par le bon roi Snefrou. C'était l'œuvre de l'Ancien Empire qui s'offrait ainsi, un peuple de pierres dressées vers l'absolu.

— Il ne reste plus qu'à taire sa gueule, dit L'Hôte, fasciné.

Le guide bédouin s'endormit, la tête sur les genoux. L'Hôte dessina. Je contemplai. Nous demeurâmes plus de deux heures sur le sommet de la pyramide de Khéops, à l'endroit où aurait dû se trouver le pyramidion. Les anciens n'avaient pas voulu terminer l'œuvre, si prodigieuse fût-elle. La dernière pierre n'appartenait qu'au Créateur.

*

Au soir d'une journée aussi exaltante qu'exténuante, nous nous retrouvâmes à la lisière du désert et des terres cultivées, sous un bosquet d'acacias, invités à un repas que présidait le cheikh Mohamed.

— Il n'y a de Dieu que Dieu, déclara-t-il, après nous avoir priés de nous asseoir sur des coussins pauvrement brodés mais confortables.

Le repas n'était constitué que de galettes d'orge ; l'amitié suppléa à l'austérité de la nourriture.

— J'ai passé des heures superbes, dit à voix basse Lady Redgrave, à ma gauche.

— Je n'espérais plus entendre le son de votre voix, lui reprochai-je.

— Ignorez-vous qu'une femme se flétrit dans la solitude ?

Mon voisin de droite, un Bédouin, me pria de regarder en direction du cheikh Mohamed qui s'apprêtait à discourir à nouveau.

— Bénie soit votre expédition, monsieur Champollion ! proclama-t-il avec emphase. Depuis Adam et Ève, tous les hommes sont frères, mais ils l'ignorent. Puissiez-vous leur faire découvrir ce que votre cœur est venu chercher ici.

Le cheikh ne prononça plus d'autres paroles, se consacrant à son repas. J'aurais aimé l'interroger sur ces propos énigmatiques, mais la bienséance orientale me l'interdisait. Alors que nous mangions en silence, une série de coups de fusil fit sursauter les convives.

Les Bédouins signalaient ainsi l'arrivée d'un cavalier. Ce dernier s'introduisit aussitôt sous la tente, s'inclinant devant le cheikh. Habillé à la turque, il avait la prestance de Rosellini et la puissance de Nestor L'Hôte.

— Champollion est-il ici ? interrogea-t-il.

— Me voici, dis-je en me levant.

— Je tenais à vous rencontrer. Mon nom est Caviglia.

Caviglia ! Je le regardais comme s'il descendait du

101

ciel. L'homme qui venait à moi était celui que je désirais à tout prix rencontrer au cours de mon voyage.

*

Caviglia connaissait tout du plateau de Gizeh. Onze ans auparavant, il avait dégagé le sphinx, exploré les pyramides, entamé de nombreuses fouilles dont il était le seul à connaître les résultats. Homme étrange, peu conciliant, il refusa de s'entretenir avec les autres membres de l'expédition, ne voulant dialoguer qu'avec moi et seul à seul. Pendant trois longues journées, il me décrivit ses travaux, m'interdisant de prendre des notes, sous peine de le voir disparaître. Nous déjeunions et dînions en plein air, consommant dattes et pains apportés par les Bédouins qui lui vouaient un véritable culte. Le soir, je dormais sous la tente du cheikh Mohamed dont le campement se déplaçait sans cesse. Caviglia réapparaissait à l'aube, doté d'une énergie toujours renouvelée, témoignant d'une passion égale à la mienne pour le moindre vestige de l'antiquité égyptienne.

J'en appris autant avec cet homme en trois jours que pendant des années d'études dans les bibliothèques. J'étais à la fois triste et heureux d'être débarrassé de la surveillance constante de Lady Redgrave. A quelles obscures combinaisons se livrait-elle en mon absence ? Pourquoi les chiens de garde du pacha et de Drovetti, Abdel-Razuk et Moktar, avaient-ils disparu ? Comment évoluaient les liens entre les membres de notre communauté, privée de son « général » ?

— Vous êtes soucieux, Champollion, remarqua Caviglia, s'asseyant devant moi.

Le soleil se couchait. Nous buvions du jus de caroube devant la tente du cheikh Mohamed.

— Je vous remercie du fond du cœur pour votre aide, mais...

— Mais la solitude vous pèse.

— Non. Mais je dois remplir ma fonction auprès des membres de mon expédition.

Une expression de dégoût s'inscrivit sur le visage de Caviglia.

— Triste équipée que voilà... Bidant est un curé retors qui ne souhaite que votre perte. Rosellini est un marchand, comme tant de faux savants. L'Hôte une brute rêvant de plaies et de bosses. Le professeur Raddi un illuminé dangereux. Quant à Lady Redgrave... Ils vous trahiront tous, Champollion.

Je m'empourprai.

— Vous n'avez pas le droit de parler ainsi !

— Avez-vous trouvé le cartouche du roi Ounis ?

Sa question me prit au dépourvu.

— Comment savez-vous...

— Il n'y a pas de hasard en Égypte, Champollion. Sans doute ce signe a-t-il été placé sur votre chemin... Bonaparte a vécu une aventure similaire à la vôtre.

— Laquelle ? demandai-je, intrigué.

— Bonaparte est entré dans la grande pyramide en compagnie de son guide. Il est demeuré très longtemps à l'intérieur. Quand il est sorti, sa pâleur était extrême. Que s'est-il passé ? interrogea son aide de camp. Rien que je puisse expliquer, répondit Bonaparte. A quoi bon parler, vous ne me croiriez pas. Et puis j'ai juré le secret.

Étonné par ces révélations, je tentai, à mon tour, d'en savoir davantage. Mais Caviglia se montra intraitable.

— Bonaparte ne fut qu'un adepte parmi d'autres. Préoccupez-vous de votre propre destin, Champollion. Mes amis et moi vous attendons depuis longtemps. La tradition n'a pas été perdue, mais vos découvertes sont essentielles. Nous aimerions travailler avec vous.

Caviglia ne se départait pas de sa sévérité naturelle. J'étais à la fois attiré et méfiant.

— Qu'exigez-vous de moi ?

— Votre connaissance des hiéroglyphes.

— Et que m'offrez-vous ?

— Des clés qui vous manquent encore et la connaissance de votre destin, répondit-il, regardant au loin, vers le désert. A vous de décider. Soyez cette nuit au pied de la pyramide à degrés de Saqqarah, avec le cartouche d'Ounis.

Caviglia se leva. Je croyais rêver. Que signifiaient ces mystères ? Si cet homme n'avait été un célèbre fouilleur, je l'aurais volontiers traité d'illusionniste et de charlatan. Mais la gravité de ses propos et de son attitude démentait pareil jugement.

— Attendez... ne m'avez-vous pas adressé une lettre, en France ?

Caviglia ne se retourna pas.

— C'est bien possible, admit-il, avant d'enfourcher son cheval et de disparaître dans le couchant.

*

Je crois n'avoir peur de rien, sinon de la stupidité humaine qui peut faire échouer les plus nobles entreprises. Depuis mon plus jeune âge, j'ai été confronté à l'inconnu et j'ai tenté d'en relever les défis. Celui que proposait Caviglia avait pourtant de quoi me désarçonner. Il exigeait un acte de confiance au-delà du raisonnable. Seule certitude : Caviglia était l'auteur d'une des deux lettres. Mais de laquelle ? S'il avait refusé de donner des précisions, n'était-ce point pour mieux m'attirer dans un guet-apens ?

La plaine des momies, Saqqarah l'angoissante... était-ce ma dernière étape sur cette terre ? Je ne me sentais pas prêt à renoncer à cette vie tant que mes recherches n'auraient pas abouti. La prudence aurait exigé que je demeurasse auprès des membres de mon expédition. Une impérieuse curiosité me poussait à cheminer à dos de mulet vers Saqqarah sans prévenir personne. Quel homme sensé aurait refusé la possibilité de connaître son destin et d'obtenir le trésor qu'il recherchait passionnément ?

Je vis la pyramide à degrés de Saqqarah pour la première fois. Auparavant, cette masse un peu informe engoncée dans un monceau de sable et de gravats ne m'avait guère impressionné. Dans la clarté lunaire, elle m'apparut dans son antique majesté. J'eus envie de la

dégager de mes mains pour lui redonner sa splendeur.

Alors que je m'agenouillais, une ombre gigantesque
se dressa devant moi.

CHAPITRE 9

Les dattes du petit déjeuner étaient exquises. Un vent du nord rendait la matinée agréable. La vision des trois pyramides du plateau de Gizeh créait le plus inoubliable des souvenirs. Lady Ophelia Redgrave n'avait pas faim. Elle n'éprouvait plus aucun goût pour la contemplation. Depuis plus d'une heure, elle parcourait le désert à cheval, osant s'aventurer dans les campements de Bédouins les plus hostiles.

De retour à la tente où dormaient les membres de l'expédition, elle aperçut d'abord le père Bidant, buvant du thé à la menthe, le missel à portée de la main. Rosellini étudiait des relevés hiéroglyphiques, bien incapable de les déchiffrer sans l'aide du Maître. Nestor L'Hôte se livrait, torse nu, à des exercices d'assouplissement. Le professeur Raddi, indifférent au monde extérieur, inventoriait des fragments de calcaire qu'il examinait à la loupe.

Lady Redgrave mit pied à terre et se dirigea vers Rosellini.

— Avez-vous vu Soliman ?

— Non, répondit l'Italien.

— Pas de nouvelles du cheikh Mohamed ?

— Aucune. D'après les Bédouins, il est parti vers le sud. Et vous... vous n'avez rien appris ?

Lady Redgrave se mordit la lèvre.

— A présent, il est certain que Champollion a disparu.

Je crus que la pyramide à degrés s'abattait sur moi. Son ombre gigantesque m'enveloppa comme un linceul. Je me retournai avec vivacité, sentant une présence derrière moi.

Caviglia.

— Êtes-vous prêt à me suivre, Champollion?

J'acquiesçai.

Caviglia passa devant moi. Nous longeâmes la pyramide à degrés et nous dirigeâmes vers le milieu de la face nord. La masse des déblais était énorme, montant presque jusqu'au sommet de l'édifice et ruinant toute perspective. Caviglia escalada la muraille de sable jusqu'à mi-pente, ôta un gros bloc au prix d'un effort considérable qui dura de longues minutes et dégagea l'entrée d'un boyau très étroit, à peine suffisant pour le passage d'un corps.

— Ce chemin conduit au fond des enfers, déclara-t-il. A votre gré, Champollion.

Aller au cœur d'une pyramide, est-il cadeau plus exaltant? Je m'engouffrai dans l'étroit orifice, suivi de Caviglia qui prit soin de remettre le bloc en place. La pente s'avéra très raide. Je la descendis sur le dos, le nez collé au plafond, progressant en pliant les jambes. Caviglia se tenait à bonne distance, pour ne pas me percuter lorsque je freinais avec mes talons. Je me râpais mollets et genoux, avalais de la poussière, me cognais la tête, mais me hâtais, avide de contempler la sépulture du pharaon qui avait construit la première des pyramides.

Alors que l'air commençait à manquer, le chemin descendant s'élargit brusquement et devint horizontal. Il régnait en ces profondeurs une douce lumière bleutée qui apaisa aussitôt les fatigues de l'exploration. Je pus me redresser. Progressant dans cet appartement funéraire où une famille entière devait être rassemblée, je m'arrêtai, émerveillé, devant un panneau de faïence représentant la course du pharaon, une rame à la main, lors de la fête de la régénération où le chef de l'État, nourri par la magie divine, recouvrait une puissance nouvelle afin de mieux remplir sa fonction.

— C'est ici qu'est née l'Égypte, affirma Caviglia. Ce tombeau est celui de Djeser, le premier pharaon qui a célébré l'union des Deux Terres. Un jour, on le découvrira. On fouillera l'immense terrain qui l'entoure et des chefs-d'œuvre sortiront de terre.

— Pourquoi ne pas avoir révélé cette fabuleuse trouvaille au monde entier ?

— Parce que nous vous attendions, Champollion, et que le moment n'est pas encore venu. Je vous demande le secret absolu sur tout ce que vous verrez cette nuit.

— Si je refuse ?

Caviglia ne répondit pas. Son regard fut assez éloquent.

— Gardez ces révélations dans votre cœur. Sachez vous taire jusqu'à ce que nous en ayons décidé autrement.

— « Nous »... de qui parlez-vous ?

— De la confrérie des Frères de Louxor.

Les Frères de Louxor... j'en avais entendu parler, à Paris, comme d'une secte collectant les enseignements des civilisations anciennes, notamment de l'Inde et de l'Égypte. L'information m'avait paru si grotesque que je n'y avais pas attaché la moindre importance.

— Nous savions depuis toujours que vous viendriez. L'un de nos Frères, Henry Salt, avait prédit qu'un jeune Français allait redécouvrir le secret des hiéroglyphes.

Henry Salt, consul général de Grande-Bretagne en Égypte, membre de la confrérie !

— J'ai passé de nombreuses années à explorer les pyramides, à dégager le sphinx et à découvrir les passages souterrains entre le plateau de Gizeh et le site de Saqqarah, poursuivit Caviglia. C'est le chemin que nous emprunterons... une fois que vous aurez les yeux bandés.

— Pourquoi donc ? Vous méfiez-vous de moi ?

— C'est notre règle, Champollion.

— Je la refuse.

Mon être entier se révoltait contre cette mise en scène absurde.

— Vous auriez tort, dit Caviglia avec calme. Auriez-vous oublié l'enjeu ?

— Précisez-le davantage, le défiai-je avec vivacité.

— Vous transformer vous-même pour être initié à l'esprit de l'ancienne Égypte. Si vous n'acquérez pas le regard juste, vous ne serez qu'un spectateur sans conscience.

— Et vous prétendez m'offrir pareil trésor ?

— Moi ? Bien sûr que non ! Seule l'Égypte elle-même en est capable... si elle vous en juge digne.

La signification exacte de ces paroles m'échappait, mais la sérénité de Caviglia m'impressionnait au plus haut point. Je jouais mal l'indifférent. Cet homme, à l'évidence, possédait un secret. Comment pourrais-je oublier la vision de ces merveilleux reliefs du pharaon Djeser ? Comment ne pas croire un homme qui m'avait révélé de telles merveilles ?

— Une dernière fois, Champollion, je vous demande le secret pour tout ce que vous verrez, entendrez et vivrez pendant cette nuit. Sachez vous en servir pour déchiffrer l'Égypte entière, mais ne dévoilez pas la clef qui vous sera offerte en tant que Frère. Un jour viendra où, comme je le fais aujourd'hui, vous devrez la transmettre à votre successeur en exigeant le même engagement.

J'hésitais encore, affinais dix arguments, me débattais avec ma peur.

— Je le jure.

— Venez.

Il me banda les yeux avec un linge blanc parfumé au jasmin. L'odeur se révéla vite entêtante. Je regrettai de ne pas demeurer plus longtemps devant les figures bleutées de Djeser et m'en remis à la main qui me guidait dans le souterrain reliant entre elles les pyramides. Je fus incapable de mesurer le temps que dura le trajet effectué sur un sol des plus inégaux. La pente devint soudain très raide. Caviglia me hissa avec rudesse.

L'air tiède de la nuit emplit mes poumons. Nous venions de regagner le monde extérieur.

— Avez-vous entendu parler du Prophète ? demandai-je.

— Le vieux savant qui travaillait à l'Institut d'Égypte ? Bien sûr.

— Ne prétendait-il pas avoir découvert le secret des hiéroglyphes ?

— Il est vrai, répondit Caviglia, qu'il affirmait posséder une science perdue.

— Pourquoi n'est-il pas entré dans la confrérie ?

— Nous devions le recevoir peu avant votre arrivée. Mais son bureau a brûlé.

— Et lui-même a péri dans l'incendie, n'est-ce pas ?

Caviglia mit quelques secondes à me répondre.

— Aucun corps n'a été retrouvé dans les décombres fumants. Certains témoins affirment avoir vu Moktar, l'intendant de Drovetti, s'enfuir dans une ruelle peu après le début de l'incendie.

Un attentat criminel... le Prophète voulait me communiquer des informations essentielles. Drovetti l'avait fait assassiner pour l'empêcher à jamais de me parler.

— Serait-il encore vivant ? m'enthousiasmai-je.

— Nul ne le sait. On a signalé sa présence à Thèbes, où il se serait caché. D'aucuns prétendent qu'il a trouvé refuge en Nubie, loin de Drovetti et de ses sbires.

— S'il vit encore, affirmai-je, les mâchoires crispées, je le retrouverai. Il faut que je le retrouve.

— Il ne peut passer inaperçu, affirma Caviglia. Le Prophète mesure plus de deux mètres, il porte une très fine barbe blanche taillée en pointe et ne se déplace jamais sans une grande canne en acacia au pommeau d'or. Recueillez-vous, Champollion. Nous poursuivons notre chemin.

Le feu de l'espérance renaissait en moi. Des sentiers nouveaux s'ouvraient. J'étais prêt à lutter.

Caviglia ôta le bandeau. Je distinguai d'abord les étoiles puis, abaissant le regard, deux gigantesques bancs de pierre que j'identifiai bientôt comme les pattes du sphinx. Me retournant, je compris que je me trouvais devant le poitrail et sous le menton du gardien de la nécropole.

— Prudence, exigea Caviglia. Nous allons jusqu'à la grande pyramide.

Ainsi, le tombeau de Khéops était le but final de cette étrange expédition, le lieu où les Frères de Louxor comptaient pratiquer sur moi ce que les anciens Égyptiens appelaient « l'ouverture de la bouche et des yeux ». Côte à côte, nous marchâmes vers l'immense monument, dont la masse se détachait dans les ténèbres.

Un Arabe se dressa devant nous, un fusil à la main.

Caviglia s'interposa entre lui et moi, prononçant un seul mot dont le sens m'échappa. L'Arabe inclina la tête avec respect.

— Il surveille, indiqua Caviglia. Sa présence prouve qu'il n'y a aucun profane dans les parages.

Ni chiens errants, ni rôdeurs... les Frères de Louxor étaient admirablement organisés au point de pouvoir écarter tout gêneur de la grande pyramide. Suivant Caviglia, j'y pénétrai, la gorge serrée. Il me fallut traverser une zone de ténèbres avant de distinguer la lueur d'une torche, bien au-dessus de moi. Je m'engouffrai dans un étroit boyau où je dus progresser courbé. Très vite, l'air me manqua. La lueur disparut. Derrière moi, plus aucun bruit, comme si Caviglia avait disparu.

D'instinct, je sentis que reculer ne me serait pas permis. J'avançai donc, persuadé que j'allais périr étouffé. Chaleur et poussière s'unissaient pour brûler mes poumons.

Je cessai de résister. Je lâchai prise. Pourquoi s'opposer à l'inéluctable ? Pourquoi se raidir sur soi-même, tenter de retenir ce qui doit disparaître, même s'il s'agit de sa propre vie ? Mourir au cœur de la grande pyramide, n'est-ce point la plus fabuleuse des destinées ? Ma nervosité disparut. Je m'abandonnai aux siècles accumulés dans ces pierres d'éternité, je progressai avec calme, comme si cette ascension ne devait jamais se terminer. La lumière réapparut, à l'instant où je sortis de l'étroit canal pour me redresser et découvrir une immense galerie montant vers le cœur de la pyramide.

Des torches étaient disposées au bas des parois, répandant une lumière fauve d'où semblaient naître les gigantesques blocs de granit. J'eus l'impression d'être à la fois au centre de la terre et au milieu du ciel, dans un espace inconnu, dans un temps qui n'était plus celui des hommes.

Caviglia posa la main sur mon épaule gauche.

— La dernière étape, Champollion.

Le chemin me sembla plus facile, presque aisé. Il fallait se concentrer, certes, pour grimper sur le sol de pierres lisses, mais de cette galerie émanait une énergie qui attirait vers le haut, rendait le corps moins pesant. Cet endroit était un passage fulgurant vers l'univers des dieux. Il purifiait de l'inutile et de l'artificiel. Pas après pas, je sortais d'une gangue dont je n'avais pas eu conscience jusqu'à présent.

Après avoir franchi un seuil qui exigea une large enjambée, je pénétrai dans la chambre du sarcophage. Elle était éclairée par un seul candélabre, semblable à ceux qu'utilisaient les anciens. La mèche ne produisait aucune fumée. Au fond de ce sanctuaire m'attendaient huit hommes dont les visages demeuraient dans l'ombre. En m'approchant, je reconnus Anastasy, qui m'avait aidé au Caire, et mon serviteur, Soliman. Les autres, tous vêtus à la turque mais appartenant à des nations différentes, m'étaient inconnus. J'aurais aimé leur parler, leur poser des questions, mais Anastasy ne m'en laissa pas le temps.

— Entrez dans le sarcophage, ordonna-t-il.

La cuve funéraire du pharaon Khéops avait été taillée dans un seul bloc. Du couvercle, aucune trace n'avait jamais été retrouvée. Enjambant le plus vénérable des sarcophages d'Égypte à l'endroit de la cassure, je m'y introduisis et m'allongeai sur le dos. D'instinct, je croisai les bras sur la poitrine, tel un Osiris.

Une merveilleuse sensation de chaleur se diffusa dans ma colonne vertébrale. Ce n'était point le repos de la mort qui régnait dans cette cuve, mais le rayonnement même de la vie. Fermant les yeux pour mieux apprécier ce plaisir inouï qui avait le goût d'une résurrection, j'entendis la voix profonde d'Anastasy psalmodier une sorte de rituel.

— Ce sarcophage n'a jamais été fermé, dit-il. Aucun couvercle ne fut jamais posé. C'est dans cette chambre des métamorphoses que nos Frères, depuis le temps du roi Khéops, ont été régénérés. C'est ici, au centre du monde, que la lumière du dedans est venue éclairer leur destin. Bienvenue parmi nous, Jean-François Champollion. Vous passerez la nuit dans ce sarcophage. Ce que vous demanderez à cette pyramide, elle vous l'offrira.

La lueur de l'unique torche disparut. Je ne m'appartenais plus. Je laissai des visions m'envahir. Thot à tête d'ibis, le maître des savants et des scribes, et Anubis à tête de chacal, l'ouvreur des chemins de l'autre monde, ôtèrent un voile masquant des colonnes de hiéroglyphes bleu-vert ornant le caveau d'une pyramide. Je commençai à déchiffrer, appliquant les bases de ma méthode. Thot rectifiait chacune de mes erreurs, comblait mes lacunes. C'est ainsi que je perçus la destinée ultime de Pharaon, ses incessantes transmutations dans le ciel des justes, ses voyages dans les espaces cosmiques, sa fusion dans la lumière du soleil dont il était issu. Je passai de l'autre côté de la vie, me jurant de rendre aux dieux ce qu'ils m'avaient donné [1].

Ainsi, les pyramides parlaient ! Ce que j'avais lu pendant cette nuit existait peut-être réellement quelque part, en un lieu que des fouilleurs découvriraient [2]...

Je perdis toute notion du temps. Était-ce ainsi que

1. Champollion tint parole, parvenant à rédiger, pendant les quelques années qui lui restaient à vivre, la première grammaire et le premier dictionnaire des hiéroglyphes, œuvres colossales, dont on imagine mal qu'elles aient été conçues et réalisées par un homme seul.
2. Champollion voyait juste. La pyramide du roi Ounis, dernier roi de la Ve dynastie, et plusieurs pyramides de rois et de reines de la VIe dynastie comportent en effet des textes religieux d'une importance majeure. Le grand Mariette ne croyait pas à la réalité de ces pyramides à textes dont il n'apprit l'existence que sur son lit de mort.

l'on devenait Osiris de son vivant ? Était-ce ainsi que l'on rencontrait la puissance divine, couché au fond d'un sarcophage, les yeux ouverts sur un ciel de pierre ?

*

— La police du pacha est prévenue, annonça Lady Redgrave, la mine sombre.

Au pied de la pyramide de Kheops, en plein midi, la communauté du général disparu sombrait peu à peu dans l'inquiétude. Même le professeur Raddi s'aperçut qu'un événement anormal s'était produit.

— Regardez ! s'exclama L'Hôte, voyant Soliman s'approcher de la grande tente, poussant devant lui un âne chargé de régimes de dattes.

Rosellini, le visage creusé par une nuit blanche, se précipita vers le serviteur.

— Savez-vous où se trouve Champollion ? demanda l'Italien avec agressivité.

— Il vous suffit de lever les yeux, répondit Soliman avec calme.

Chacun accompagna le regard du serviteur pour découvrir, au sommet de la grande pyramide, la silhouette de Jean-François Champollion noyée dans la lumière du dieu Râ.

CHAPITRE 10

Ce fut le déjeuner le plus ensoleillé de mon existence, au sommet de la pyramide de Khéops, vaste plate-forme où auraient pu prendre place plus de quarante personnes. En son centre, un tas informe de gros blocs, sorte de pyramidion ruiné de faible surface. C'est là qu'étaient venus me rejoindre Lady Redgrave, remarquable alpiniste, Nestor L'Hôte, Rosellini et Soliman, portant des galettes au miel et de l'eau fraîche. Le père Bidant avait refusé d'escalader un édifice qu'il n'était pas loin de considérer comme satanique. Quant au professeur Raddi, il se consacrait à l'étude d'un fragment de calcaire dont le caractère exceptionnel n'apparaissait qu'à lui seul.

— Que s'est-il passé ? interrogea Lady Redgrave. Où aviez-vous disparu ?

Tout de blanc vêtue, la tête couverte d'un châle laissant à peine apparaître les yeux, l'espionne britannique m'apparut comme une redoutable accusatrice, décidée à tout savoir.

— Je n'avais pas disparu. Je travaillais avec Caviglia sur des sites qu'il n'acceptait de dévoiler qu'à moi seul.

— Lesquels ?

— La plaine des morts de Saqqarah et ses abords.

— Je croyais que vous détestiez cet endroit, observa Rosellini, acide.

— Caviglia m'a fait revenir sur mon opinion.

— Vous devriez vous méfier de cet homme, dit L'Hôte, incisif. Il va tenter de nous extorquer de l'argent, j'en suis sûr.

— Soyez sans crainte, Nestor. Vous ne reverrez pas Caviglia et il ne nous nuira en rien.

Cette révélation plongea mes compagnons dans la perplexité.

— Cela signifie-t-il... s'angoissa Rosellini.

— Caviglia a quitté l'Égypte, expliquai-je. Il estime que sa mission de fouilleur est terminée et que notre expédition ouvre une nouvelle ère pour la connaissance des anciens. Il nous souhaite bonne chance et m'a demandé de partir le plus vite possible vers le sud, vers le cœur de la Nubie. D'après lui, ce pays se dégrade davantage chaque jour. Les monuments eux-mêmes courraient le plus grand des périls.

— Alors, ne traînons pas ! déclara Nestor L'Hôte qui, joignant le geste à la parole, jeta dans le vide sa dernière galette au miel et commença à descendre.

— Je vous suis ! annonça Rosellini, nerveux.

Soliman, après avoir requis mon autorisation, leur emboîta le pas. Chacun de nous semblait heureux d'aller quêter un peu de fraîcheur au pied de la grande pyramide.

Lady Redgrave me barra le passage.

— Je ne crois pas un mot de vos contes pour enfants, affirma-t-elle avec passion. Vous nous avez faussé compagnie, avec l'aide des Bédouins, pour mettre au point votre propre trafic d'antiquités. Caviglia n'est qu'un comparse. N'avez-vous pas passé le plus clair de votre escapade en compagnie du consul général Drovetti, à l'abri des regards indiscrets ?

Ces accusations étaient si stupéfiantes qu'elles me coupèrent le souffle.

— J'ai frappé juste ! insista-t-elle, triomphante. Le grand, le noble Champollion n'est qu'un pillard comme les autres !

— Madame, parvins-je à répondre d'une voix tremblante, vous vous trompez.

Animée par la colère, elle ôta son châle. Dans la

116

lumière du midi, son visage rayonnait d'une pureté que je ne connaissais que chez les épouses de Pharaon.

— Oseriez-vous le jurer sur ce que vous avez de plus cher ? Sur votre Égypte ?

— En ancien égyptien, serment se dit « vie »... me permettez-vous de jurer sur ce que je considère aujourd'hui comme le bien le plus précieux, la vie de ceux qui forment cette expédition ?

Ma proposition la troubla.

— Cessons ce jeu, monsieur Champollion. Vous finirez par m'avouer la vérité, si vous tenez un peu à moi.

La tigresse se faisait câline, la redoutable lionne Sekhmet se transformait en douce chatte Bastet. Nul homme, disaient les anciens, ne pouvait résister à son charme.

— Peut-être tiens-je beaucoup à vous... mais j'ai promis de garder le secret.

Cédant à une impulsion qui me surprit moi-même, je la pris dans mes bras. Nos visages étaient si proches que nos lèvres se touchaient presque. Sa peau, parfumée au jasmin, était d'une finesse délicieuse. Son regard, indéchiffrable, demeurait lointain.

— Vous ne m'aimez pas, Lady Ophelia, vous m'espionnez...

— Insensé ! s'exclama-t-elle en se dégageant.

*

Quand je parvins au pied de la pyramide de Khéops, une désagréable surprise m'attendait. Abdel-Razuk, le chaouiche du pacha, était accompagné d'une dizaine de soldats turcs. Derrière eux, Moktar, l'âme damnée de Drovetti, un vague sourire aux lèvres.

Abdel-Razuk s'avança vers moi.

— J'ai reçu des instructions du pacha, monsieur Champollion. Veuillez me suivre.

— Pour quel motif ?

— Je l'ignore.

— Son altesse se trouve-t-elle ici ?

Abdel-Razuk demeura muet. Lady Redgrave et mes compagnons étaient tenus à l'écart par des cavaliers, sabre au clair.

— Veuillez me suivre immédiatement, ordonna Abdel-Razuk.

S'opposer à la force armée me parut dérisoire. Mon escapade de trois jours avait causé suffisamment de scandale pour importuner le maître de l'Égypte. Il fallait que je réponde de ma faute devant lui et que je me concilie à nouveau ses faveurs.

On m'installa sur le dos d'un chameau. Position inconfortable, certes, mais que je tentai d'occuper avec dignité pendant deux longues heures qui nous conduisirent jusqu'à un palais entouré de palmiers, aux abords du Caire. Une fois passé la haie d'arbres, on découvrait un jardin peuplé d'acacias et des tonnelles chargées de roses. Non loin de l'entrée, un petit pavillon de marbre, au pied d'un bassin à la surface couverte de nénuphars. A l'ombre d'un eucalyptus, deux jardiniers endormis. Le palais comprenait deux corps de bâtiment reliés par une arche. Le premier avait une longue façade ornée de fenêtres grillagées et de moucharabiehs. Un portier en gardait l'accès. Nous nous saluâmes, chacun se touchant de la main droite le front, la bouche et la poitrine pour signifier à l'autre que pensée, parole et cœur lui appartenaient. Précédé d'Abdel-Razuk et de Moktar, j'entrai dans une salle à colonnes ouvrant sur une cour à ciel ouvert dont le centre était occupé par une fontaine. L'endroit était délicieusement frais. Le sol, formé d'une mosaïque de marbre, réfléchissait à peine la lumière. Assis sur un divan, le maître des lieux se livrait à l'art délicat de l'aquarelle.

Il tourna la tête vers moi.

— Bienvenue, Champollion.

Ce n'était point le pacha, mais le consul général de France, Bernardino Drovetti.

— Vous êtes devenu aussi turc qu'on peut l'être, déclara-t-il en m'examinant.

— J'ai suivi votre exemple, rétorquai-je.

Avec nos turbans, nos barbes, nos teints brunis et nos pantalons bouffants, nous nous situions bien loin des brumes de l'Europe.

— Merci d'être venu si vite, Champollion.

— Vous ne m'avez pas laissé le choix...

Moktar frappa dans ses mains, déclenchant un ballet de serviteurs qui apportèrent friandises et boissons. Je demeurai debout, déclinant une invitation à m'accroupir sur des coussins.

— Je suis votre ami, Champollion.

— Pourquoi la police du pacha, en ce cas ?

— Pour vous protéger.

Drovetti versa lui-même le thé à la menthe dans des tasses en porcelaine.

— Vous fréquentez des gens dangereux, Champollion. Ils risquent d'abuser de votre générosité. J'ai appris que Caviglia avait tenté de vous extorquer des fonds qui appartiennent à la France.

— Votre informatrice vous a mal renseigné. Écoutez moins Lady Redgrave, monsieur le consul.

Drovetti s'empourpra.

— Vos insinuations sont stupides !

— J'en suis fort heureux. L'erreur est humaine. J'accorderai donc de nouveau ma confiance à Lady Redgrave.

Drovetti me défia du regard, but un peu de thé.

— Caviglia appartient à une société secrète où se réunissent des comploteurs. Le pacha et moi-même sommes décidés à extirper cette lèpre d'Égypte. Ces activistes seront expulsés... ainsi que leurs sympathisants.

— Peu m'importe, dis-je, indifférent.

Drovetti s'étonna.

— N'avez-vous point rencontré ce Caviglia ?

— Certes. Il m'a fait visiter les terrains de fouilles que lui a concédés le pacha.

— Niez-vous avoir disparu trois jours en sa compagnie et avoir rencontré ses acolytes ?

— Disparu ? Que de romanesque, monsieur le consul ! Mon activité fut strictement archéologique.

J'ai un témoin privilégié : le cheikh Mohamed qui est, je crois, un ami et un protégé du pacha.

Je pris soin d'appuyer mes derniers mots. Le visage fermé de Drovetti me prouva que les précautions que j'avais prises s'avéraient excellentes. Cette fois, l'intervention de Lady Redgrave se révélait tout à fait inefficace. Je compris pourquoi, craignant la police du pacha et la milice de Drovetti, les Frères de Louxor s'étaient dispersés, faisant désormais peser sur mes épaules le poids de leur mission. Je devenais l'homme chargé de découvrir et de transmettre les secrets des anciens Égyptiens, unissant les révélations de la confrérie et ma connaissance des hiéroglyphes.

Drovetti lut peut-être dans ma pensée. Il ressentit l'intensité de ma détermination.

— Vous pourriez être considéré comme un comploteur, Champollion. Vous pourriez, par vos faits et gestes, menacer l'autorité du pacha !

Moktar semblait prêt à me garrotter et à me jeter dans un cul de basse-fosse.

— Je ne crois pas. Seule m'intéresse la tâche qui m'a été confiée par le roi et qui a été approuvée par le pacha et par vous-même : découvrir l'ancienne Égypte et la faire connaître au monde entier. J'irai droit mon chemin pour y parvenir, quels que soient les obstacles et les susceptibilités.

Drovetti s'anima à nouveau.

— Susceptibilités ! Vous appréciez mal les risques que vous courez. Remplir votre tâche, soit ! Mais ne troublez pas l'ordre qui règne dans ce pays. Ne remettez pas en cause les intérêts de ceux qui le préservent.

Le ton était devenu cassant. Mon « protecteur » maîtrisait mal son irritation.

— Telle n'est point mon intention, assurai-je, dans la mesure où ces intérêts ne gêneront pas mon travail.

D'un battement nerveux de la main, Drovetti ordonna à Moktar et à Abdel-Razuk de sortir. Son expression s'adoucit aussitôt.

— Que pensez-vous de ce palais, Champollion ?

La question me surprit un peu.

— Il est magnifique... un vrai palais des Mille et une nuits. Il me rappelle l'Orient de rêve que je découvrais dans les contes que je lisais en cachette, au lycée.

— Un endroit enchanteur, il est vrai... je vous l'offre ! Demeurez ici aussi longtemps que vous le souhaitez. Installez-y vos compagnons. Lady Redgrave appréciera ce luxe qui conviendra mieux à sa beauté que des bateaux douteux et des routes poussiéreuses. Et puis...

Le regard de Drovetti se teinta d'une intelligence complice.

— Je pourrais sans peine cautionner votre rapport scientifique et même le nourrir d'abondance. Je possède ici quelques manuscrits de voyageurs qui vous ont précédé. Il vous suffira de les recopier. Quant aux antiquités, soyez sans crainte. Je me charge de vous en procurer pour votre musée du Louvre. Cet arrangement vous convient-il, Champollion ?

Je réfléchis à haute voix.

— Qui refuserait offre aussi alléchante ?

Drovetti se détendit enfin. Un contentement de rapace illumina sa face.

— Vous voilà raisonnable. Vous avez l'étoffe d'un grand homme, Champollion. La fortune vous sourira.

Je tournai les talons et m'apprêtai à sortir. Effaré, Drovetti se leva.

— Mais... où allez-vous ?

Me retournant, je le considérai avec sérénité.

— Poursuivre mon voyage, bien entendu.

*

Il faisait nuit lorsque nous entrâmes dans la ville de Minieh où le marché, à la lueur des torches, était encore animé. Nous passâmes devant une filature de coton où travaillaient femmes et enfants, penchés sur des écheveaux. Ce spectacle me peina.

— Le pacha, expliqua Soliman, qui marchait juste derrière moi. Il ne respecte que lui-même.

Un adolescent, les yeux hagards, déboucha d'une

ruelle en courant. Il heurta de plein fouet le professeur Raddi qui bayait aux corneilles et tomba sur Lady Redgrave, s'affalant avec elle dans la poussière. Aussitôt apparurent des Turcs furieux, l'arme au poing. Ils hésitèrent un instant, repérèrent le garçon qui se relevait avec peine et l'attrapèrent par le col. Il hurla de frayeur. L'un des Turcs lui trancha la main droite d'un coup de sabre. Le sang éclaboussa Nestor L'Hôte qui demeura pétrifié avant de vomir contre un mur.

Une poigne d'acier saisit mon bras.

— N'intervenez pas, mon Frère, recommanda Soliman. Vous ne pouvez plus rien pour lui. Il a tenté d'échapper aux soldats qui voulaient le recruter dans l'armée du Sultan. A présent, il n'est plus qu'un traître et un rebelle.

Lady Redgrave, encore étourdie, n'avait rien vu de l'horrible scène. Le père Bidant la releva, pendant que Soliman versait de l'eau sur le front du professeur Raddi, à demi inconscient. Rosellini, choqué, regardait un cortège de femmes voilées, en pleurs, suivre les soldats qui emmenaient le déserteur.

Le sol buvait déjà le sang. Un chien errant le lapait.

— Le Sultan est un homme cruel, dit Soliman à voix basse. Son pouvoir est né dans le crime, le 1er mai 1811, quand il a invité les seigneurs locaux, les beys, à l'intérieur de la citadelle du Caire. Ils sont venus vêtus d'habits somptueux, montant leurs plus beaux chevaux, harnachés de pierreries. Pour accéder à la citadelle, ils durent passer par d'étroites ruelles. Ce fut un massacre. Les tueurs du Sultan, les Albanais, tirèrent sur les malheureux hôtes par d'étroites fenêtres. La boucherie dura une demi-heure. Il n'y eut, dit-on, qu'un seul rescapé qui osa sauter à cheval par-dessus le parapet de la citadelle et s'enfuit à jamais dans le désert, devenu fou. Les mamelouks, considérés comme des ennemis, furent égorgés dans leurs demeures. Ainsi, Méhémet-Ali devint le seul maître de l'Égypte.

— Partons d'ici, exigeai-je.

Rosellini protesta.

— Nous devrions nous reposer et dîner.

J'opposai un refus catégorique, pressé de quitter Minieh et de gagner le prochain site à explorer. Voir à nouveau l'art des anciens Égyptiens était le seul moyen d'oublier le drame que nous venions de vivre.

— Béni-Hassan, indiqua Rosellini, grinçant. Rien de passionnant à étudier. Une demi-journée suffira. Surtout si vous êtes pressé d'entrer en Nubie.

A peine montés sur les bateaux, nous essuyâmes un violent coup de vent. J'empêchai Lady Redgrave de chanceler.

— Je n'ai pas besoin de vous... vous n'étiez pas à mes côtés, tout à l'heure, quand...

— Pardonnez-moi. J'ai oublié mes devoirs envers vous.

Sa nervosité sembla s'apaiser.

— Seriez-vous un peu humain, monsieur Champollion ? Ressentiriez-vous d'autres affections que celles des vieilles pierres ?

Sans doute l'aurais-je giflée si je n'avais été trop attendri par la douceur de ses yeux vert clair d'où toute perfidie semblait absente.

— Ne comprenez-vous pas, Lady Ophelia...

D'un regard, elle désigna Rosellini qui nous observait.

— Taisez-vous donc et réfléchissez. Êtes-vous certain que ce malheureux garçon n'accourait pas pour vous communiquer un message ?

CHAPITRE 11

La bourrasque nous poussa avec tant de force que nous arrivâmes vers minuit à Béni-Hassan. Succombant à la fatigue, nous nous accordâmes quelques heures de sommeil. Peu avant l'aube, je réveillai Rosellini pour l'envoyer en éclaireur sur la falaise où se distinguaient les entrées des tombes. Il revint moins d'une heure plus tard, dépité.

— Ce sont de simples grottes, déclara-t-il. Il n'y a rien à en tirer. Repartons.

Comment ne point faire confiance à un collègue aussi scrupuleux ? Béni-Hassan, il est vrai, n'avait pas laissé un grand souvenir dans la mémoire des voyageurs qui y étaient passés.

— Écoutons Ippolito, recommanda Lady Redgrave qui venait de se lever et dont les cheveux dénoués dansaient dans la brise.

J'hésitai. D'un côté, aller vers Thèbes et le grand sud au plus vite était toujours l'objectif majeur de ma mission. De l'autre, un vague pressentiment me commandait de ne point abandonner ce site sans lui avoir accordé un regard.

— Laissez-moi réfléchir.

Je descendis sur la berge. Le début du jour était d'une douceur qui avait un goût d'éternité. A peine avais-je fait quelques pas qu'une main s'agrippa à ma jambe droite.

Mon regard s'abaissa vivement sur une petite fille, vêtue d'une longue robe bleue maculée de taches de boue.

— On t'attend, dit-elle d'une voix nasillarde. On t'attend !

Je tentai de la retenir pour lui demander de s'expliquer mais, rapide comme un félin, elle détala à toutes jambes et se perdit dans la végétation abondante qui cachait un canal.

Était-ce le fameux message ? Ces paroles devaient-elles me conduire vers quelque découverte essentielle ? Songeur, je remontai à bord.

— Ce serait absurde de ne pas examiner rapidement ces tombeaux, dis-je à Rosellini. J'y vais. Je ne serai pas long.

Quel bonheur constamment renouvelé de marcher dans le sable du désert ! Il crisse sous le pied, ondule à la moindre caresse du vent, forme un corps souple, éternellement changeant et semblable à lui-même. Le soleil était levé. Il fallait monter vers les grottes creusées dans la falaise. Je me sentis attiré par elle de manière irrésistible.

Un troupeau de chèvres surgit devant moi, les unes blanches, les autres noires. Aucune ne se montra agressive. Assis sur un bloc, au seuil d'une tombe, leur gardien dormait profondément. Serrée contre lui, sa jeune amie dévoilée et ensommeillée.

Quelle ne fut pas ma surprise, en pénétrant dans l'une de ces grottes sacrées, de découvrir un assez vaste espace, peuplé d'admirables colonnes dont certaines, sans nul doute, étaient du dorique primitif ! Ainsi, j'avais la preuve que la Grèce n'avait rien appris à l'Égypte et que, bien au contraire, elle s'était inspirée d'elle. M'approchant d'une paroi, je distinguai une inscription à la craie, hâtivement tracée : « 1800, 3e régiment de dragons. » A l'encre noire, j'ajoutai au-dessous la trace de mon propre passage : JFC 1828. C'est en achevant ce modeste travail que mon regard, s'habituant à la pénombre, crut discerner des figures plus étonnantes les unes que les autres. Pris d'un fol espoir, je courus jusqu'au bateau, bousculai Rosellini qui achetait des figurines funéraires à un fellah, sautai sur le pont et m'emparai d'une éponge qu'un matelot, endormi contre un cordage, avait posée à côté de lui.

De retour à la tombe, je mouillai avec délicatesse un endroit de la paroi, ôtant très lentement la croûte de poussière qui la recouvrait.

Des peintures ! De merveilleuses peintures... mes compagnons accourus pour connaître la cause de mon enthousiasme, nous nous mîmes à l'ouvrage. Par la vertu de nos échelles et de l'admirable éponge, la plus belle conquête de l'industrie humaine, nous découvrîmes une très ancienne série de figures relatives à la vie civile, aux arts, aux métiers, à la caste militaire.

L'Égypte du quotidien ressuscitait devant nos yeux. Les soldats d'il y a quatre mille ans défilaient à nouveau d'un pas joyeux, songeant plus aux festins qu'à la guerre. Les menuisiers taillaient des sièges, des lits, des coffres ; les orfèvres préparaient des bijoux pour les dieux. Le peuple des artisans travaillait au rythme des ordres psalmodiés par les contremaîtres. Et là surgissait le désert, avec lièvres, chacals, hyènes, gazelles.

Je pris notes et croquis pendant des heures, ne ressentant pas la moindre fatigue. L'Hôte et Rosellini s'étaient mis au travail. A midi, Soliman nous apporta un déjeuner composé de petits morceaux de mouton, d'une jatte de lait aigri pour y saucer la viande, et des pastèques. Lady Redgrave nous rendit une courte visite au début de l'après-midi. Je lui commentai les figures ressuscitées par l'éponge et lui lus les inscriptions incitant les artisans à transformer la matière brute pour la rendre belle et harmonieuse. Elle m'écouta en silence, puis regagna la lumière du monde extérieur où le professeur Raddi utilisait la force musculaire du père Bidant pour transporter de petits blocs jusqu'à sa cabine.

C'est au fond de la jarre de lait que je trouvai un petit éclat de calcaire sur lequel était gravée une inscription en arabe :

« *N'allez pas à Thèbes. C'est la mort qui vous y attend. Vous avez montré votre courage. Trop d'innocents ont déjà souffert.* »

Je piétinai le modeste éclat, le réduisant en poussière. De qui émanait le message ? De mes amis ou de mes adversaires ? Tentait-on de me décourager ou de me mettre en garde ?

Je pris une décision : ne me confier à personne.

*

Au couchant, L'Hôte, épuisé, posa son calame et son carnet de croquis.

— Ça suffit, dit-il. Il y a trop à faire, ici. Nous n'avions prévu qu'une demi-journée...

Rosellini, gêné, cessa de copier les inscriptions.

— Je le croyais, de bonne foi.

— Nous resterons le temps qu'il faudra, indiquai-je d'une voix ferme, acceptant à mon tour de prendre un peu de repos.

Nous sortîmes. Depuis l'élégant portique de la tombe d'un monarque nommé Khnoumhotep, nous découvrîmes une magnifique plaine, en partie verdoyante, en partie inondée. L'ensemble était doré par le dernier soleil, annonçant les ténèbres prochaines. La nuit close, nous regagnâmes le bateau pour y souper.

Béni-Hassan nous occupa quatorze journées pendant lesquelles je n'adressai aucune parole à quiconque, trop occupé à dialoguer avec les vieux Égyptiens qui m'apparaissaient chaque heure plus vivants à travers les images éternelles qu'ils avaient laissées d'eux-mêmes. Nestor L'Hôte, vite lassé de ce séjour par trop studieux, protesta à plusieurs reprises. Rosellini se mêla discrètement à ses protestations, arguant que Lady Redgrave, confinée dans sa cabine, devenait d'une humeur massacrante. Mais aucun d'eux, à vrai dire, n'avait trouvé de motif suffisant pour m'arracher à ces tombes où l'éclat d'une vie à jamais présente me nourrissait le cœur.

Ce fut Soliman qui, de quelques mots, provoqua le départ.

— N'oubliez pas vos engagements, me rappela-t-il. Vous avez promis de gagner au plus vite la haute Nubie.

*

Le 7 novembre fut une bien triste journée, justifiant les inquiétudes des Frères de Louxor sur l'état du pays et le peu de soin accordé par les autorités aux monuments antiques.

De l'Achmounein pharaonique, l'Hermopolis magna des Grecs, la cité du dieu Thot, maître des scribes et créateur des hiéroglyphes, j'attendais beaucoup. Peut-être obtiendrais-je là d'importantes confirmations de mon système de déchiffrement. Peut-être lèverais-je un nouveau coin du voile.

La déception fut énorme. La cité sacrée n'était plus que ruines et débris de colonnes.

La rage au cœur, je décidai de poursuivre la route, incapable de supporter plus longtemps pareille désolation. Une angoisse m'étreignit. Et s'il en était ainsi de toute l'Égypte du Sud ? Si la folie et l'imbécillité humaine avaient réussi à détruire le plus prodigieux témoignage jamais laissé par une civilisation ?

Un cri d'effroi, lancé par Lady Redgrave, m'arracha à ces tristes méditations.

Pétrifiée d'horreur, elle se tenait à l'avant du bateau, les mains serrées à la hauteur de son visage, contemplant un spectacle des plus incongrus : face à elle, un homme jeune, entièrement nu et dégoulinant d'eau, lui souriait de toutes ses dents.

Jugeant qu'elle ne courait pas de grave danger, je ne requis pas d'aide pour me porter à son secours.

— Que se passe-t-il ?

— Il... il a nagé jusqu'au bateau, expliqua Lady Redgrave, il est monté à bord avec une agilité inouïe et il s'est adressé à moi dans une langue inconnue ! Retenez-le, monsieur Champollion !

128

Je me plaçai entre l'homme et la dame. La langue inconnue, dans laquelle il s'exprima avec jovialité, n'était autre qu'un dialecte copte. Je lui répondis en l'utilisant de même, pour sa plus grande satisfaction.

— Que désire-t-il ? s'inquiéta Lady Ophelia, cachée derrière mon épaule.

— C'est un moine copte. Il aimerait obtenir une aumône.

Pour mieux appuyer sa requête, le religieux nu tendit vers Lady Ophelia un puissant bras droit sur le gras duquel était tatouée une croix bleue.

— Qu'il prenne cela et qu'il s'en aille ! jeta-t-elle, outrée, en lui offrant une pièce d'argent.

Le moine s'empara prestement du trésor, mit la pièce dans sa bouche, nous tourna le dos sans autre forme de procès et plongea d'un furieux coup de rein.

— Il va se noyer !

Lady Redgrave se pencha, inquiète. La tête du moine réapparut bientôt au milieu du Nil. Il exécuta une sorte de cabriole et disparut à nos yeux, retournant vers son cloître.

— Incroyable pays, murmura Lady Redgrave.

— Merveilleuse contrée, dis-je, où les moines n'ont rien à cacher.

Je ne sus si le regard de la belle Britannique était de haine ou d'amusement. Mais je ressentis une sorte de complicité. Avoir vu un moine dans la tenue d'Adam, sur la terre où est né le christianisme, crée des liens.

*

Les ruines de la cité d'Antinoé me replongèrent dans le désespoir. Une affreuse suite de monticules, de décombres, de fragments de poterie, de colonnes de granit brisées... et, assis sous un palmier, un copte accroupi sur une natte usée, un calame à la main.

Je le saluai avec tout le respect dû à son rang. Agressif, il marmonna une réponse si embrouillée que je dus faire appel à Soliman pour éclaircir les exigences de ce scribe moderne. Il réclamait rien moins qu'une forte taxe au nom du sultan. Je lui demandai où avaient disparu les monuments qu'il était sans nul doute chargé de garder. Avec un cynisme qui me fit bouillir le sang, il expliqua que le sultan avait ordonné de détruire les édifices anciens pour alimenter les fours à chaux au développement desquels il tenait plus qu'à tout. Sans la présence de Soliman, j'aurais sans doute étranglé ce bandit au service d'un mauvais maître. Pour avoir contemplé les souffrances d'Antinoé disparue, il nous fallut payer la taxe contre laquelle nous fut remise une quittance.

Le père Bidant, s'épongeant le front, vint à mes côtés.

— Ce pays n'est que désolation, susurra-t-il. Il est aux mains des infidèles. Cette expédition est un échec, Champollion. Elle ne correspond pas à vos rêves. Elle n'apprendra rien au monde savant et ne peut que susciter la réprobation du Seigneur. Rendez-vous à la raison et rentrons au Caire. Je hais ces campagnes pouilleuses et malodorantes.

Rosellini bouscula le prêtre sans s'excuser, tant il était excité.

— Maître, venez voir !

Derrière mon disciple, quatre fellahs portaient une tête en granit. Un sublime portrait de Ramsès.

— Je l'ai acquise pour sept piastres, déclara fièrement Rosellini.

Un chef-d'œuvre, il est vrai. Mais un chef-d'œuvre douloureux. Une tête arrachée à un corps, le fruit d'une destruction à laquelle nous ajoutions le pillage. L'abandonner ici, c'était l'offrir à d'autres pilleurs. Honteux, je donnai l'ordre de la faire porter au bateau et d'ajouter des piastres pour le transport.

— Je mangerais bien une galette, déclara le professeur Raddi, soudain sorti de ses rêves, s'arrachant lui-même à l'étude de ses chers cailloux.

Le minéralogiste, qui portait son inusable costume de Nankin, sautilla vers le village sis au bord de l'eau, sous les palmiers dattiers.

— Attendez un instant ! implorai-je en vain.

Raddi ignorait l'arabe. Je fus obligé de lui emboîter le pas.

Chèvres bêlant et ânes occupés à braire me saluèrent à leur façon. Le soleil lustrait les hautes palmes d'éclats d'or, noyant de lumière les collines du désert. Au passage de Raddi, des femmes vêtues de noir rentrèrent en hâte dans leurs misérables demeures. Des marmots nus continuèrent à jouer dans la poussière comme si nous n'existions pas.

— Où est l'auberge ? se plaignait Raddi, allant de gauche et de droite, comme égaré.

Sortant du minuscule village sans même s'en apercevoir, le minéralogiste découvrit avec stupéfaction ces machines à puiser de l'eau que l'on appelle des chadoufs, superposés trois par trois. Grâce à un système rudimentaire de contrepoids, les trois premiers seaux puisent à même un canal et versent l'eau dans un bassin, au tiers du talus ; les trois suivants la montent dans un autre bassin ; les trois derniers la distribuent dans les rigoles d'irrigation qui apportent la vie aux champs. Au prix d'un effort constamment répété, mais limité, les résultats sont remarquables. Ces neuf chadoufs étaient disposés en étages et liés entre eux par des poteaux ; un enfant se tenait sur l'un d'eux, s'aidant d'un bâton qui lui servait de point d'appui et lui assurait son équilibre.

— De l'eau, enfin ! s'exclama le professeur.

— Ne vous avancez pas ! criai-je.

Je parvenais enfin à le rejoindre quand il aborda la plate-forme de terre sur laquelle étaient disposés les chadoufs. Comme je le redoutais, il glissa sur la terre humide et tomba en avant. Les paysans, interloqués, s'immobilisèrent. La lourde carcasse de Raddi dévalait le premier talus.

Dérapant à mon tour, je parvins à l'agripper par une manche. Enfin conscient du danger qu'il courait, il ne se débattit point.

Je le ramenais vers moi quand, éberlué, je vis s'abattre vers ma tête une lourde poterie qui s'était détachée de sa corde.

131

CHAPITRE 12

Suis-je le plus heureux des hommes? Me voici au centre de la vieille Égypte. Ses plus hautes merveilles sont à quelques toises de mon bateau. Pour l'heure, je suis au cœur de la plus étrange d'entre elles.

Tell el-Amarna! La cité du pharaon hérétique, Akhenaton, l'apôtre du soleil divin. Mes compagnons et moi-même sommes installés dans son palais dévasté dont les vestiges sont abandonnés au vent de sable. Chacun s'est assis sur un bloc ou un fragment de mur. Un cercle silencieux s'est formé autour de moi. Voici plusieurs heures que je n'ai point pris la parole.

Lady Ophelia Redgrave, drapée dans une ample cotonnade, s'abreuvait de lumière. Ippolito Rosellini dessinait. Nestor L'Hôte, armé d'un pic, creusait négligemment à ses pieds. Le professeur Raddi examinait un morceau de calcaire. Le père Bidant récitait son chapelet. Moktar et Soliman se tenaient à l'écart, armés de fusil. Souvent parcourue par des bandes de pillards, la région n'était pas sûre.

En découvrant les stèles frontières délimitant le territoire sacré de Tell el-Amarna, j'avais été stupéfait par les représentations d'Akhenaton et des membres de sa famille, aux crânes allongés, aux ventres ballonnés, aux formes distendues. Curieux symbole aussi, que ces rayons solaires terminés par des mains offrant aux souverains le signe de la vie.

132

Ici régnait le parfum d'un monde déchiré, prêt à basculer dans l'oubli mais régénéré chaque jour par le puissant dieu soleil qui faisait renaître le palais orné de fleurs, les villas des nobles aux somptueux jardins, les larges rues où circulaient les chars, les bassins d'eau fraîche où se reflétait le ciel et où voguaient les barques de plaisance. Aucun pharaon ne peut mourir. Ces hommes-dieux ont trop profondément gravé leur empreinte dans la chair du temps pour que les hommes parviennent à l'effacer.

Akhenaton avait été le plus heureux des souverains. Il avait créé sa ville, affirmé sa foi, manifesté le soleil qu'il avait dans le cœur. Il demeurait présent parmi nous à travers ces pauvres vestiges de briques, ces murs anéantis, ces temples retournés dans l'océan des origines. J'aurais aimé me consacrer à sa mémoire, mais d'autres soucis m'occupaient.

— Je vous ai réunis, dis-je, car on a tenté de me tuer.

Rosellini fut le premier à réagir.

— Insensé! jugea-t-il. Il faut prévenir immédiatement Abdel-Razuk.

— Difficile, objectai-je. C'est lui qui a essayé de m'assassiner. C'est pourquoi il est en fuite. J'ai parfaitement distingué son visage quand il a jeté vers moi une énorme poterie destinée à me fendre le crâne.

— Ne vous êtes-vous pas trompé? suggéra Lady Redgrave.

— J'avais un témoin : le docteur Raddi.

Gêné, le minéralogiste ne levait pas les yeux de son misérable morceau de calcaire.

— Hélas, avoua-t-il, je n'ai rien vu... j'avais le visage contre terre. L'honnêteté scientifique m'interdit d'en dire davantage.

— On ne met pas en doute la parole du général, intervint Nestor L'Hôte. Si je retrouve cet Abdel-Razuk, je lui casse le cou.

— N'en faites rien, intervint le père Bidant. Je vous interdis de répondre à la violence par la violence. Vous seriez emprisonné et condamné à mort.

— Quel parti prenez-vous donc, mon père ? demandai-je avec irritation.

— Je ne prends le parti de personne, rétorqua-t-il. La raison nous impose la prudence. Si votre personne est réellement menacée, la nôtre l'est aussi. J'estime qu'il est temps de mettre fin à cette expédition puisque le maître de ce pays nous est hostile.

J'eus l'impression que m'envahissait l'esprit d'Akhenaton, s'enflammant contre des prêtres englués dans l'ambition et dans la vanité.

— Nous continuerons pourtant, mon père. Nous continuerons aussi longtemps que je serai vivant.

Le religieux me défia.

— La folie est inexcusable, monsieur Champollion. A partir de cet instant, Dieu vous tiendra responsable de tout ce qui pourrait survenir de fâcheux à l'un d'entre nous.

*

Nous ne passâmes qu'une courte journée sur le site d'Amarna pour y chercher des inscriptions et y relever des plans. Je vis que la tâche s'annonçait considérable pour déchiffrer ce site. Et que dire des nombreux tombeaux, certainement cachés dans la montagne, à l'est de la ville ?

Il fallait repartir vers Thèbes, vers le sud, vers le mystère, sans savoir si les dieux d'Égypte m'accorderaient le privilège de revenir en ces lieux peuplés d'ombres aux paroles de soleil. Mais qu'aurais-je pu leur reprocher, à eux qui m'avaient déjà tant donné ?

Lady Redgrave me battait froid, comme si je l'avais offensée. Je n'étais pas décidé à faire le moindre pas dans sa direction. Soliman ne quittait pas des yeux Moktar, l'âme damnée de Drovetti, qui faisait mine de se comporter comme un bon et fidèle serviteur. Sa mission d'espionnage s'avérait plus difficile en raison de l'absence de son compère Abdel-Razuk. Mais ce dernier n'avait-il pas choisi de se réfugier dans l'ombre pour mieux frapper ? Fallait-il que je fusse devenu bien gênant pour déclencher un tel acte de violence. A présent, Méhémet-Ali savait que je connaissais une partie des déprédations qu'il avait infligées à l'Égypte. Pourquoi tenter de m'empêcher d'aller plus loin, sinon pour m'interdire de découvrir pis encore ? Bien sûr, il fallait que ma mort ressemblât à un accident, loin de la présence de témoins, pour que la France n'en fût point trop contrariée.

Je n'avais pas davantage de courage que les hommes ordinaires, mais plus de ténacité. Mourir sur cette terre aimée des dieux, dans ce pays vers lequel m'attirait la passion la plus brûlante et la plus exigeante, ne m'effrayait pas. En Europe, je subissais le plus cruel des exils. Ici, j'étais chez moi. Chez moi depuis toujours. Je n'avais qu'une crainte, qui causait ma faiblesse : disparaître avant d'avoir perçu le message égyptien dans toute sa pureté. Quitter cet univers avant d'en avoir obtenu la clé.

Pesait sur moi la terrible menace proférée par le père Bidant, cet anathème impitoyable. Le religieux m'avait frappé au cœur et le savait. Non point tant à cause du dieu des chrétiens qui n'avait pas sa place en ces temples vivants, mais à cause de l'amour que je portais à mes compagnons de voyage. J'étais responsable, il est vrai, de leur existence qui me causait de plus graves tourments que la mienne propre. Le sultan n'avait guère de motifs de s'en prendre à eux, mais par quels méandres passerait son imagination orientale pour me contraindre à renoncer ?

L'incident eut lieu au moment où nous passions les impressionnantes falaises rocheuses d'Abou-Feda. Le temps s'était dégradé. Le Nil, houleux, se soulevait en vagues furieuses. Une sorte de tornade décupla la fureur du fleuve. Nestor L'Hôte, qui jouait au brave sur bâbord, leva la main pour me signaler que tout allait bien. Je lui criai de venir se mettre à l'abri. Dans la pénombre du couchant, il me sembla apercevoir une silhouette qui poussait L'Hôte dans le dos. Ce dernier gesticula, ne trouva rien à quoi se raccrocher et tomba à l'eau.

— Au secours ! hurlai-je de toute la force de mes poumons.

Le bruit de la tempête étouffa ma voix. Je me précipitai à l'endroit où L'Hôte avait disparu, ramassai une corde et la jetai dans le Nil.

Je sentis une résistance. S'était-il emparé de l'extrémité de la corde ? Aveuglé par une vague, ballotté par le vent, je me sentais incapable de le ramener vers le bateau. La corde se tendit. Mon compagnon pouvait être sauvé ! Son destin était entre mes mains. Je n'avais pas le droit de manquer de force. Il me fallait extraire de moi-même une puissance physique que je ne possédais pas. La paume de mes mains me brûlait. Le plancher de l'embarcation glissait sous mes pieds. Je faiblissais. Je ne réussirais pas à sauver L'Hôte. Mais je ne lâcherais pas la corde. Ma vie pour sa vie, ma vie avec sa vie.

Alors que j'étais sur le point de basculer dans l'eau à mon tour, une puissance nouvelle, inespérée, attira la corde vers l'arrière. Je m'immobilisai puis, reprenant courage, parvins à reculer. Pas après pas, je gagnai le centre du bateau.

Enfin apparut la tête de Nestor L'Hôte, dégoulinante d'eau du Nil. Le rude gaillard fut assez adroit pour se hisser lui-même à bord.

Épuisé, le souffle court, je tournai la tête et vis Soliman. C'est lui qui avait sauvé L'Hôte. Il m'avait relayé à l'instant même où je lâchais prise. Sans mot dire, il se retira. Le fleuve se calmait. Nous avions franchi la passe dangereuse.

Nestor L'Hôte, trempé jusqu'aux os, se déshabillait et se séchait.

— On vous a poussé, n'est-ce pas ?

— Je l'ignore, général. Je n'ai vu personne. J'ai ressenti comme un coup dans le dos, c'est vrai, mais il s'agissait peut-être d'une bourrasque. J'avais déjà été déséquilibré à plusieurs reprises.

Je me détournai pour vomir. Ce drame m'avait bouleversé. Si j'avais perdu L'Hôte, j'aurais été un homme indigne. Mon voyage se serait brisé sur les roches du Nil.

136

Le père Bidant avait réussi à faire de moi-même mon pire adversaire.

*

Quand s'apaisèrent les dernières sautes de vent, se dévoila le silence profond des champs d'un vert humide, animés par des bouquets de palmiers. Aux rochers nus des montagnes proches, presque menaçantes, avaient succédé des rives tranquilles, baignées de la lumière brillante du matin, dissipant une brume légère. Nous arrivions à Assiout, la Lykopolis des Grecs, la cité du dieu Anubis qui, après avoir momifié les morts glorieux, les conduisait sur les chemins de l'autre monde.

Mes yeux fiévreux découvrirent avec un plaisir certain une ville moins poussiéreuse et moins misérable que les précédentes. Sycomores, palmiers, arbustes fleuris, roses, magnolias égayaient les ruelles d'Assiout où mes compagnons me véhiculaient dans une chaise à porteurs, tel un pharaon. De nombreux minarets s'élevaient vers un ciel d'un bleu immaculé. Un nombre incalculable de chats circulait dans les rues. Soliman m'expliqua que cette cité était leur paradis. Ils tuaient rats et souris, protégeant les réserves de nourriture. Aussi les citadins ne dérangeaient-ils jamais un chat endormi à l'ombre, préférant passer au soleil pour ne point l'importuner.

Nous passâmes devant un café délabré, en partie à ciel ouvert. Des tissus déchirés pendaient du plafond. Une lanterne vénitienne éclairait le fond de l'établissement où s'entassaient des hommes fumant la pipe devant un orchestre jouant diverses flûtes et des cages où s'agitaient de petits singes. Soliman pria Lady Redgrave, le père Bidant, le professeur Raddi et Moktar de nous attendre ici en consommant du thé au jasmin. Il discuta longuement avec le patron du café, lui demandant de veiller à ce que ses hôtes de marque fussent considérés comme tels.

— Où sont les monuments antiques ? demandai-je à Soliman.

— Il n'en reste pas, avoua-t-il, impassible. Il ne demeure qu'une colonne dressée sur un tas de décombres. Les pierres des temples ont été transformées en meules, en auges ou en seuils de portes. Les blocs de calcaire ont servi de matériau pour les fours à chaux.

L'indignation me rendit muet. Assiout me parut soudain beaucoup moins riante. Nous croisâmes des Syriens, des Asiatiques, des Africains arrivés là par les pistes caravanières. Quantité de marchandises passaient de main en main.

— Les tombes, dis-je. Je veux aller aux tombes.

— Ce ne serait pas prudent, maître, objecta Rosellini. Nous avions décidé de vous emmener au plus vite chez un médecin.

— Les tombes, répétai-je.

Nestor L'Hôte insista à son tour pour me faire changer d'avis, en pure perte. Soliman se garda d'intervenir.

— Je veux marcher, affirmai-je. Vous me soutiendrez.

Guidé par Soliman, épaulé par L'Hôte et Rosellini, je grimpai avec peine les pentes sableuses menant à la nécropole creusée dans la colline dominant la ville. Là, plusieurs années auparavant, Desaix avait installé son quartier général et placé ses canons pour soumettre Assiout. En cette lumineuse matinée, plus d'armes de guerre. La paix de l'au-delà régnait en maîtresse absolue. Elle me détendit aussitôt les nerfs. A chaque fois que je quittais l'univers des Arabes modernes pour retrouver celui des anciens Égyptiens, un dynamisme nouveau m'habitait.

Comme à Béni-Hassan, les murs des grottes sacrées étaient couverts de scènes qui, autant qu'on pouvait en juger, ne les égalaient pas. Mais il me manquait l'éponge miraculeuse et la tête me tournait. Nestor L'Hôte s'en aperçut.

— Vous ne tenez pas debout, général. Il faut vous soigner.

J'avais vu mes tombes. J'exigeai d'y demeurer encore de trop courtes minutes avant d'être conduit vers le centre d'Assiout où Soliman me fit pénétrer à l'inté-

138

rieur des bains turcs, à la porte desquels attendirent Rosellini et Nestor L'Hôte. Il m'introduisit dans une salle s'élevant en forme de rotonde. Elle était ouverte par le sommet, de sorte que l'air y circulât. Nous déposâmes nos vêtements sur une estrade courant à l'entour. Nous nous ceignîmes les reins d'une serviette et nous chaussâmes de sandales. Nous empruntâmes une sorte de couloir assez étroit où il faisait plus chaud. Derrière nous, une porte se referma.

Nous pénétrâmes dans une salle aux murs revêtus de marbre. Je m'y sentis bien.

— Je vous abandonne un instant, dit Soliman. Ne craignez rien. Laissez-vous faire. Je reviens bientôt.

Je n'eus pas la force de protester. Ma barbe commençait à ruisseler d'eau. Et si Soliman m'abandonnait aux mains de mes adversaires ? Un colosse aux chairs huileuses apparut. Il me prit par la main. Je glissai. Il me retint. Une étrange torpeur m'envahissait. Je n'avais plus envie de lutter. Si Soliman, qui se prétendait mon Frère, m'avait trahi, en qui pourrais-je désormais placer ma confiance ?

Le colosse me guida jusqu'à une nouvelle salle voûtée, très spacieuse. Il m'aida à m'allonger près d'un bain et plaça un petit coussin sous ma tête. Un nuage de vapeurs parfumées me pénétra le corps. Je me détendis.

L'homme me retourna et commença à me masser avec délicatesse. Puis, muni d'un gant, il me frotta le dos avec vigueur. Conduit dans un cabinet particulier, pourvu de robinets d'eau chaude et d'eau froide, je m'y lavai moi-même avec délices. Le serviteur m'offrit ensuite un lit parfumé où je m'étendis à nouveau, reposé, débarrassé des impuretés, la poitrine dilatée, rajeuni de plusieurs années.

Un vieillard à la barbe blanche, vêtu d'un pagne, s'approcha lentement de moi. Il s'agenouilla et posa sur le sol de marbre une feuille de papyrus et un encrier en or.

— Prends l'encrier, me recommanda-t-il en arabe, et secoue-le au-dessus de cette feuille.

Je m'exécutai comme un automate, parsemant de taches le frêle support. Le vieillard le considéra avec une grande attention pendant de longues minutes.

— Ta maladie n'est pas grave, conclut-il. Le sommeil et une tisane suffiront à la guérir. Mais ta vie n'est pas sauvée pour autant... il y a un esprit mauvais autour de toi. Un esprit qui cherche à te détruire. Si tu ne parviens pas à l'identifier, tu en seras victime.

Le devin froissa la feuille de papyrus et l'avala après l'avoir mâchée. Puis il disparut avec la même lenteur solennelle, laissant la place à Soliman.

— Que dois-je faire ? me demanda-t-il.

— Me ramener au bateau, m'enfermer dans ma cabine et me laisser dormir une douzaine d'heures.

*

Je ne m'éveillai que le lendemain soir, à l'heure du couchant. Je me sentis merveilleusement bien. A la tête de ma couche, un bol de tisane fleurant bon le lys. Je la bus avec délectation et, après quelques ablutions, frappai à ma propre porte fermée de l'extérieur.

Soliman ouvrit.

La soirée était superbe. Une étoile filante traversa le ciel. Nous avions jeté l'ancre à la hauteur du village de Sawadiyeh, bourgade paysanne des plus tranquilles. Après un rapide repas de fèves et de galettes, nous nous réunîmes dans la partie la plus spacieuse du bateau que Rosellini avait pompeusement baptisée « salon » pour y déguster du café, jouer aux cartes et y écouter un concert de flûtes donné par les mariniers.

Soliman brisa cette belle quiétude.

— Une barque s'approche de nous, annonça-t-il.

L'Hôte s'empara d'un fusil. L'équipage fut alerté. Il n'est point courant de naviguer sur le Nil, la nuit tombée. Aucun d'entre nous n'avait entendu parler de pirates, mais l'hostilité déclarée du pacha pouvait laisser craindre le pire.

Nous avions allumé des torches dont la lueur marbrait de rouge le bleu foncé du Nil. La barque avança lentement. A sa proue, un serviteur enturbanné se lança dans un discours aussi enfiévré que fleuri dont le contenu me rassura. Il parlait au nom de son maître, Mohamed Bey, le gouverneur de la province, qui nous invitait à dîner dans son palais. En gage de son amitié, il nous envoyait cette embarcation remplie de victuailles.

Je menai les palabres avec l'envoyé du potentat provincial, lui offris une caisse de vin en remerciement de son invitation que j'étais obligé de décliner. Contrarié, l'homme insista. Mais je me montrai intraitable, jugeant inadmissible de céder à des mondanités qui retarderaient mon arrivée à Thèbes.

— Ce refus est peut-être imprudent, murmura Soliman.

— Aucune importance, rétorquai-je. Nous partirons demain, comme prévu.

Au milieu de l'après-midi suivante, alors que nous nous apprêtions à quitter la berge, une colonne de cavaliers et de piétaille, dans un grand concert de cris et de poussière, vint s'opposer à notre projet. A la tête de cette petite armée, le fils du bey lui-même, à l'élocution hésitante. Cette fois, il m'apportait quantité de viande de boucherie. Des musiciens, accompagnant les soldats, se lancèrent dans une aubade.

*

Mes compagnons, impressionnés par ces marques de déférence, me prièrent de répondre favorablement à une invitation formulée en termes aussi pressants. Je ne revins pourtant pas sur ma décision, au grand dam du fils du bey. Une grande heure de discussion n'entama en rien ma détermination. Ce contretemps ne m'apporta qu'une satisfaction : j'avais recouvré toute mon énergie.

Je donnai l'ordre de partir, comptant naviguer jusqu'à la nuit.

Le père Bidant, toujours empêtré dans sa soutane, accourut vers moi en ahanant.

— Attendez, Champollion, attendez !

— Et pourquoi attendrais-je encore ?

— Le professeur Raddi et Nestor L'Hôte ont disparu.

— Votre imagination vous égare, mon père.

— Vérifiez donc vous-même !

Après avoir inspecté les cabines et les moindres recoins du bateau, je dus me rendre à l'évidence : L'Hôte et Raddi n'étaient plus à bord. Personne ne les avait vus descendre. Lady Redgrave, quoique distante et inaccessible, semblait inquiète. Rosellini, nerveux, ne tenait pas en place.

— Où habite ce Mohamed Bey ? demandai-je à Soliman.

— Il y a une dizaine de ses gens sur la berge. Il suffit de le leur demander.

— Qu'ils me conduisent chez lui.

— Je vous accompagne.

— J'irai seul, Soliman. Tu resteras ici pour t'occuper des autres. Si je ne reviens pas, Rosellini assurera la direction de l'expédition.

— N'est-ce pas prendre un bien grand risque ?

Je regardai mon Frère au fond des yeux.

— Je suis le chef de notre communauté, Soliman. J'ai la pleine et entière responsabilité de ceux qui y participent, qu'ils soient alliés ou adversaires, qu'ils songent à me trahir ou à m'aider. Nos deux compagnons ont été enlevés par ce bey, j'en suis sûr. Un apôtre du pacha, sans nul doute... Si c'est moi qu'il veut, je ne le décevrai pas. A condition que L'Hôte et Raddi recouvrent leur liberté.

— A moins qu'il ne vous emprisonne tous les trois... ou vous réserve un traitement plus grave encore.

— Je n'ai pas le choix, Soliman. Je ne deviendrai pas lâche à mes propres yeux.

Mon interlocuteur s'inclina avec respect.

— Il est sans doute écrit que personne ne saura s'opposer à votre volonté...

Les hommes du bey, au terme d'un bref périple, m'amenèrent jusqu'à une maison blanche, superbe

142

dans son isolement qu'égayait un vaste jardin planté de citronniers. De la porte principale, ouverte, jaillissait un flot de musique lancinante. De hauts candélabres, formant une allée, dispensaient une lumière de plus en plus vivace au fur et à mesure que s'estompaient les dernières lueurs du jour.

Le plus attrayant des guet-apens. Tout semblait respirer le luxe et la volupté. Mais comment oublier que le potentat régnant en ce havre de paix détenait en otage deux de mes compagnons ?

Bien plus angoissé qu'il n'y paraissait, je priai un intendant de m'annoncer et m'immobilisai au bas de la volée de marches menant à l'entrée. Quelques secondes plus tard apparut sur le seuil un gros homme au visage cramoisi, vêtu de soieries étincelantes.

— Champollion ! s'exclama-t-il d'une voix tonitruante. Entrez vite !

Étonné par cet accueil, je n'eus d'autre choix que d'obéir. Je levai la tête vers le ciel d'Égypte, craignant de ne plus le revoir de sitôt.

L'imposant personnage me prit par le bras.

Je me raidis.

— J'exige que mes deux amis soient immédiatement libérés.

— Libérés ? De qui sont-ils prisonniers ? Entrez donc !

J'aurais souhaité protester davantage, obtenir d'abord ce que je désirais... mais mon hôte m'entraîna vigoureusement à l'intérieur de sa demeure.

Je découvris une immense salle de festin où les invités, étendus mollement sur des coussins, devisaient gaiement. Dans la pénombre et la fumée issue des pipes que chacun fumait, j'identifiai Nestor L'Hôte et le professeur Raddi, côte à côte, s'amusant à déguster de gigantesques cornichons.

— Sont-ils... libres de leurs mouvements ? demandai-je, interloqué.

— Tout à fait, répondit Mohamed Bey. Ils sont mes invités, comme vous. Ils sont arrivés en m'annonçant votre prochaine venue dont je me suis réjoui au plus haut point. La place d'honneur vous est réservée, à mes côtés.

Il s'agissait bien d'un guet-apens, mais il m'avait été tendu par mes propres alliés.

— Général ! s'exclama L'Hôte en m'apercevant. J'étais sûr que vous ne m'abandonneriez pas !

Titubant, il vint vers moi.

— Général... il ne fallait pas offenser notre hôte... Soliman m'a dit qu'il aurait pu nous empêcher de poursuivre l'expédition... je me suis dévoué... et je vous ai attiré ici... tout s'arrange pour le mieux !

— Et le professeur Raddi ?

— Il m'a suivi. J'ai voulu le renvoyer, mais il m'a juré qu'il mourait d'envie de participer à une fête musulmane. A Florence, avec sa femme, il ne s'amuse pas souvent...

L'honorable professeur était incapable de répondre à la moindre question. Ivre-mort, il se contentait de passer à son voisin le grand vase rempli de liqueur qui circulait dans l'assemblée. Chacun y buvait au passage. Je dus, malgré ma répulsion pour ce genre d'alcool aussi doux que pernicieux, y tremper mes lèvres. Dès que le vase était vide, le bey le faisait remplir. Il buvait lui-même à grandes rasades et fumait une très longue pipe. Dans un formidable élan de générosité, Mohamed Bey prononça une amnistie pour tous les délinquants et distribua des piécettes aux pauvres qui s'étaient rassemblés devant sa maison.

Plus de vingt plats nous furent servis : mouton sous diverses formes, melons, anchois, salades. Nous essuyâmes nos mains dans des serviettes brodées d'or. Deux chanteurs constituèrent le clou artistique de la soirée. Le premier, un Grec âgé de soixante-dix ans, nous gratifia de quelques douces romances. Le second, un Arabe qui avait dépassé sa quatre-vingtième année, modula une mélopée traditionnelle. Quand il se tut, la plupart des convives s'étaient assoupis. Nestor L'Hôte se chargea de les réveiller en entonnant *la Marseillaise*, suivie des odes à la liberté contenus dans une œuvrette à la mode, *la Muette* de Portici. Ces accents inédits dans le palais du bey soulevèrent un faible enthousiasme.

La fête dura toute la nuit. Lorsque le soleil se leva, seuls Mohamed Bey et moi étions encore éveillés. En dépit de l'énorme quantité d'alcool qu'il avait absorbée, le potentat demeurait maître de lui-même. Sa main ne tremblait pas et ses yeux brillaient d'un éclat tout à fait lucide.

— J'aimerais vous garder plusieurs jours auprès de moi, Champollion. Votre présence ici est un bienfait de Dieu. Pourquoi ne pas continuer à faire la fête ?

— J'ai une mission, Votre Excellence, et je continuerai à la remplir.

— Voir des vieilles pierres, je sais... explorez donc la montagne. Elle en regorge ! Je mets à votre disposition une centaine de serviteurs qui vous apporteront chaque jour d'innombrables couffins remplis de pierres !

— Soyez-en remercié, mais...

— Vous voulez les pierres antiques, couvertes de signes indéchiffrables... à quoi cela sert-il ? Le bonheur, Champollion, c'est de festoyer avec des amis, de boire et de manger ensemble, d'écouter de la musique, de prolonger le souvenir des morts en attendant d'être morts à notre tour pour que nos amis célèbrent notre mémoire.

La sincérité de ces accents me toucha.

— Rien n'est meilleur qu'une longue amitié, Champollion. Il faut apprendre à la goûter, à en savourer chaque seconde... restez ici et devenons de vieux amis. Vous oublierez vos pierres, votre monde à jamais disparu. Cessez de courir d'inutiles dangers. Choisissez la véritable paix, celle de mon petit royaume, de ce soleil éternellement semblable à lui-même, du Nil indifférent aux passions humaines.

Le bey me mettait à rude épreuve. Ce qu'il me proposait était, certes, d'une valeur inestimable. Il me suffisait de stopper le cours du temps, de renoncer à mes ambitions, de m'asseoir sur une pierre, face au fleuve, et de me laisser vieillir avec elle.

— Vous avez raison, Votre Excellence, mais je ne crois pas être libre de ma destinée.

Mohamed Bey se leva.

— Venez, Champollion.

Nous franchîmes les corps endormis, sortîmes de la demeure blanche, marchâmes jusqu'à la berge. Un vent très doux effaça les fatigues de la nuit.

— Vous parlez comme un prédestiné, Champollion. Comme un être qui ne connaît qu'un seul chemin, qu'un seul amour.

— L'Égypte des pharaons, dis-je, est plus forte que tous les dieux, plus tendre que tous les amours, plus vivante que toutes les amitiés. Face à ses mystères, ni vous ni moi n'avons la moindre importance.

Une huppe cendrée quitta le sommet d'un tamaris pour voler dans la lumière.

— Partez donc, Champollion, proféra le bey d'une voix grave où perçait l'émotion. Mais partez avec ceci.

Il me remit un magnifique anneau en jaspe rouge [1].

— Puisse ce bijou vous protéger. Et ne changez pas de route, mon Frère.

1. Conservé au musée du Louvre.

CHAPITRE 13

Le destin devait se révéler cruel quelques heures
plus tard. Je me faisais une joie de découvrir la cité
sainte d'Abydos, le royaume d'Osiris, juge des morts et
maître des transformations permettant aux justes de
cheminer sur les routes de l'au-delà.

La nature en avait décidé autrement. L'inondation,
cette année, est magnifique pour ceux qui, comme
nous, observons la campagne pour l'admirer. Il n'en est
pas de même des pauvres fellahs. Le fleuve, en débordant, a déjà ruiné plusieurs récoltes. Les paysans
seront obligés, pour ne pas mourir de faim, de manger
le blé que le pacha avait laissé en vue de l'ensemence-
ment prochain. Nous avons vu des villages entiers
délayés par le Nil, auquel ne sauraient résister de misérables cahutes bâties de limon séché au soleil ; les eaux,
en beaucoup d'endroits, s'étendent d'une montagne à
l'autre. Là où les buttes les plus élevées ne sont point
submergées, nous voyons les fellahs, femmes, hommes
et enfants, portant de pleins couffins de terre, dans le
dessein d'opposer à un fleuve immense des digues de
trois à quatre pouces de hauteur, et de sauver ainsi
leurs maisons et le peu de provisions qui leur restent.
C'est un tableau désolant et qui me navre le cœur.

C'est du sommet du bateau, debout sur le toit de la
cabine, que je saluai de loin l'antique Abydos. La mort
osirienne n'acceptait point ma présence. Elle me

repoussait au loin, comme si l'heure n'était point encore venue. C'était pourtant de cette localité sacrée que provenait l'une des inscriptions à la base de mes découvertes. Abydos recelait forcément d'autres tablettes hiéroglyphiques livrant des clés de la langue sacrée. Une langue qui me refusait encore ses ultimes trésors que possédait un homme, le Prophète, caché sous ce soleil éclatant.

*

Nous arrivâmes à Guirgeh par une matinée fraîche. Le vent du nord agitait le Nil. La ville de Saint-Georges, tombée en décrépitude après avoir connu une certaine gloire sous les Mamelouks, occupe un tournant du fleuve. Elle est presque écrasée par une haute falaise. De multiples oiseaux, hérons, corneilles, éperviers sillonnaient le ciel.

Sur le quai, un attroupement. On discutait haut et fort. Moktar, après avoir rudoyé quelques badauds, m'avertit que le fouilleur d'Anastasy demandait à me voir.

— Le fouilleur d'Anastasy ? m'étonnai-je. Sur quel site travaille-t-il ?

— Je l'ignore.

L'air buté, le serviteur de Drovetti n'appréciait guère cette invitation.

— Où se trouve cet homme ?

— Au couvent des Frères de Saint-Georges, répondit Moktar.

— L'Hôte m'accompagnera, indiquai-je.

— Moi aussi, intervint le père Bidant. Puisqu'il est enfin possible de rencontrer de vrais croyants, ma présence est indispensable.

— Comme vous voudrez, acceptai-je.

L'accès au couvent se révéla des plus malaisés. Pour y parvenir, il fallait se faire hisser par une poulie qui vous emmenait à une hauteur respectable. Les moines n'avaient pas trouvé d'autre moyen pour se soustraire aux mille maux dont les accablaient les Arabes.

L'église et le couvent des coptes de Guirgeh se mouraient. Leur asile ne se distinguait en rien des autres habitations du village. Ils pratiquaient le vœu de pauvreté au-delà de toute raison. Bien-être et gaieté étaient depuis longtemps bannis de l'existence des trois ou quatre survivants qui se morfondaient dans une église aussi sombre qu'une crypte. Ils portaient caftan noir et turban qui n'indiquaient point leur condition de prêtre.

— Dieu, quelle misère et quelle puanteur ! s'indigna le père Bidant.

L'Hôte, qui partageait l'avis du religieux, préféra demeurer sur le seuil. Pour ma part, je pénétrai d'un pas décidé à l'intérieur du réduit, car j'avais identifié l'homme qui s'était levé pour me saluer : le nageur nu qui avait tant effrayé Lady Redgrave.

— Je suis le fouilleur d'Anastasy, déclara-t-il en copte, langue que ne comprenaient ni L'Hôte ni Bidant. J'ai un document important à vous remettre. Mes Frères ne sont pas au courant. Ils ne nous trahiront pas. Ils ne parlent que l'arabe. D'ici peu, ce lieu de culte aura disparu. Retrouvons-nous ce soir à Qenah. Demandez qu'on vous conduise au *zâr*.

Sans ajouter d'autres explications, il s'inclina à nouveau et se tassa contre le mur humide, à côté des autres moines, plongés dans une torpeur sans fin.

— Que vous a-t-il dit ? demanda le père Bidant.

— Que les fouilles n'avaient donné aucun résultat, répondis-je, et qu'il n'avait aucun moyen de les continuer.

— Misérable pays qui laisse mourir ses religieux et rejette la vraie foi, pesta-t-il.

*

Chaque jour aidant, je devenais un peu plus égyptien. Entre le pays et moi, il n'y avait plus aucune barrière, aucun écran. Son ciel était devenu mon ciel, sa terre ma terre. La plus douce des magies défaisait mon caractère d'Européen, mes habitudes de Français. Ma pensée s'écoulait au rythme du Nil, tout en gardant le jaillissement des aubes et la quiétude des couchants.

— Vous rêvez, monsieur Champollion ?

Lady Redgrave s'était assise à côté de moi avec tant de délicatesse que je n'avais point pressenti sa présence. Elle était vêtue d'une longue tunique blanche, presque transparente. Elle fleurait bon un parfum au jasmin. Côte à côte, sur une banquette de bois, nous regardions défiler la berge sur laquelle cheminait très lentement un jeune garçon assis sur un âne.

— Conclurons-nous une trêve ?

— Seriez-vous en guerre, monsieur Champollion ?

Je passai la main dans la barbe noire qui ornait mon menton.

— Depuis toujours. En guerre contre les imbéciles et les menteurs. J'ai sans doute perdu d'avance, mais je persévère. L'Égypte des pharaons ne leur a-t-elle pas survécu ?

— Pourquoi l'Égypte vous obsède-t-elle à ce point ? Ne croyez-vous pas qu'il existe d'autres philosophies, d'autres cultures aussi grandioses ? Vous devriez vous pencher sur les doctrines de l'Inde ou de l'Iran, sortir de votre citadelle pharaonique !

— C'est chose faite, Lady Ophelia. Voilà bien des années, j'ai étudié les religions de l'Inde, de l'Iran et de la Chine. J'ai appris la langue de ces civilisations. J'ai même commencé à écrire un dictionnaire de vieux persan que je maîtrisais assez bien. J'ai cru longtemps qu'il existait un rapport étroit entre la Chine et l'Égypte, que les hiéroglyphes de ces deux grandes nations provenaient de la même source. Je me suis trompé. Mais l'Inde, l'Iran et la Chine m'ont profondément attiré. Ils m'ont même fait vaciller, réussissant presque à affaiblir mon amour pour l'Égypte. Mais elle a fini par l'emporter, comme toujours. Les comparaisons ont joué en sa faveur. Les hiéroglyphes sont la plus belle langue du monde. La pensée pharaonique est la plus complète, la plus cohérente, la plus lumineuse. Je vais vers elle comme un enfant vers sa mère. J'ai le devoir de la servir, mais cette tâche n'est pas pesante. Elle est joie. Dussé-je cheminer solitaire jusqu'à la fin de ma vie pour transmettre ma foi, je ne le regretterais pas.

— Êtes-vous si seul au monde ? demanda-t-elle.

— Non. J'ai un frère, Jacques-Joseph. Il n'a cessé de m'aider, de m'encourager, de me tirer des gouffres où je tombais. Si je suis ici, aujourd'hui, c'est grâce à lui. Cent fois j'ai failli renoncer, cent fois il m'a convaincu de continuer. Il y a longtemps qu'il me prouve que lui, c'est moi. Nous ne ferons jamais deux personnes. Maudit soit le jour qui nous séparerait ! Toute différence entre nous est impossible, puisqu'elle supposerait que je fusse un ingrat. Le présent, le passé, ce que j'étais, ce que je suis, ce que je serai, tout m'empêchera de l'être.

Les palmiers-doums, de plus en plus nombreux, annonçaient la ville de Qenah. Leur tronc élancé se divisait en branches se déployant jusqu'aux feuilles en forme d'éventail. Ils étaient chargés de noix aussi grosses qu'un œuf de cane. Les fellahs mangeaient leurs fruits, au goût de pâte sucrée, et utilisaient les feuilles pour en couvrir leurs cabanes.

— Et vous, Lady Ophelia, êtes-vous seule au monde ?

Je n'obtins pas de réponse. Elle était partie.

*

Qenah était vouée à la poterie. La ville, encombrée de rangées de pots de toute taille, abritait une multitude de fours de potier. Les toits des maisons, les colombiers étaient bâtis avec des pots. Une nombreuse flottille en convoyait vers d'autres cités.

Je priai mes compagnons de rester à bord, prétextant que la cité n'était pas sûre. Désirant obtenir une entrevue officielle avec le potentat local, j'avais besoin de la seule assistance de Soliman.

Notre progression à travers les rues de Qenah fut des plus pittoresques. Devant chaque maison étaient dressés des monticules de poteries, certaines servant de siège à des femmes non voilées qui, souriantes, nous adressèrent un salut de la main. Pieds nus, vêtues de robes noires, elles exhibaient de lourds bracelets d'argent. Cette immense richesse étincelait au milieu d'éboulis et de tas d'ordures. Ces charmantes personnes détenaient la fortune de Qenah et manifestaient ainsi leur position dominante. C'est à l'une d'elles que Soliman demanda où se tenait le *zâr*. Muni du précieux renseignement, il m'emmena dans une ruelle étroite, tortueuse, passant entre des demeures lézardées. La puanteur était presque insupportable.

Devant nous se dressa un homme âgé, épais, armé d'un cimeterre.

— Que cherchez-vous ?

— Le *zâr*, répondit Soliman.

L'homme nous laissa passer, indiquant la porte basse d'une maison qui semblait en ruine. Il nous fallut écarter gravats et ordures pour nous glisser à quatre pattes dans cette ouverture.

Nous pénétrâmes dans une pièce très obscure où palpitaient d'inquiétantes présences. Nous nous assîmes, nous habituant à la pénombre. L'endroit était sordide. Les murs de terre suintaient d'humidité. De la paille pourrie était disposée aux quatre angles. Au fond avaient pris place cinq femmes jouant de petits tambours.

Un homme se leva brusquement, tournoya sur lui-même et tomba sur le sol, de la bave aux lèvres. Une vieille femme le tira vers elle. Il y avait là plus d'une vingtaine de personnes des deux sexes.

— Ce sont tous des malades, expliqua Soliman. Ils sont venus au *zâr* pour guérir. Ils sont possédés par des démons. Seule la magie peut les en délivrer.

En soufflant, un gros homme s'introduisit dans la pièce. Il se releva avec peine après avoir passé la porte et se dirigea aussitôt vers nous.

— Soyez les bienvenus, nous dit-il.

Les tambours s'arrêtèrent de jouer.

— Ne bougez pas, recommanda l'homme. Regardez. Si votre démon n'est pas trop entré dans votre âme, il aura peur et s'enfuira.

Sur un signe de sa main, l'orchestre recommença à jouer. Une grande femme osseuse, presque décharnée, se plaça au centre de la pièce et entama une danse qui se voulait lascive. Elle ouvrit une bouche édentée pour offrir à l'assemblée un pauvre sourire. Les spectateurs trépignèrent. Un malade entra brusquement en transe, se roulant sur le sol. L'orchestre tenta de l'accompagner dans ses soubresauts.

Le gros homme s'agenouilla et prit le visage du malade entre ses mains. Chantant une mélopée couverte par le son des tambours, il magnétisa longuement le malheureux dont les convulsions diminuèrent peu à peu d'intensité. Le médecin lui couvrit alors la tête d'un linge humide et commença à la tourner dans tous les sens comme s'il avait l'intention de la détacher du corps. Quand il ôta le linge, le possédé ouvrit des yeux blancs, exorbités. Le médecin le soumit à un traitement d'une violence inouïe : il lui tordit les oreilles, le frappa au front, lui désarticula les membres. Je voulus intervenir pour interrompre ce supplice, mais Soliman me retint. Le pire restait à venir : le médecin plaqua le malade face contre terre, cala son genou au milieu de la colonne vertébrale et tira la tête du possédé vers lui comme s'il était décidé à lui briser les vertèbres. Épouvanté, je fermai les yeux.

Un cri déchirant s'éleva. Je serrai le bras gauche de Soliman.

— Tout va bien, murmura-t-il.

Osant à nouveau contempler le pénible spectacle, je vis le possédé se relever et retourner à sa place. Aidé par deux femmes voilées, le médecin installa au centre de la pièce un petit autel de bois chargé de cierges allumés et d'une cassolette d'encens dont la senteur flatta aussitôt l'odorat. Les musiciennes cessèrent de jouer du tambour et vinrent former un cercle autour du maître de cérémonie qui prononça d'incompréhensibles litanies où je crus reconnaître quelques noms de divinités égyptiennes. La femme édentée amena un mouton noir bâillonné qu'on avait jusque-là caché sous une bâche. Des larmes d'indignation m'emplirent les yeux lorsque le médecin posa la lame d'un long couteau sur la gorge du pauvre animal. Un instant plus tard, le sang de la victime coulait sur l'autel tandis que s'élevait une incantation destinée à chasser les esprits infernaux.

La vue du sacrifice déclencha une transe collective. La plupart des malades entrèrent dans une sarabande effrénée, se bousculant, se renversant, se frappant. Me calant le dos contre le mur de terre, je vis le médecin s'asperger du sang du mouton, jeter en l'air le cadavre de l'animal puis obliger les malades à se mettre à genoux. Levant le bras au ciel, le thérapeute interrogea les forces obscures, désignant chaque possédé l'un après l'autre.

A celui-ci d'offrir un anneau d'argent pour être guéri, à celui-là un manteau, à cet autre de la viande...

Profitant de la confusion et du bruit, un homme s'était installé à côté de moi.

Le moine copte qui m'avait fixé rendez-vous.

— Prenez ceci, dit-il à voix très basse en m'offrant une tablette de bois couverte d'hiéroglyphes. De la part du Prophète.

— Le Prophète ? sursautai-je. Il est ici ?

— Il est parti vers le sud. Ne vous attardez pas. Ils peuvent devenir dangereux. Il y a de vrais fous.

Plusieurs possédés trempaient leurs lèvres dans le sang. S'excitant les uns les autres, ils commençaient à s'insulter. Nous sortîmes de la pièce en rampant, heureux de retrouver l'air libre.

— Laissez quelques pièces sur cette pierre, recommanda le moine copte. C'est le salaire du médecin.

*

De retour sur le bateau, je laissai mes yeux courir sur la tablette que m'avait donnée le moine. Elle était couverte de poussière. Je dus la nettoyer avec précaution, faisant apparaître des cartouches contenant des noms royaux. Le dessin me parut dater d'une haute époque.

J'éprouvai une émotion des plus violentes.

Il s'agissait d'une liste révélant les noms des rois des plus anciennes dynasties. Un document d'une valeur inestimable qui jetait une nouvelle lumière sur les origines de la civilisation égyptienne. Plusieurs signes m'étaient inconnus. J'eus la certitude que le Prophète connaissait les éléments qui me manquaient. Sans doute lui avaient-ils été légués par une tradition orale qui s'évanouirait avec lui.

La porte de ma cabine s'ouvrit avec fracas. Apparut le père Bidant, furieux et rougeaud.

— C'est intolérable, Champollion ! La rumeur publique m'apprend que vous avez participé à des rites sataniques !

J'avais devant moi un grand inquisiteur prêt à me faire monter sur le bûcher.

— N'exagérons rien, mon père... je me suis joint par obligation à une cérémonie quelque peu païenne.

— Et pour quel résultat ?

— Pour ce document extraordinaire, dis-je en lui montrant la tablette.

— En quoi ce détestable fragment est-il si estimable ?

— Il fait remonter les origines de l'histoire et de la pensée, mon père.

Le religieux s'empourpra.

— Vous proférez d'abominables blasphèmes ! hurlat-il. Il n'y a qu'une seule histoire, celle qu'enseigne la Bible ! Le reste n'est que mensonge ! Abandonnez votre fausse science, Champollion, et repentez-vous.

Ma seule réponse fut un sourire qui exaspéra le religieux.

— D'autres avant vous ont essayé de détruire la religion chrétienne ! Ils ont tous échoué, grâce à Dieu, et vous échouerez aussi !

Je me levai et fis quelques pas.

— Je comprends vos angoisses, mon père, mais que faites-vous des documents ? Que faites-vous de cette science qui naît... l'égyptologie ?

— L'égyptologie n'existe pas et ne peut pas exister ! L'Égypte est morte, définitivement morte, et vous ne la ressusciterez pas. Les hiéroglyphes n'ont aucune signification. Ce sont des signes païens, maléfiques, qui doivent demeurer dans le néant. Détruisez cette tablette, Champollion. Aux yeux du Seigneur, elle n'a aucune valeur.

Je fis face.

— Laissez-moi au moins un souvenir... ce document vous paraît-il si dangereux pour votre foi ?

Il me sembla qu'il y avait bien peu de charité et d'amour dans le regard brûlant du père Bidant. Des gouttes de sueur perlaient à son front.

— Vous ne percevez pas le véritable enjeu de votre expédition, Champollion, expliqua-t-il sur un ton devenu calme, presque suave. L'Église suit de très près vos travaux depuis que vous avez commencé à les publier. L'Égypte ancienne ne menace certes point l'existence du Vatican mais il serait stupide de courir le moindre risque. Nous sommes environnés d'infidèles et de païens. Tout ce qui pourrait servir leur cause doit être détruit, quelle que soit la valeur scientifique des documents. La science est diabolique quand elle contredit la foi. Et vous serez une incarnation du diable si vous défiez le Seigneur tout-puissant. Observez et étudiez tant qu'il vous plaira. Mais gardez le silence. Laissez l'Égypte et ses monuments sataniques sous les sables. C'est Dieu qui a voulu la fin de cette civilisation orgueilleuse et de ses divinités. N'allons pas contre ses desseins et tenons la Bible pour la seule science digne de respect.

— J'ai été élevé dans votre religion, mon père, mais celle-ci m'est souvent apparue hypocrite et mensongère. Peu m'importe. Que les humains croient ce qu'ils ont envie de croire. La Providence, si elle existe, m'a confié une tâche : faire revivre l'Égypte des pharaons dont nous sommes les héritiers. La Bible n'est qu'un texte parmi tant d'autres que l'Orient ancien a su générer. La foi en un dieu unique, manifesté par diverses divinités, a existé avant la naissance du christianisme. L'histoire égyptienne remonte bien plus haut dans le passé que l'histoire biblique. Voilà les vérités que je pourrai bientôt prouver.

156

Le père Bidant se signa. Sa pâleur était devenue extrême.

— Vous êtes pire que le diable, Champollion. Vous êtes l'antéchrist.

Je souris à nouveau.

— Vous me faites trop d'honneur. Je ne suis sans doute qu'un vieil Égyptien de retour sur sa terre natale et désireux de lui rendre hommage. Je vis l'aventure de cette nation comme mon histoire personnelle. Elle est mon sang. C'est la foi des pharaons que je partage, leur désir de construire, de bâtir l'homme, d'élever des temples à la gloire de Dieu.

Le religieux recula, épouvanté.

— Mon fils, vous déraisonnez ! Vous tombez dans les griffes du démon !

— Lorsque le monde saura déchiffrer les hiéroglyphes, mon père, il découvrira la plus haute spiritualité jamais conçue par une société. Et ce jour-là, il est vrai, nos conventions et nos croyances seront remises en cause.

Avec une promptitude inattendue, le religieux se précipita sur la tablette et tenta de la briser. Incapable de me contrôler, j'entamai avec lui une lutte sauvage et parvins à lui arracher le précieux document.

— Sortez d'ici, ordonnai-je, tremblant d'indignation.

Le père Bidant tendit vers moi un index menaçant.

— A présent, Champollion, c'est Dieu lui-même que vous avez comme ennemi !

*

Je n'attendais plus rien de Qenah et j'aurais voulu quitter la ville au plus vite pour suivre les traces du Prophète tout en étudiant la tablette à l'aide de mes notes pendant que le bateau voguerait sur le Nil. Mais Rosellini me prévint qu'il existait non loin de là, à Maabdèh, une catacombe remplie de momies de crocodiles et peut-être de papyrus que nous pourrions acquérir à bas prix. Faisant surgir en moi l'insatiable curiosité du fouilleur, il me contraignit à organiser une rapide expédition composée de lui-même et de Nestor L'Hôte.

Maabdèh se signalait au voyageur par sa sinistre tour de guet. Les villageois, à notre grande surprise, ne se montrèrent guère accueillants. Ils avaient le visage fermé. Certains d'entre eux s'enfuirent même à notre approche ou se claquemurèrent dans leurs maisons. C'est un adolescent aux cheveux blonds qui nous indiqua l'emplacement des catacombes.

On y pénétrait par le sommet d'une colline que L'Hôte avait gravie avec son agilité coutumière. Il nous prévint que la descente à l'intérieur d'une sorte de caveau ne présentait pas trop de danger. Nous introduisant dans une ouverture plutôt étroite, nous atteignîmes une salle chaude et poussiéreuse où régnait une désagréable odeur, mélange de résine et de poix. Nos torches brûlaient mal.

Sur le sol ou dans des trous peu profonds se trouvaient des débris de cadavres de crocodiles, certains encore entourés de bandelettes en charpie. Pas de papyrus.

— Général, prévint Nestor L'Hôte, c'est horrible. N'avancez plus.

A ses pieds, un autre cadavre. Celui d'un homme au crâne défoncé. Le moine copte, fouilleur d'Anastasy, qui m'avait offert la tablette du Prophète.

CHAPITRE 14

— Comment êtes-vous entrée ici ? m'indignai-je en voyant Lady Ophelia Redgrave évoluer dans ma cabine.

— Avec l'aide de Rosellini, monsieur Champollion. Vous ne pouvez demeurer cloîtré.

— J'ai mes raisons.

— Je les connais. Rosellini et L'Hôte m'ont parlé de votre affreuse découverte.

— Plus affreuse encore que vous ne le supposez. Le nageur nu à qui vous avez accordé l'aumône, ce malheureux moine copte, était au service d'Anastasy. C'est la bande rivale, celle de Drovetti, qui l'a supprimé.

— Vous n'avez aucune preuve. Il peut s'agir d'un règlement de compte local.

— Si j'ai raison, la guerre est déclarée. Nous sommes tous en danger. Je n'ai pas le droit de vous faire courir ces risques extrêmes.

— Nous ne sommes plus des enfants, Champollion. Réunissons-nous et décidons ensemble. Que chacun prenne ses responsabilités.

La douce et jolie Anglaise manifestait une volonté qui n'était pas pour me déplaire.

— Je suis le chef de cette expédition, Lady Ophelia, et je n'entends pas partager mon autorité.

— Un chef qui doute de lui-même, ironisa-t-elle en agitant son éventail. Un chef qui se retire dans la solitude au lieu de monter au front.

Piqué au vif, je lui pris le poignet, écartant l'éventail derrière lequel elle masquait son visage.

— Ne vous méprenez pas, Lady Ophelia. J'ai eu un moment de faiblesse, sans doute... merci de me redonner courage. Soyez mon ambassadrice, voulez-vous ? Demandez à nos compagnons s'ils désirent poursuivre cette aventure en sachant que nous sommes pourchassés par les sbires de Drovetti. Des sbires qui peuvent aller jusqu'à tuer. Si l'un d'eux désire renoncer, qu'il vienne me trouver ici.

— J'apprécie cette mission, Jean-François. Je m'en acquitte immédiatement.

Une heure plus tard, je sortis de ma cabine.

Personne n'avait renoncé.

*

Lorsque nous arrivâmes à Denderah, la nuit était tombée. Une nuit odorante et paisible. Il faisait un clair de lune magnifique et nous n'étions, d'après mes calculs, qu'à une heure de distance des temples. Qui aurait résisté à la tentation ? Souper et partir sur-le-champ furent l'affaire d'un instant. Seuls et sans guide, la tête enveloppée dans des burnous blancs, armés jusqu'aux dents, nous prîmes à travers champs. Nous marchâmes vaillamment, chantant les marches des opéras les plus nouveaux pour calmer notre impatience. Mais nous ne trouvâmes rien, craignant de nous être perdus. Nous traversâmes un bosquet de palmiers, puis des hautes herbes, des épineux et des broussailles.

Une plaine vide, déserte, sans fin.

Fallait-il revenir en arrière ? Hors de question. Les temples se trouvaient forcément dans les parages. Je ressentais leur présence amicale.

Lady Ophelia nous convainquit de hurler tous ensemble pour signaler notre présence. Seuls nous répondirent les aboiements de chiens errants. L'Hôte, animé d'une ardeur inépuisable et se prenant au jeu, nous exhorta à continuer. Il ne redoutait point les démons nocturnes.

C'est au détour d'un chemin pierreux que nous vîmes un fellah endormi sous un acacia. Couvert de haillons noirs, véritable momie ambulante, il s'enfuit à toutes jambes. L'Hôte le rattrapa. Terrorisé, tremblant, il écouta nos questions et accepta de nous guider jusqu'aux lieux saints. Le pauvre diable, maigre et sec, nous avait pris pour une tribu de Bédouins. Un Européen, sans balancer, nous aurait bien considérés comme un chapitre de Chartreux belliqueux. Le fellah nous mit sur la bonne voie et finit par marcher de bonne grâce. Il nous guida fort bien et nous le traitâmes de même.

Au terme d'une rude marche de deux heures, le temple de Denderah nous apparut enfin.

Là, devant l'immense portique noyé de clarté céleste, quelle extraordinaire sensation ! On peut bien le mesurer, mais en donner une idée, c'est impossible. C'est la grâce et la majesté réunies au plus haut degré. Une paix indescriptible et une magie mystérieuse régnaient sur ces gigantesques colonnes, plongées dans des ténèbres épaisses contrastant avec l'éblouissant clair de lune.

L'Hôte alluma un feu d'herbes sèches à l'intérieur. Un cri d'enthousiasme jaillit de toutes les gorges. Fièvre et enthousiasme s'emparèrent de nous. Nous nous embrassâmes les uns les autres, tout à l'exaltation de découvrir un temple admirablement bien conservé, de revivre les heures de méditation et de prière qu'avaient vécues les prêtres égyptiens pendant des millénaires. Même le père Bidant paraissait subjugué.

Nous restâmes deux heures en extase à l'intérieur du temple de Denderah, courant dans les grandes salles avec notre pauvre falot, et cherchant à lire scènes et inscriptions.

— Nous devrions passer la nuit ici, recommanda Rosellini.

— Non. Nous n'avons pas le matériel nécessaire pour étudier. Retournons aux bateaux par le bon chemin et revenons au plus vite.

La pensée emplie de rêves, mes compagnons se for-

mèrent en procession pour se diriger vers le Nil. Je tins
à fermer la marche, une torche à la main.

Une ombre se profila derrière moi. Je dégainai mon
sabre.

— Auriez-vous peur d'une femme, Champollion ?

La lumière fauve dansait sur le fin visage de Lady
Redgrave.

— Ne restez pas en arrière, Lady Ophelia. Ce pourrait être dangereux. Il y a probablement des rôdeurs.

— Je ne les crains pas, dit-elle en levant la tête vers
le ciel étoilé. Je ne crains plus rien. Vous m'avez fait
vivre le moment le plus intense de mon existence. A
l'intérieur de ce temple, en présence des divinités, j'ai
éprouvé la réalité d'un autre monde, bien plus réel que
celui que nous offrent nos yeux. C'est vous qui m'avez
emmenée ici, Jean-François Champollion. Qui que
vous soyez vraiment, je ne l'oublierai jamais.

J'aurais voulu l'interroger, lui demander la signification de ces étranges paroles, dissiper l'équivoque me
concernant... mais Lady Redgrave avait gagné le cœur
de la procession.

*

Nous retournâmes au temple à sept heures du
matin, munis de l'équipement nécessaire pour relever
les plans et copier textes et scènes. Ce qui était magnifique à la clarté de la lune l'était plus encore lorsque les
rayons du soleil nous firent distinguer tous les détails.
Je vis dès lors que le temple était un chef-d'œuvre
d'architecture, mais couvert de sculptures du plus
mauvais style par rapport à la main divine des sculpteurs des temps anciens. Les bas-reliefs de Denderah
datent d'un temps de décadence. L'édifice, qui est
dédié à Hathor, la déesse de la joie, capable d'engendrer la brillance des étoiles, a été commencé, du moins
dans sa forme présente, par les Ptolémées et achevé par
les empereurs romains. Je parvins même à déterminer,
grâce aux noms royaux inscrits dans les cartouches,
que les principaux bâtisseurs avaient pour nom Cléo-

pâtre, Césarion et Auguste. Si la sculpture s'était corrompue, l'architecture, moins sujette à varier puisqu'elle est un art chiffré, s'est soutenue digne des dieux d'Égypte et de l'admiration des siècles.

Nous restâmes à contempler les gigantesques colonnes du portique. Ce sont, en réalité, d'immenses instruments de musique, des sistres couronnés par quatre visages de la déesse Hathor. En les agitant, les initiées déclenchaient un bruissement qui diffusait les vibrations divines aux quatre orients du monde. Je soupçonne le temple entier d'être lui-même un faisceau de résonances qui agit sur nos âmes et nos corps. Des vandales, parmi lesquels des chrétiens fanatiques, ont hélas défiguré plusieurs portraits de la déesse de l'amour, comme si cette dernière risquait de troubler leurs croyances. Comme c'est elle qui est chargée d'accueillir les morts sur la rive de l'autre monde, je ne suis pas sûr qu'ils y aient été bien reçus. J'ai la conviction que nos actes connaîtront leur prolongement dans l'invisible. Qui aura détruit sera détruit.

— Qu'on me donne une pelle et qu'on me laisse ici ! exigea Nestor L'Hôte. Le temple est à moitié enfoui sous le sable ! La moitié des colonnes est invisible... quelle perspective, lorsque tout cela sera dégagé !

Le sable, il est vrai, a été l'allié de Denderah. En cachant une bonne partie de ses reliefs, il les a protégés des iconoclastes. Il faudra entreprendre de l'ôter et restituer l'édifice dans sa splendeur première.

Accompagné de Rosellini, je marchai jusqu'au fond du sanctuaire, avançant pas à pas dans le mystère du temple, sans oublier de lever les yeux vers le plafond où se déployaient des tableaux astrologiques, des cartes du ciel, des divinités du cosmos.

— Quel immense travail nous attend, maître ! Il faudra des dizaines d'années pour copier et traduire ce gigantesque livre.

— Et plus encore pour le comprendre, Rosellini. Je saisis, à présent, la signification des paroles de Napoléon.

— Vous l'avez donc rencontré ?

— Oui, à Grenoble, lors de son retour de l'île

d'Elbe. C'est mon frère, dont il avait fait son secrétaire, qui avait organisé cette entrevue. Lors de la réception des corps constitués, l'empereur m'a distingué dans la foule et il m'a promis de me faire imprimer mon dictionnaire de la langue copte. Il souhaitait même que le copte devienne la langue officielle de l'Égypte moderne. Napoléon était fasciné par l'Égypte. Il portait sur lui un talisman et il croyait que la magie des pyramides le protégeait. Il était persuadé que les anciens Égyptiens disposaient de connaissances prodigieuses. Lui, il connaissait l'Égypte. Moi, j'en rêvais.

Le fellah en haillons, notre excellent guide, s'approcha de moi et voulut me faire découvrir une autre merveille. En soulevant une dalle, il donna accès à un couloir souterrain qui conduisait à une crypte. Sur ses murs, je vis, à la lueur des torches, d'extraordinaires figures qui parlaient de la fabrication de l'or spirituel. Après l'astrologie au plafond du temple, l'alchimie dans ses fondations cachées. Seul Pharaon avait accès à ces sciences sacrées.

Le fellah et moi étions assis dans la poussière, fascinés par le spectacle de ces symboles, vase, serpent dressé, tête de faucon, expliquant comment l'homme devenait lumière.

— As-tu croisé celui qui se fait appeler le Prophète ? demandai-je.

— Il n'y a de Dieu que Dieu et Mohammed est son prophète, répondit-il, choqué.

— Il s'agit d'un personnage de grande taille portant une barbe blanche taillée en pointe, insistai-je. Il marche avec une grande canne au pommeau d'or. Il comprend les signes et les figures des anciens.

Le fellah baissa la tête, la laissant reposer sur ses genoux. Il réfléchit longuement.

— Un homme ressemblant à celui-là est venu ici, il y a deux lunes... moi, je ne l'ai pas vu. Mais on dit qu'il est resté une nuit entière sur le toit du temple.

— L'a-t-on vu partir ?

— On dit qu'il s'est embarqué sur une felouque et qu'il a pris la direction de Thèbes.

Prenant un couloir ascendant sur les murs duquel étaient figurés des prêtres formant une immortelle procession, j'accédai, à mon tour, au toit du temple de Denderah. La beauté du spectacle m'enivra aussitôt. La campagne, le Nil, les collines du désert formaient un tableau d'une absolue sérénité dont le temple occupait le centre. Les astrologues, « les prêtres de l'heure » comme les appelaient les anciens Égyptiens, venaient ici apprendre leur art.

Déjà, les couleurs du couchant commençaient à revêtir les pierres d'une lumière chaude et dorée.

Lady Redgrave était assise à l'un des angles du toit, le regard dirigé vers une palmeraie que survolait un ibis aux ailes déployées. Elle avait ôté son chapeau. Ses cheveux blond vénitien tombaient en volutes sur ses épaules. Sa peau, si blanche lors de son arrivée en Égypte, était maintenant hâlée, lui conférant un charme oriental. Vêtue d'une blouse jaune et d'une jupe noire, elle n'avait jamais été aussi belle.

Denderah, temple de la déesse de l'amour... ne s'incarnait-elle pas dans cette femme mystérieuse, au visage parfait, dont la douceur cachait la passion ? Ne m'offrait-elle pas la vision d'un bonheur impossible et pourtant si présent, alors que le soleil descendait sur l'horizon ?

Elle tourna la tête avec une infinie lenteur.

— Je savais que vous étiez là, Jean-François. Venez vous asseoir à côté de moi.

— Lady Ophelia, j'aurais voulu vous demander...

— Taisez-vous. Nous parlerons plus tard. Donnez-moi la main.

Le couchant s'embrasa. Les feux du dernier soleil, jouant avec le vert des palmiers, étendirent un manteau orange sur les champs d'où s'éleva un air de flûte.

*

Une seule journée consacrée à Denderah... quel sacrilège ! Mais il fallait poursuivre la route, atteindre Thèbes où le Prophète avait sans doute trouvé refuge.

Dans ma cabine, sur ma table de travail, étaient étalés les cahiers où j'avais consigné mes plus récentes recherches. Je commençais à lire les hiéroglyphes, certes, mais en tâtonnant, comme un lecteur débutant qui repère des lettres, parfois des mots, rarement des phrases. Une clé de cohérence me manquait encore.

Ma pensée cheminait entre la mort et la vie, que deux lettres m'avaient également promises avant mon départ pour l'Égypte. L'une et l'autre, il est vrai, avaient commencé à se dévoiler au fur et à mesure que je progressais vers le sud. Bien qu'Abdel-Razuk ait disparu et que Moktar joue les serviteurs effacés et obéissants, l'ombre de Drovetti et de son maître le pacha continuait à planer au-dessus de nous. Mais il y avait aussi la magie bienveillante des Frères de Louxor, l'Égypte des temples, le sublime d'un voyage qui me portait au-delà de toute espérance... cela, c'était la vraie vie, la vie renouvelée, le plus précieux des trésors.

Qu'allait me réserver Thèbes, l'aînée de toutes les villes, le cœur de tous mes rêves depuis l'adolescence ? Que restait-il de la plus vaste et de la plus célèbre capitale de l'ancien monde ?

On frappa à ma porte. J'ouvris.

Le professeur Raddi sollicita une entrevue que je lui accordai aussitôt.

— Nous n'avons pas eu l'occasion de parler depuis le début de notre voyage, commença-t-il en s'asseyant sur mon lit et sur quelques papiers qui y traînaient. Je tiens à déclarer que je suis fort satisfait des pierres récoltées et des perspectives scientifiques que j'entrevois.

— Vous m'en voyez ravi, professeur ! Vous êtes si solitaire que je n'ai point jugé utile de vous troubler dans vos recherches.

— Grâce vous soit rendue, Champollion... j'ai pris l'habitude, en effet, de ne pas trop communiquer avec l'humanité. Elle m'ennuie. Les pierres me parlent davantage. Elles me donnent aussi le sens de l'observation, ajouta-t-il d'un air sombre.

— Que voulez-vous dire ?

Le professeur Raddi regardait fixement devant lui comme si je n'existais pas.

— Autour de vous, il n'y a pas que des amis...

Sa voix était presque éteinte.

— Vous révélez trop ou trop peu, professeur ! Qui accusez-vous ainsi ?

— Simples observations scientifiques. Croyez-vous que Rosellini soit vraiment un disciple fidèle ?

— J'en suis persuadé. Il est tout à fait sincère et dévoué. Il a, certes, quelques défauts... sans doute passe-t-il trop de temps à marchander et à acquérir. Mais son désir de découvrir et d'apprendre ne peut être mis en doute.

Raddi hocha la tête, tout en époussetant son costume fripé.

— On peut être génial et naïf, soupira-t-il. Je vous parie qu'il vous trahira. Et votre Nestor L'Hôte ? Quel but poursuit-il ?

— Exprimer son art de dessinateur en participant à une aventure hors du commun, répondis-je avec fermeté. N'est-ce point un dessein assez noble à vos yeux ?

— Le disciple Rosellini ne songe qu'à prendre la place du maître et le brave soldat L'Hôte qu'à devenir général... Quant à la charmante Lady Redgrave, Dieu seul sait de quoi elle est capable. Une espionne, sûrement... mais aussi une femme amoureuse. Elle peut détruire ou créer, au gré du cœur. J'espère que le courant vous sera favorable. Moi, je n'ai pas eu cette chance. Mme Raddi est une tigresse de la pire espèce. J'aurais dû refuser de l'épouser, mais je n'ai pas osé. Elle m'a toujours fait peur. Elle a toujours raison. Dans ce pays perdu, j'ai fait la fête pour la première fois depuis vingt ans. J'en ai presque oublié la minéralogie. C'est la raison pour laquelle je ne reviendrai pas en Europe. Là-bas, il y a trop de règlements, de discipline et de pisse-froid. Ici, on me prend pour un vieux fou et on me laisse en paix. Je n'ai pas de comptes à rendre au désert. Avec lui, je parle sans arrière-pensée. Il me répond sur l'essentiel. Je sais pourquoi vous êtes fas-

167

ciné par ce pays, Champollion. Il est magique. Il est d'un autre monde. Vous non plus, vous ne rentrerez pas.

Je gardai le silence un long moment. Raddi fixa ma main droite.

— Vous avez là un magnifique anneau de jaspe... pourrais-je l'examiner ?

— Désolé, professeur. Il ne doit pas me quitter.

— Ah ! Vous aussi, vous croyez aux talismans... la magie, vous dis-je ! La science m'apparaît si ridicule, si infantile avec ses mesures et ses chiffres, face au désert... Protégez-vous, Champollion. Il n'y a pas de meilleure stratégie contre le malheur.

— Pourquoi n'avez-vous pas parlé du père Bidant ?

Le front du professeur Raddi se plissa. Vexé, il se leva et ouvrit la porte de la cabine. Au moment d'en franchir le seuil, il s'arrêta.

— Vous êtes le plus grand génie que j'ai eu le bonheur de connaître, Champollion. Votre destin vous conduit et vous n'y pouvez rien. N'oubliez quand même pas que l'homme, même s'il porte soutane, peut devenir la pire des bêtes fauves.

*

Voici deux jours que le vent nous contrarie et nous ferme l'entrée du sanctuaire : Thèbes. Ce nom, cette cité m'obsèdent au point de devenir odieux pour mes compagnons. Je ne cessais d'étudier et de réétudier plans, cartes et descriptions d'anciens voyageurs. Soudain, une idée me traversa l'esprit. Je bondis sur le pont. Celui que je cherchais ne s'y trouvait point. Il fumait le narguilé sur la berge, à l'abri d'un acacia. Je marchai vers lui à grandes enjambées, avec une détermination qui l'effraya.

— Moktar, es-tu déjà venu à Thèbes ?

— Non... non, je ne crois pas...

— Tu mens. Combien de fois es-tu venu ici avec Drovetti ?

— Quand il avait besoin de moi...

— T'a-t-il donné l'ordre de détruire des monuments ?

— Lui, non... il s'en montre très respectueux. Mais nous sommes tous de fidèles serviteurs du pacha...

Un frisson me glaça les reins.

— Qu'a-t-il exigé ?

— Thèbes est remplie de vieux monuments... le pacha a estimé qu'il fallait en démolir quelques-uns pour construire des raffineries de sucre et des manufactures de coton.

Je le saisis aux épaules.

— Combien de temples ont-ils été démontés ?

— Une douzaine... peut-être davantage.

— Peut-être davantage... répétai-je, ébranlé jusqu'au tréfonds de l'âme.

Je m'éloignai de Moktar, tout à fait indifférent au sort des monuments thébains. Il recommença à fumer du narguilé, m'observant du coin de l'œil.

Un souffle de vent me fouetta le visage.

Le vent !

Le vent qui ouvrait enfin la route de Thèbes.

*

Le ciel de Haute Égypte est le plus beau qui se puisse savourer. Le dieu soleil y règne en maître absolu, mais il sait engendrer un bleu d'une si parfaite pureté que le regard s'y noie avec délices.

Sur les rives, la richesse déposée par le Nil, un terreau noir, gras, léger. Les vents du désert répandent une chaleur sèche dont l'impression peut se comparer à celle qu'on reçoit de la bouche d'un four banal, au moment où l'on retire le pain.

Ce spectacle, dont je ne me lassais pas, ne fit point taire mon impatience. Le bateau approchait du quai. Thèbes apparaissait.

— Peut-être serait-il sage de passer notre chemin, dit Soliman qui se tenait à mes côtés.

Je contemplai avec effarement celui qui prétendait être mon Frère.

— Délaisser Thèbes ? Tu es devenu fou, Soliman !

— Regardez sur votre gauche, le grand arbre...

Un sycomore géant ombrageait une partie de la berge. Son toit de feuilles descendait presque jusqu'à terre et devait offrir un abri délicieux lors des moments de forte chaleur.

— L'arbre est magnifique, mais...

— Regardez mieux.

Malgré la distance qui nous en séparait, je crus discerner des pieds dépassant du dessous des feuilles mais ne touchant pas le sol.

— Des pendus, expliqua Soliman. Des innocents exécutés pour avoir déplu au pacha. D'autres ont eu la tête tranchée. Plus de trois cents victimes qui avaient commis la faute de protester contre la tyrannie de Méhémet-Ali. On prétend que, parmi les questions qui leur furent posées avant le supplice, certaines concernaient le Prophète et l'endroit où il se cachait... Désirez-vous toujours voir Thèbes ?

Je serrai les poings. La décision n'appartenait qu'à moi. Sans doute aurait-il fallu peser le pour et le contre, évaluer les risques, réfléchir... je me fiai à la seule voix intérieure qui me dictait ma conduite.

— Thèbes nous attend, Soliman.

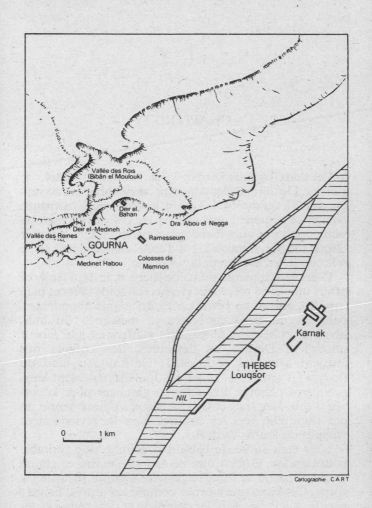

Vallée des Rois
(Bibân el Moulouk)

Deir el
Bahari

Dra Abou el Negga

Deir el-Medineh

Vallée des Reines

GOURNA

Ramesseum

Medinet Habou

Colosses de
Memnon

Karnak

THEBES
Louqsor

NIL

0   1 km

Cartographie C A R T

CHAPITRE 15

Les deux bateaux jetèrent l'ancre devant le temple de Louxor. Des hirondelles dansaient dans la brise qui accompagnait le lever du soleil. Au loin, les crêtes de la montagne d'orient se teintèrent de rouge. Il y eut d'abord un liseré de safran, puis une aura flamboyante envahit le ciel. Surgit le disque solaire, allumant le Nil d'éclats éblouissants qui, de reflet en reflet, éveillèrent la campagne.

Dans son immense domaine thébain, le dieu Amon a offert une large place aux vivants : champs verts et bien irrigués, divisés en petits carrés, moissons abondantes, palmiers en bosquets. Avec la naissance du jour, hommes et bêtes se préparaient à affronter leur labeur quotidien. Devant les demeures, des enfants nus jouaient avec des poupées de chiffon. Au bord du fleuve, les grincements des chadoufs répandaient leurs premières plaintes. Les femmes partaient pour la corvée d'eau. Les ânes et les chameaux s'ébranlaient d'un pas tranquille vers les cultures d'où ils reviendraient chargés de lourds fardeaux.

L'air était sucré. Je l'absorbai comme une véritable gourmandise. Aucun mot ne saurait décrire ce climat merveilleux où la lumière pénètre chaque parcelle du corps. Ce serait une journée comme les autres, habitée par le soleil, le Nil, les temples et les travaux des hommes. Une journée parfaite où la vie et la mort accepteraient, une fois de plus, de fraterniser.

Devant moi se dressait Louxor, immense palais divin, précédé de deux obélisques, taillés d'un travail parfait dans un seul bloc de granit rose et accompagnés de quatre colosses enfouis jusqu'à la poitrine. Je reconnus aussitôt l'art de Ramsès le Grand. Le Nil menace l'édifice ; si l'on n'agit pas pour le protéger, il sera bientôt attaqué par les eaux et se déchaussera.

Les indigènes sont bien peu respectueux de ce glorieux passé. Ils ont levé des murs de terre cuite sur les ruines même pour séparer leurs misérables habitations installées parmi les chapiteaux des colonnes. Pigeons et poules s'égayent au niveau des fleurs de lotus de pierre, les chiens courent parmi les bas-reliefs, la chiure recouvre d'admirables figures de divinités. La partie droite du grand pylône d'entrée est totalement bouchée par des pigeonniers. Devant ce qui fut la façade d'un temple aux lignes parfaites sont accroupis des chameaux, attendant que leurs propriétaires aient conclu d'interminables transactions.

L'intérieur du temple est plus dévasté encore. Il y a là des fours à poulet, des garderies d'enfants, la maison d'un capitaine turc, les restes d'une église chrétienne et même une mosquée qui occulte une bonne partie du monument. Louxor est le sanctuaire égyptien le plus profané et le plus maltraité.

Vaincu par cette vision déchirante d'une Thèbes à laquelle j'avais eu tort de trop rêver, je pleurai, me cachant derrière une colonne maculée de noir de fumée.

Cette triste méditation dura peut-être des heures. Ce fut Nestor L'Hôte qui parvint à me retrouver. Je lui offris un visage serein, parvenant à lui dissimuler ma peine.

— Venez vite, général ! Je vais pouvoir vous dégager les obélisques.

— Par quel miracle ?

— Il suffira de démolir les huttes en briques de limon séché qui y sont adossées.

Les yeux de L'Hôte brillaient d'excitation.

— Je vous l'interdis.

— Pourquoi donc ? s'étonna-t-il.

— Nous laisserions sans toit plusieurs familles pauvres. Nous n'en avons pas le droit.

Nestor L'Hôte, les bras ballants, ne comprenait pas ma décision. En soldat discipliné, il ne se révolta pas. Mais je perçus que l'amitié qu'il me portait était gravement entamée.

— Je me contenterai de dessiner, annonça-t-il.

— Travaillez sans relâche, recommandai-je. L'architecture et les reliefs sont du meilleur style. Il faut au moins sauver cela.

La journée fut studieuse. Je pris des notes ici et là, imaginant une formidable campagne de fouilles qui débarrasserait le temple de ses malencontreux oripeaux sans léser les pauvres. Mon cœur se révoltait à l'idée que des humains fussent aussi inconscients des merveilles qu'ils avaient à portée de la main. Un examen superficiel me permit de découvrir que Louxor dévoilait le mystère de la naissance divine, la manière dont Pharaon était construit par les dieux pour devenir le maître de l'Égypte, le médiateur entre Dieu et l'homme. Ces sublimes révélations, étouffées par les ordures de l'humanité, parviendraient-elles à renaître ?

C'est au soir que Louxor, si souillé, m'apparut dans une splendeur qui rappelait sa beauté d'antan. Un vent léger m'offrit une nouvelle quiétude. Des couleurs chaudes vêtirent murs et colonnes. Le voile orangé du crépuscule s'étendit sur le géant de pierres, effaçant les ronces, les détritus et les masures. Les criaillements des basses-cours disparurent. Les indigènes cessèrent de circuler parmi les ruines et rentrèrent dans leurs cahutes pour préparer le repas. Rosellini et L'Hôte avaient regagné le bateau.

J'étais seul dans le sanctuaire, seul avec ce qui avait été une immense salle des fêtes où dieux et hommes communiaient dans une joie lumineuse. Pourtant, mes pensées ne parvenaient pas à s'élever au-delà des inquiétudes nées des confidences du professeur Raddi. N'étais-je vraiment entouré que de traîtres, d'incapables et d'envieux ? Lequel d'entre eux était au service

174

de l'ennemi ? Quel projet avait-il conçu contre moi et comment entendait-il le mettre à exécution ? Le professeur Raddi n'était-il pas le plus habile des menteurs, lui qui avait tenté de s'emparer de mon anneau protecteur ?

Au cœur du temple, apaisé par sa beauté, je mesurai le chemin accompli depuis mon départ de Grenoble. Cette expédition, qui n'aurait dû être qu'une aventure archéologique, avait soulevé haines et passions, m'obligeant à me lancer dans un combat auquel je n'étais pas préparé. Me voici adversaire de l'omnipotent pacha d'Égypte, de l'impitoyable Drovetti, de leurs hordes de pillards et d'assassins, en travers de leur route et bien résolu à ne point reculer. Ces hommes-là ont décidé de piller l'Égypte, de la mettre à sac, de la détruire avant qu'on ne la découvre. Ils préparent pis encore, sans doute. Pour eux, je ne suis qu'un fétu de paille. Mais un fétu officiel envoyé par le gouvernement français. Ce gouvernement contre lequel j'ai tant lutté naguère...

— C'est votre passé qui vous envahit, n'est-ce pas ?

Lady Ophelia Redgrave s'était approchée d'un pas léger et silencieux. Elle demeurait debout derrière moi.

— Ces pierres ressurgiront un jour dans toute leur beauté, dit-elle. Je le sens.

— Les savants sont trop bêtes, trop lâches...

— Vous n'avez pas été fort aimable avec vos collègues... mon oncle vous dépeignait comme un homme au caractère acariâtre, accusant vos concurrents d'imbécillité et d'incompétence.

— Il n'avait pas tort. Si vous connaissiez les érudits français... les Quatremère de Quincy, Raoul Rochette ou Silvestre de Sacy... ils sont incapables de percevoir l'importance de la civilisation égyptienne. Ce sont de vieux bourgeois prétentieux, engoncés dans leurs habitudes mentales, hostiles à toute découverte. J'aurais aimé les mettre à l'épreuve, les faire travailler jour et nuit dans la petite bibliothèque que m'avait aménagée mon frère, à Grenoble. Nous n'avions que deux pièces, remplies de livres. Nous en achetions sans cesse et nous les dévorions. C'était la plus succulente des nourritures. Jacques-Joseph m'a appris la grammaire, le latin, le grec, l'hébreu... et j'ai complété son enseignement par l'araméen et le copte.

Le soleil couchant avait envahi le temple. La douceur de la lumière, la tiédeur de la nuit montante faisaient de nous des complices parlant à voix basse pour ne pas déranger les dieux.

— Mon oncle affirme que vous n'avez rien découvert et que vous êtes un imposteur.

— Young est un menteur et un jaloux ! m'emportai-je. C'est le 14 septembre 1822, à midi, que j'ai entrevu pour la première fois la lecture des hiéroglyphes. « Je tiens l'affaire », ai-je dit à mon frère avant de sombrer dans un évanouissement qui dura trois jours. J'avais eu le temps de lui dicter quelques principes de déchiffrement que nous voulions faire parvenir à l'un de ces savants potiches, ce pauvre traducteur de Sacy. J'ai convaincu Jacques-Joseph d'oublier ce sinistre personnage et d'adresser un mémoire à Dacier, qui tenait mon frère en haute estime. Malheureusement...

— Malheureusement ?

— Personne n'a rien compris à ma découverte. Parce que j'étais républicain et que j'affichais trop ouvertement mes opinions, j'ai été renvoyé de mon poste de professeur à Grenoble. C'est mon frère qui m'a recueilli à Paris, rue Mazarine, pour me confier l'éducation de ses enfants. Cette tâche ne m'amusait guère, je l'avoue, mais elle permettait de continuer mes recherches sans souci d'argent et de logement.

Le silence des soirées d'Égypte est incomparable. L'humanité se tait, la campagne s'enfonce doucement dans le sommeil, les temples prennent l'allure de sages de pierre aux paroles d'éternité. La paix de Louxor estompait la curiosité de souvenirs qui se mélangeaient dans ma mémoire. Lady Redgrave me confessait et je me laissais faire. Je n'avais jamais évoqué ces périodes difficiles de mon existence que la chance n'avait guère visitée. Ma seule fortune était mon inébranlable volonté de faire parler l'Égypte, de faire entendre cette voix immense à l'origine de toute civilisation.

— N'avez-vous point été arrêté par la police ? demanda Lady Redgrave, suspicieuse.

— Arrêté, non ; exilé, oui... et je suis fier de cette condamnation. C'est la Terreur blanche qui nous a obligés, mon frère et moi, à résider à Figeac. Mille tracasseries nous y furent infligées. La justice, malgré sa mauvaise foi, ne put retenir aucun délit contre nous. Tout cela me paraît bien dérisoire, aujourd'hui... Il est un seul souvenir auquel je tiens vraiment : celui des nuits de travail, en cachette, dans le dortoir du lycée de Grenoble, où j'utilisais une bougie pour traduire les auteurs grecs et latins. Mes camarades dormaient. J'étais seul, déjà... seul avec des textes, des pensées, des paroles arrachées au silence et à la mort.

— Venez, dit-elle. J'ai envie de me promener.

Les bas-reliefs de Louxor, si finement gravés, devenaient invisibles. La nuit gagnait vite, laissant à une lune brillante le soin d'éclairer le temple. Main dans la main, nous allâmes jusqu'au sanctuaire où était abritée la barque sacrée portée par les prêtres lorsque le dieu Amon manifestait sa présence au peuple.

Nous n'étions plus que deux silhouettes perdues dans le secret d'un lieu sacré où, en présence du créateur, Pharaon s'unissait à la grande épouse royale lors du mariage rituel. Les hiéroglyphes inscrits sur les parois rendaient cet acte perpétuellement présent, à condition qu'un regard se pose sur eux pour les ressusciter.

Cette nuit-là, il me sembla que le temple de Louxor étincelait d'amour.

*

— Réveillez-vous ! Réveillez-vous, je vous en prie !

Sans brutalité, mais avec une vigueur certaine, Soliman me secouait. Il était le seul à posséder un double de la clé de ma cabine. Il me fallut quelques secondes pour reprendre pied sur cette terre. Pendant mon court sommeil, j'avais rêvé de grandioses chantiers de fouilles, de temples dégagés des sables, de bas-reliefs restaurés... je reconstruisais l'Égypte entière.

— Que se passe-t-il, Soliman?

— Méhémet-Ali, le tout-puissant pacha d'Égypte, vient d'arriver à Thèbes.

Je bondis, tout à fait réveillé.

— Soliman, organise-moi une entrevue.

*

Méhémet-Ali avait élu domicile dans une vaste demeure dont la moitié des fenêtres avait été obstruée. Il me reçut à midi, entouré de nombreux courtisans fumant le narguilé et buvant du thé vert. Assis sur un fauteuil Empire, Méhémet-Ali lissait sa longue barbe blanche qu'un serviteur venait de parfumer.

— Heureux de vous revoir, Champollion. Votre voyage vous apporte-t-il les joies que vous espériez?

Me tenant à distance respectueuse du trône, je m'inclinai avec déférence.

— Puissiez-vous être favorisé par le ciel, Votre Béatitude, pour m'avoir accordé audience.

Le pacha ordonna qu'on m'offrît pâtisseries au miel et thé. Je pris le temps de les déguster, ne voulant point hâter une conversation au cours de laquelle j'étais décidé à lancer le défi le plus risqué. Je pensais avoir trouvé le moyen de vaincre le tyran sans lui faire perdre la face. Si l'entreprise échouait, ce serait la fin de mon aventure.

— La santé de Votre Béatitude semble florissante.

— Je me porte au mieux, Champollion. Jamais je ne fus plus décidé à m'acquitter de mes devoirs et à rendre mon peuple riche et heureux. L'industrialisation de mon pays est la tâche la plus urgente. Je suis conscient, certes, de la nécessité de préserver certains monuments anciens, mais je dois d'abord me préoccuper du présent.

L'avertissement était clair. Méhémet-Ali m'interdisait d'évoquer les édifices démantelés sur son ordre.

— Qui saurait vous en blâmer, Votre Béatitude? J'ai eu l'occasion, au cours de mon voyage, de voir l'état du peuple égyptien auquel je suis si attaché... aucune mesure en sa faveur ne sera trop généreuse.

Le pacha s'attendait à une protestation qui ne sortait

pas de ma bouche. Sa perspicacité lui faisait entrevoir une attaque sur un autre terrain.

— Aucun incident grave pendant votre périple, Champollion ?

— Quelques morts violentes, Votre Béatitude, mais aucune qui me concerne directement... en Égypte comme ailleurs, les passions humaines se traduisent parfois de la manière la plus brutale. Des conflits d'intérêt, je suppose. Mais je suis égyptologue et non policier. Je n'ai ni le désir ni la possibilité de connaître le dessous des cartes. Seule l'archéologie m'intéresse.

Le regard perçant du pacha était devenu fixe. Le maître de l'Égypte pesait chacune de mes paroles. Il savait que je n'étais pas dupe. Il appréciait ma modération inattendue, si rassurante pour ses intérêts. Pas un mot de ma part sur Abdel-Razuk, son chaouiche, qui avait tenté de m'assassiner. Ni l'un ni l'autre n'avions l'intention d'évoquer cet inquiétant personnage.

— Si vous désirez poursuivre votre expédition, Champollion, comment pourrais-je vous être agréable ? Il me plairait d'accorder une faveur à un éminent ambassadeur de la France.

Buvant du thé à petites gorgées, je réfléchis un long moment, comme si j'hésitais à formuler un vœu. En réalité, je me remémorais les étapes de mon argumentation pour éviter de buter sur les mots. La voix un peu tremblante, j'entrepris la conquête du pacha.

— Est-il exact, Votre Béatitude, que les Anglais ont refusé de transporter chez eux un obélisque d'Alexandrie que vous leur aviez offert, sous prétexte qu'il aurait fallu construire une route dont le coût était estimé à trois cent mille francs ?

Décontenancé, le pacha répondit d'un hochement de tête affirmatif.

— Bien sûr, continuai-je, cette route conduisant à un quai d'embarquement dans le nouveau port est indispensable. Mais refuser le cadeau du pacha d'Égypte est une faute grave, impardonnable.

Méhémet-Ali tenta de demeurer impassible, mais je perçus un très léger soupir de satisfaction.

— Pour cette même somme, Votre Béatitude, j'ai beaucoup mieux à vous proposer. A condition, bien entendu, d'obtenir votre appui.

— Continuez, ordonna-t-il, intrigué.

— Je suis bien aise, dis-je, que le savant ingénieur anglais ait eu la belle idée d'une chaussée de trois cent mille francs pour dégoûter son gouvernement et, par contrecoup, le nôtre, des pauvres obélisques d'Alexandrie ! Ils me font pitié depuis que j'ai vu ceux de Thèbes. J'ai une idée plus forte, plus grandiose... ce que dédaigne l'Angleterre, la France l'accepte avec enthousiasme ! Il faut un obélisque à Paris, Votre Béatitude. Il ne serait pas mal de mettre sous les yeux de notre nation un monument de cet ordre pour la dégoûter des colifichets et des fanfreluches auxquels nous donnons le nom fastueux de monuments publics, véritables décorations de boudoirs, allant tout à fait à la taille de nos « grands » architectes, méticuleux imitateurs de toutes les pauvretés du Bas-Empire. On a beau dire, le grand sera toujours dans le grand, et pas ailleurs. Les masses seules en imposent et frappent fort sur l'esprit et les yeux. Une seule colonne de Louxor est plus un monument à elle seule que les quatre façades de la cour du Louvre. Un colosse égyptien placé sur le terre-plein du Pont-Neuf en dirait plus que trois régiments de statues équestres de la taille de celle de Lomot[1]. Notre capitale est triste. L'art moderne a tué l'art. Paris est entré dans l'ère de la barbarie. En voyant ici des obélisques érigés en l'honneur de Ramsès, le plus grand conquérant de son temps, j'ai su que l'un d'eux pourrait superbement commémorer l'amitié indissoluble unissant l'Égypte et la France.

Le pacha ne dissimulait plus sa surprise.

— Que proposez-vous donc, monsieur Champollion ?

— Pour la somme de trois cent mille francs, je suis certain de pouvoir assurer le transport jusqu'à Paris d'un des deux obélisques du temple de Louxor, celui

1. La statue équestre d'Henri IV.

placé à droite de l'entrée. L'honneur national vous en sera éternellement reconnaissant, Votre Béatitude.

— Étonnante requête et fabuleuse entreprise, jugea le pacha. Sans doute faudra-t-il découper en trois cet énorme monolithe...

— Tout ou rien, Votre Béatitude. L'obélisque doit demeurer intact pour resplendir de toute sa puissance sur le sol de France. Le transport réussira à condition que l'affaire soit confiée à un homme de pratique, architecte ou mécanicien, et en aucun cas à un savant de cabinet !

C'était la seule solution pour sauver l'un des plus parfaits chefs-d'œuvre de l'art égyptien, souillé chaque jour par des vandales et voué à une rapide dégradation.

Méhémet-Ali lissa sa barbe blanche avec perplexité, se leva et ordonna sèchement à ses courtisans de déguerpir. Il attendit que nous soyons seuls pour prendre la parole.

— Vous êtes un homme très actif, Champollion. L'Égypte vivait oubliée et tranquille, avant votre venue. Je crains que vous ne déclenchiez un intérêt trop pressant pour ce vieux pays qui doit cheminer lentement vers le progrès.

— La raison d'être de l'Égypte, Votre Béatitude, n'est-ce point son message spirituel ?

— Vous voyez des temples, des sculptures, des divinités. Moi, je vois des fabriques, des machines, des barrages. Nous sommes des adversaires engagés dans une lutte sans merci. Seule la postérité sera capable de nous juger.

Le pacha s'arrêta devant une fenêtre ouverte et me tourna le dos. Pour lui, l'entretien était terminé.

Pas pour moi.

— Pardonnez-moi d'interrompre votre méditation... mais je n'ai point entendu votre réponse concernant mon projet.

Le maître de l'Égypte avait l'immobilité du granit. Pendant de longues secondes, je craignis qu'il n'eût également adopté un silence minéral.

— Votre obélisque embellira Paris, Champollion.

Ivre de ma victoire, j'osai enfin accomplir le dernier pas qui me séparait du cœur de Thèbes : Karnak, le palais d'Amon-Rê, le maître des dieux.

Karnak, la Thèbes aux cent portes qui, pendant de nombreux siècles, avait régné sur l'univers. Que me réservait-elle ? Qu'en restait-il, après la destruction des Assyriens, des chrétiens et des Arabes ? Karnak serait-il réduit au même état lamentable que Louxor ?

Incapable de patienter plus longtemps, je marchai à pas rapides sous le soleil. Un ânier me proposa un secours que j'acceptai de bon cœur. La distance fut vite franchie. Lorsque nous quittâmes la berge pour pénétrer dans les terres et que l'ânier m'annonça fièrement « al-Karnak ! », je fermai les yeux.

Allais-je connaître la plus grande joie ou la plus grande déception de mon existence ? L'âne s'arrêta. J'en descendis, ému à en perdre conscience.

J'ouvris enfin les yeux.

Karnak... Karnak se dressait devant moi, immense, surhumain.

Là m'apparut toute la magnificence pharaonique, tout ce que les hommes ont imaginé et exécuté de plus grand. Tout ce que j'avais vu à Thèbes me parut misérable en comparaison des conceptions gigantesques dont j'étais entouré. Je me garderai bien de vouloir rien décrire ; car, ou mes expressions ne vaudraient que la millième partie de ce qu'on doit dire en parlant de tels objets, ou bien si j'en traçais une faible esquisse, même fort décolorée, on me prendrait pour un enthousiaste, peut-être même pour un fou. Il suffira d'ajouter qu'aucun peuple ancien ni moderne n'a conçu l'art de l'architecture sur une échelle aussi sublime, aussi large, aussi grandiose, que le firent les vieux Égyptiens ; ils concevaient en hommes de cent pieds de haut et nous en avons tout au plus cinq pieds huit pouces. L'imagination qui, en Europe, s'élance bien au-dessus de nos portiques, s'arrête et tombe impuissante au pied des 140 colonnes de la salle hypostyle de Karnak, forêt de fleurs géantes, monde au-delà de l'humain qu'éclaire une lumière céleste filtrée par des fenêtres de pierre.

Dans ce temple merveilleux, j'ai contemplé les portraits de la plupart des pharaons qui avaient fait la gloire de l'Empire. L'Égypte a déployé dans ses colonnes et sur ses murs la puissance de l'esprit, elle a réussi à spiritualiser la matière.

Karnak, lui aussi, a souffert de la négligence des envahisseurs arabes pour qui l'Égypte n'est qu'une terre étrangère. Il y a des colosses effondrés, des monticules de sable à déblayer, des linteaux qui menacent ruine, des campements d'indigènes dans les sanctuaires. Mais le génie des anciens n'avait point cédé devant ces agressions du temps et des hommes. Karnak, par son gigantisme, est capable de défier les cataclysmes au premier rang desquels figure la bêtise humaine.

Les dieux m'avaient conduit au milieu de ce que le monde compte de plus sacré... et cette vision me fit oublier les sottises et les bassesses de l'existence.

*

— Maître... mais vous êtes là !

Ouvrant la porte de ma cabine que j'avais oublié de fermer à clé, Rosellini était stupéfait de me découvrir installé à ma table de travail, couverte de papiers.

A Karnak, j'avais noirci des dizaines de feuillets. De retour à *l'Isis*, à la nuit tombante, je commençai aussitôt à rédiger un essai de chronologie des rois qui avaient laissé trace de leur règne. Le jour où le Prophète me livrerait les éléments de la tradition orale dont il disposait, je serais fin prêt pour rédiger une grammaire, un dictionnaire et une histoire générale de la civilisation égyptienne.

— On vous a cherché partout, maître... nous étions très inquiets. Seriez-vous souffrant ?

— Ma santé est excellente. Le climat me convient à merveille et je me porte bien mieux qu'à Paris. J'ai beaucoup travaillé, aujourd'hui... et j'espère que vous en avez fait autant.

Rosellini parut vexé.

— Pardonnez cette observation... mais vous semblez être de méchante humeur.

— Exact, dis-je en jetant ma plume au loin. Je suis même furieux.

— A cause de moi ?

— Pas du tout. A cause de la France entière, de ceux qui prétendent être mes proches ou mes amis. Aucune nouvelle d'eux depuis notre départ. Pas la moindre lettre.

— Des difficultés d'envoi, sans doute...

— N'essayez pas de mentir, Rosellini. Je sais que vous avez reçu des lettres en provenance d'Alexandrie. L'Hôte, Bidant, Raddi... tous, vous avez eu des nouvelles. Pas moi.

— Drovetti a dû faire retenir les missives vous concernant afin de vous plonger dans le désespoir. Ne permettez pas à sa malveillance de réussir.

J'étais donc seul, absolument seul, mais l'esprit de l'ancienne Égypte entrait en moi, heure après heure. Les liens avec l'Europe et avec mon passé se brisaient, l'un après l'autre. Au fond de moi-même, je n'en éprouvais aucune tristesse. Karnak marquait le sommet de ma destinée, reléguant l'hier au rang de vanités emportées par un vent de sable. Je venais de franchir un point de non-retour.

Le visage inquiet de L'Hôte apparut derrière Rosellini.

— Général, une mauvaise nouvelle. Je viens d'apercevoir Abdel-Razuk sur le quai. J'ai d'abord cru que je me trompais, mais j'ai trop l'habitude d'observer. J'ai crié son nom. Il s'est retourné et il s'est enfui. Il faut signaler sa présence aux autorités de Louxor.

— Inutile, répondis-je. Abdel-Razuk est au service du pacha qui empêchera toute action contre son serviteur.

*

Désirant savourer la lumière du couchant sur le pont de *l'Isis,* je me heurtai à une somptueuse Lady Redgrave, habillée d'une robe de soirée en soie rouge et parée d'un collier de perles à trois rangs. Elle était resplendissante et aurait convaincu n'importe quel ermite de renoncer à sa solitude.

— Je crains de devoir vous arracher à vos savants travaux, dit-elle, mutine.

— Pour quelle raison ?

Elle m'observa d'un œil critique.

— Vous avez l'air d'un explorateur revenant du fin fond du désert. Vous devriez vous pomponner un peu pour séduire vos hôtes.

— Je n'ai personne à séduire, Lady Redgrave. Je monte prendre l'air quelques instants et je retourne dans ma cabine. Établir la liste des pharaons me paraît plus essentiel qu'un dîner mondain.

— Vous n'échapperez pourtant pas à celui-là.

— Et pourquoi donc ?

— Parce que les plus grandes personnalités de Louxor désiraient être invitées à votre table... qui est à présent dressée sur le pont.

Je m'apprêtais à bondir pour vérifier cette nouvelle, mais Lady Redgrave me barra le chemin.

— Pas dans cette tenue, monsieur Champollion !

*

La table d'hôte avait été installée sous une toile de tente tendue sur quatre piquets. Un délicieux souffle d'air rendait la soirée enchanteresse, effaçant les fatigues de la journée. Lady Redgrave avait agi en remarquable maîtresse de maison, agrémentant l'ordinaire de lampes à huile et de parures florales.

Elle ne m'avait point trompé sur la qualité de nos invités. Il y avait là un Aga turc, commandant en chef de Gournah ; le cheikh el-beled de Médinet-Habou, donnant des ordres dans ce temple et au Ramesseum ; enfin le cheikh de Karnak, devant lequel tout se prosterne dans les colonnades du vieux palais des rois d'Égypte. Ils règnent sur une armée de petites gens et de petits métiers. Impossible de faire un pas à Thèbes sans leur assentiment.

La conversation, à vrai dire, fut réduite à un échange de banalités et de félicitations réciproques ; à intervalles réglés, je répondais *thaïbin*, « cela va bien » à la question *Ente-thaïeb*, « cela va-t-il bien ? ». Un sourire cordial ornait alors les lèvres de mes hôtes à qui j'offris des pipes et du café en abondance. Soliman raconta quelques histoires drôles à l'orientale où il était question de démons bernés par les humains. Nous fûmes comblés de présents : un troupeau de moutons et une cinquantaine de poules. Cette fortune sur pattes, dont Lady Redgrave s'estima enchantée, nous assurerait bientôt une excellente nourriture.

Recevant un lot de poudre qui lui offrait une suprématie guerrière, le cheikh de Karnak m'attribua un personnel nombreux pour travailler dans le grand temple. Il se répandit en termes galants sur le compte de Lady Redgrave à qui il décerna le titre de « votre épouse ». J'aurais dû réagir, mais il est bien délicat, d'après les règles de la politesse égyptienne, de contredire brutalement son invité.

Lady Ophelia souriait.

*

C'est le cœur plein d'espoir que, dès le lendemain matin, je pénétrai à nouveau dans Karnak comme si l'immense domaine d'Amon était devenu mien. Les fellahs promis par le cheikh m'attendaient dans la grande cour, derrière le massif pylône d'entrée. Encadré de Rosellini et de L'Hôte, je m'adressai avec enthousiasme à cette troupe d'ouvriers, dirigés par un contremaître qui fixa leur salaire à une demi-piastre par jour. Les fouilles commencèrent aussitôt. Rosellini tremblait de curiosité à l'idée de déterrer des statues. L'Hôte était heureux d'abandonner ses dessins pour se livrer à un travail de meneur d'hommes.

Soliman m'amena le personnage que je lui avais

demandé de découvrir : Timsah, « le crocodile », fouilleur personnel du consul général de France, Drovetti, et représentant local des autorités françaises. Le crocodile était petit et râblé. Le front bas, les mains épaisses, il ouvrait à peine les yeux.

— Le salut soit sur toi, Timsah. Le consul général t'a-t-il annoncé ma venue ?

— Oui.

— T'a-t-il remis les fonds nécessaires pour entreprendre les fouilles ?

— Je les attends.

— Voudrais-tu dire... que tu n'as rien en ta possession ?

— Je les attends, répéta-t-il.

— Pour quelle date ? m'impatientai-je.

— Demain... peut-être après-demain.

— Ce sera demain. Je t'en rends personnellement responsable.

« Le crocodile » s'inclina et s'éloigna à pas lents.

— Comment payerons-nous les ouvriers ce soir ? s'inquiéta Rosellini.

— Avec mon propre argent.

*

La journée fut une succession d'émerveillements. Je fis mesurer le plus haut des obélisques égyptiens. Un jeune Nubien parvint à atteindre le sommet de l'aiguille de pierre en s'aidant d'un poteau entouré de cordages. Pendant qu'il grimpait, le contremaître implorait Allah à genoux et les tâcherons récitaient des versets du Coran. Ailleurs, on creusait pour dégager des bases de colonnes et l'on extrayait de terre des bronzes tardifs. Je volais de temple en temple, de salle des fêtes en saint des saints, d'allée des béliers en portiques monumentaux. Je dévorais Karnak à belles dents, persuadé que ce chantier à la taille de l'univers n'avait jamais été fermé. Jusqu'à la fin de leur épopée, les maîtres d'œuvre avaient bâti, embelli, développé. Et j'étais aujourd'hui leur humble successeur, prêt à redonner vie à ce corps sacré de l'Égypte où l'esprit et la main avaient créé dans le même génie.

Je copiais une scène d'offrande gravée sur l'une des colonnes de la salle hypostyle lorsque le contremaître vint me chercher. Ses gestes désordonnés témoignaient d'une vive exaltation. Je courus derrière lui jusqu'à la chapelle de Séthi devant laquelle se déroulait un lamentable spectacle : L'Hôte et le père Bidant se battaient à mains nues. Le religieux semblait avoir le dessus, assenant de grands coups du plat de la main. L'Hôte était obligé de reculer en se protégeant le visage.

— Cessez immédiatement ! intervins-je d'une voix puissante qui mit aussitôt fin au combat. Êtes-vous devenu fou, mon père ? Et vous, L'Hôte, avez-vous perdu toute dignité ?

— Bidant est un criminel, général.

— L'Hôte est un dément, contre-attaqua le religieux. Il m'a agressé alors que j'examinais le bas d'un mur.

— Il ne l'examinait pas, protesta L'Hôte, il le dégradait ! Il essayait d'effacer les figures à coups de pierre !

Me penchant sur l'objet du conflit, j'admirai une scène touchante : Pharaon, représenté enfant, était assis sur les genoux de sa mère. Je compris les intentions du père Bidant.

— La Vierge portant le Christ... c'est à eux que vous avez songé, n'est-ce pas ? Vous avez voulu détruire le motif égyptien qui a servi de modèle aux imagiers du Moyen Age. Cette naissance divine avant le christianisme est bien gênante à vos yeux... Votre combat est inutile, mon père. Il vous faudra bien admettre que le christianisme est né sur cette terre et qu'il a puisé ses symboles dans le plus vieux fonds égyptien !

— Sacrilège ! rugit le religieux furieux, qui, secouant sa soutane couverte de poussière, quitta l'enceinte sacrée.

*

Karnak m'envoûtait. Je n'avais plus besoin de dormir, je mangeais à peine. Je ne pensais même plus au danger. J'avais l'impression d'avoir toujours vécu ici, d'avoir déjà parcouru ces allées et fréquenté ces salles.

Lady Redgrave avait quitté le bateau pour s'installer dans une confortable demeure de Louxor peuplée de serviteurs zélés. De nouveau, une infranchissable barrière s'était dressée entre nous. Le père Bidant s'était enfermé dans sa cabine où il se faisait servir ses repas. Le professeur Raddi, muni d'un siège pliant, s'asseyait à la lisière du désert qu'il contemplait des heures durant. Il n'entendait rien et ne voyait personne. L'Hôte et Rosellini me secondaient jusqu'à la limite de leurs forces, étonnés par mes facultés d'endurance. Ma santé, souci constant dans les froidures et les brumes de l'Europe, s'améliorait sous le soleil d'Égypte. Karnak, de plus, avait le don d'effacer les fatigues. Dans le sol circulaient des énergies divines qui remettaient le corps à neuf. Je compris pourquoi les bâtisseurs avaient pu lever des pierres d'une telle taille et bâtir à une échelle aussi gigantesque : ils étaient habités d'une puissance surnaturelle que leur offrait le chantier du temple.

Ces monuments n'appartenaient pas au passé. Ils étaient l'éternel présent de la conscience, sereins comme au premier matin du monde. Thèbes était devenu mon centre de l'univers, le lieu où mon destin s'accomplissait à la fois dans la lumière et dans le mystère. Si l'on me laisse fouiller Karnak, je ne bougerai plus d'ici. J'en oublierai même le Prophète et le déchiffrement des hiéroglyphes. Je me contenterai d'être le plus modeste des ouvriers, d'ôter le sable et la poussière jusqu'à la fin de mon existence.

Ce fut en rêvant à un Karnak ressuscité que je glissai dans le sommeil.

*

La plus grande agitation régnait dans l'enceinte du temple de Mout, au sud du sanctuaire d'Amon. Dans le vif éclat du petit matin, le site consacré à la mère divine m'apparut dans son étrangeté : des blocs dispersés, des herbes folles, un lac sacré en forme de croissant lunaire.

De nombreux fellahs étaient réunis autour de L'Hôte qui avait tenu à porter sa pioche en cet endroit isolé, enfermé depuis des siècles dans le silence et l'oubli. Je me serais volontiers laissé conquérir par le charme de cette plaine gorgée de trésors cachés si je n'avais vu L'Hôte se débattre au milieu d'une foule hostile. Il me fallait au plus vite lui venir en aide.

J'écartai quelques ouvriers et m'adressai au cheikh de Karnak qui, menaçant, brandissait un court bâton.

— Que se passe-t-il ?

— Regardez, dit L'Hôte, désignant un trou d'où émergeait la tête noire de la statue d'une déesse-lionne. Les fellahs sont persuadés qu'il s'agit d'un démon. Ils veulent détruire son visage avant de la sortir de terre. Elle a le mauvais œil.

— Ils ont raison, ils ont raison ! hurla le père Bidant, brandissant une croix au-dessus des têtes. Que cette statue maudite soit réensablée !

Rosellini l'obligea à se taire. Mais le cheikh de Karnak gardait un visage fermé et hostile. Il ne pouvait se permettre de perdre la face devant ses hommes.

— Il y a un maléfice, déclara-t-il. La lionne va nous sauter à la gorge. Hier, à Qenah, des poissons avides de chair humaine se sont attaqués à des nageurs et leur ont mangé le sexe. A Akhmim, des enfants ont coupé un serpent en morceaux. Il s'est aussitôt reconstitué et les a mordus. Il y a un maléfice. Le mauvais œil est sur nous.

Le cheikh aurait pu raconter bien d'autres histoires fabuleuses où survivaient des traces de la mythologie égyptienne. Je n'avais le loisir de lui parler du serpent uraeus chargé de protéger les pharaons ou du mythe d'Osiris dont le sexe avait été avalé par un poisson.

— Je suis capable d'ôter le mauvais œil, affirmai-je. Je ne le crains pas.

Intrigué, le cheikh écarta deux fellahs d'un coup de bâton.

— Prouve-le.

Je m'agenouillai. A mains nues, je déblayai un peu de terre, dégageant tout à fait le sévère visage de Sekhmet, la déesse-lionne au regard de feu, chargée d'anéantir les ennemis visibles et invisibles de Pharaon, d'enseigner leur art aux médecins. Je pris le robuste front de la lionne entre mes mains, soulevant un murmure d'effroi.

— Voyez, la déesse m'accepte. Elle ne répandra ni malheur, ni maladie.

Je gardai la posture de longues minutes. Chaque fellah s'attendait à me voir dévoré par la lionne terrifiante. Mais le mauvais œil ne s'abattit pas sur moi. Le sourire revint sur les lèvres. Un ouvrier se mit au travail, puis un deuxième, un troisième... A la fin de la matinée, la puissante statue de Sekhmet, assise, trônait devant nos yeux émerveillés par tant de puissance alliée à tant de majesté.

Rosellini dominait mal son émotion. Ses mains tremblaient.

— Qu'avez-vous, Ippolito ?

— Votre regard, maître, votre attitude devant le cheikh... je ne vous avais jamais vu aussi déterminé, aussi farouche... j'ai cru que vous alliez vous battre contre cette foule d'Arabes, que vous étiez prêt à tout pour sauver cette sculpture.

— Oui, je défendrai l'Égypte bec et ongles. Ils me sont poussé à cinq ans et n'ont rien perdu de leur force depuis. Je me souviens... Je passais devant une maison lépreuse. Contre la porte s'appuyait un mendiant tenant un chapeau. J'allais y mettre une piécette lorsqu'un chef de parti révolutionnaire donna un coup de canne à l'aveugle qui gênait son passage. Je me suis précipité sur cette brute, ai empoigné la canne, la suppliant de ne plus obéir à ce méchant homme et de le rosser à son tour ! Ce maudit jacobin s'est esclaffé, conseillant à ma mère de rogner immédiatement bec et ongles à son oisillon pour que d'autres ne soient pas obligés de le faire plus tard. D'autres ont effectivement tenté de détruire mon désir de justice. Ils n'y sont pas parvenus. Et personne n'y parviendra.

Je ne m'attardai pas plus longtemps, préoccupé par un grave tourment. Soliman aurait dû être auprès de moi depuis longtemps. Nous avions convenu de nous retrouver à l'heure de midi devant le pylône d'entrée s'il n'avait pas réussi à m'amener Timsah, « le crocodile ».

Mon Frère avait perdu son impassibilité coutumière.

— Impossible de mettre la main sur Timsah. Il a disparu.

— Attends-moi ici.

Un bref et virulent entretien avec le cheikh de Karnak, à qui je dus remettre un substantiel bakchich, me permit d'obtenir le renseignement espéré. Le crocodile se terrait chez une femme, dans le bourg de Karnak. Nous fûmes bientôt en présence du fouilleur de Drovetti.

— Pourquoi te cachais-tu ? demandai-je, cassant.

— Je me reposais.

— Où est l'argent promis pour payer les ouvriers ?

— Il n'est pas arrivé.

— Quand pourrai-je en disposer enfin ?

— Je l'ignore.

— Comment entres-tu en contact avec le consul ?

— Il m'envoie des messagers.

— Chaque jour ? Chaque semaine ?

— Cela dépend... quand il le juge nécessaire. Voilà bien longtemps que je n'en ai pas vu. Ce n'est pas une bonne saison pour voyager.

Le crocodile gardait les yeux clos. Mes questions ne l'impressionnaient pas. Protégé par Drovetti et par le pacha, il se sentait invulnérable.

Je brisai là l'inutile entretien.

*

Quatre jours passèrent. Le temps fuyait. J'avais dû interrompre les fouilles, faute d'argent. Le fouilleur de Drovetti n'avait reçu aucun message. Il n'en recevrait aucun tant que je persisterais dans mon projet. Ainsi, les bruits qui couraient à Paris avant mon départ étaient fondés : Drovetti s'opposerait par tous les moyens à mon désir d'étudier les sites et de les remettre en valeur.

Je devais me contenter d'être un passant.

L'âme triste, je déambulais sur le quai de Louxor. L'occident rougeoyait. Bientôt, le Nil s'enflammerait des mille couleurs du couchant. Thèbes était là, à portée de ma main, et je devais y renoncer à cause d'un diable qui avait juré ma perte et celle des anciens Égyptiens.

Alors que je contemplais la rive des morts, un homme se rua vers moi et me poussa violemment vers le fleuve.

CHAPITRE 16

Sans l'intervention de L'Hôte, j'aurais été assommé et jeté dans le Nil. Sortant son sabre, il en menaça mon agresseur. Comme ce dernier tentait de s'enfuir, il le lui lança dans les jambes, provoquant sa chute. Il grimpa sur son dos et le maintint face contre terre. L'homme se débattit mais dut s'avouer vaincu. L'Hôte lui arracha le turban qui lui masquait la tête et le visage.

Abdel-Razuk! Le policier du pacha avait tenté une seconde fois de me supprimer.

— De qui reçois-tu tes ordres? demandai-je.

Le chaouiche leva les yeux au ciel.

— Réponds, s'emporta Nestor L'Hôte, ou je te brise la nuque!

Je traduisis la menace. La colère bien réelle de mon compatriote effraya Abdel-Razuk. Balbutiant, il se décida à parler.

— C'est... c'est le Prophète qui m'a donné l'ordre de vous tuer.

J'étais abasourdi.

— Pourquoi?

— Je l'ignore.

— Où se trouve-t-il? Se cache-t-il à Thèbes?

— Il est parti vers le sud...

— Depuis quand?

— Trois jours. Je devais lui faire parvenir la nouvelle de votre décès pour qu'il puisse revenir à Thèbes.

— Disparais, Abdel-Razuk. Ne te mets plus en travers de ma route. Sinon, mes amis et moi ne retiendrons plus nos sabres.

J'ordonnai à L'Hôte de le laisser déguerpir.

— Pourquoi ne l'amenons-nous pas au pacha ?

— S'il dit la vérité, mieux vaut le laisser en liberté. Il avertira le Prophète. Ce dernier sera fort affecté par l'échec de son plan. Nous sommes sur ses talons. Nous finirons par le retrouver et par comprendre pourquoi il veut ma mort. Que tout soit prêt d'ici une heure. Nous partons pour le sud.

*

Les deux bateaux s'écartèrent du quai de Louxor. Champollion et les membres de son expédition, aidés par le vent, s'éloignèrent vite de la prestigieuse capitale des pharaons du Nouvel Empire.

Bernardino Drovetti, consul général de France, abandonna la fenêtre d'où il avait assisté au départ. Il alluma une pipe en faïence, préparée avec du tabac turc, et but avec grand plaisir un vin de Bordeaux.

Assis dans un angle du vaste salon qui servait de quartier général au consul, Abdel-Razuk psalmodiait des versets du Coran.

— Parfait, murmura Drovetti pour lui-même. Puisqu'il a quitté Thèbes, nous pouvons continuer en toute sécurité. Abdel-Razuk !

Le chaouiche du pacha se leva. Il craignait cet homme ombrageux qui avait l'oreille de Méhémet-Ali.

— N'oublie pas de prendre les précautions nécessaires... Champollion aborde la partie la plus périlleuse de son voyage. La nature nous viendra peut-être en aide. Il y a déjà eu beaucoup d'accidents, dans le sud. Notre complice pourra enfin donner sa pleine mesure, au cœur même de cette maudite expédition...

*

M'éloigner de Karnak fut un déchirement. Je me promis d'y revenir en vainqueur, avec la certitude de pouvoir faire parler les pierres, de rendre la parole à l'Égypte éternelle. Après ces journées passées à terre, mes compagnons retrouvèrent la navigation avec une curiosité certaine, se demandant quels nouveaux horizons nous attendaient.

Consultant les cartes archéologiques que j'avais établies moi-même, je fixai notre prochain arrêt à El-Kab, très ancienne cité où j'espérais voir des vestiges des temps les plus anciens. Alors que nous arrivions à la hauteur de la ville d'Esna, le vent et la nuit contrarièrent ces projets. Le *reis* qui guidait la navigation nous recommanda une halte. Je fis donc faire voile un peu plus au sud, abandonnant nos lourds bateaux et utilisant des barques pour nous rendre sur le site de Contra-Latopolis. Seuls m'accompagnaient L'Hôte et Rosellini, lequel aborda au rivage le premier.

Accourut vers lui un grand gaillard vêtu d'une djellaba sale et trouée. Il parlait fort et articulait mal. Rosellini me pressa d'intervenir. Je m'aperçus que l'homme était édenté, ce qui expliquait sa mauvaise élocution. Ce que je crus comprendre me plongea dans un tel état de consternation que j'en défaillis. Ma pâleur alerta L'Hôte, prompt à noter la moindre de mes réactions.

— Que raconte ce bandit, général ? Vous a-t-il insulté ?

— Bien pire, ami, bien pire...

J'en avais perdu le souffle. Je dus m'asseoir, soutenu par mes collaborateurs. L'Arabe édenté était étonné de me voir si désespéré.

— Parlez, maître, insista Rosellini.

Je fis un effort considérable pour m'exprimer.

— Il y avait un grand temple ici, voici encore douze jours... il a été entièrement démoli par les ouvriers du pacha. Les pierres ont été utilisées les unes pour construire des fabriques, les autres pour renforcer le quai d'Esna qui menace d'être emporté par le Nil.

Ni L'Hôte ni Rosellini ne trouvèrent de réplique

réconfortante. Ils savaient que la destruction volontaire des monuments égyptiens était pour moi la plus insupportable des souffrances. Rien ne pouvait m'en consoler.

Le vent froid du nord me glaça les tempes. Je grelottai.

— Retournons à Esna, dis-je, au bord des larmes.

*

Une autre calamité nous attendait.

L'*Isis*, rempli d'eau, était échoué sur la rive. Par bonheur, il avait abordé sur un point peu profond et, touchant bientôt, il n'avait pas coulé. Il fallut néanmoins vider le bâtiment pour le radouber et boucher la voie d'eau. Nos provisions étaient mouillées. Nous avions perdu sel, riz et farine de maïs.

Je vis L'Hôte accablé pour la première fois.

— Mauvais signe, général... le grand sud ne vaut rien.

— Au contraire, répliquai-je. Tout cela n'est rien auprès du danger qui nous eût menacés si cette voie d'eau se fût ouverte pendant la navigation dans le grand chenal. Nous eussions coulé irrémissiblement. Que le grand dieu Amon soit donc loué !

Mon optimisme, qui me surprit moi-même, fut communicatif.

— Par le diable, vous avez raison, général ! Nous sommes sous le régime des dieux égyptiens ! Remettons notre destin entre leurs mains.

Ce nouvel enthousiasme fut aussitôt tempéré par l'arrivée bruyante d'une troupe nombreuse, armée de fusils, de longs pistolets, de sabres et de lances. Ils étaient commandés par un géant moustachu d'allure rébarbative. J'ordonnai à mes compagnons de demeurer sur les bateaux. J'aperçus Lady Ophelia, le visage presque entièrement caché par un chapeau mauve à larges rebords. Elle ne cédait à aucun affolement.

A pas tranquilles, je me dirigeai vers le commandant qui nous assiégeait. Après lui avoir souhaité mille bénédictions pour lui et sa famille, je demandai les raisons de ce déploiement de forces contre ma modeste expédition qui bénéficiait, comme le monde entier le savait, des faveurs insignes du pacha.

La malchance s'acharnait. J'avais affaire à un esprit borné, inaccessible aux charmes du discours. Sa seule réponse fut « suivez-moi », sur un ton qui n'appelait pas de réplique. Je fus invité à monter sur un chameau d'où j'adressai un signe de la main rassurant à l'intention de L'Hôte.

On me conduisit à une vaste demeure sise en bordure du Nil, à quelques centaines de mètres de là. Le commandant me menaça d'un énorme pistolet couvert de dorures. Il me poussa vers un potentat ventripotent devant lequel il s'inclina.

— Je suis Ibrahim Bey, déclara le potentat. La ville d'Esna et ses alentours sont placés sous ma juridiction. Êtes-vous russe ?

— Non point, Votre Excellence. Mon nom est Champollion. Je suis français.

— Et si vous étiez russe ? Si vous mentiez ? Hier, au Caire, on prétendait que les Russes marchaient sur Constantinople et que notre armée se préparait à les combattre. Notre maître tout-puissant le pacha redoute que des espions sillonnent nos provinces. Il attend de ses gouverneurs qu'ils les arrêtent et les exécutent.

Il n'y avait autour de moi que des regards hostiles.

— Le pacha m'a autorisé à voyager en Égypte pour y étudier les monuments anciens, dis-je avec calme. C'est mon unique mission.

Ibrahim Bey posa les mains sur son ventre.

— Je ne vous crois pas. Qui donc pourrait s'intéresser à ces vieilles pierres ?

— Mes documents d'accréditation sont sur le bateau. Il vous suffira de les consulter.

Le potentat eut une moue désabusée.

— C'est trop loin. Je suis fatigué. Le pacha m'a demandé d'identifier un espion russe... j'ai bien l'intention de lui obéir. Qui que vous soyez, vous ferez l'affaire.

Le commandant et plusieurs de ses hommes m'encadrèrent, prêts à s'assurer de ma personne par la force.

— Je vous interdis de me toucher! déclarai-je, furieux, brandissant ma main droite comme une arme dérisoire.

Le commandant tira son sabre, décidé à me faire rendre gorge.

— Écartez-vous! ordonna brutalement Ibrahim Bey à ses hommes. Vous, Champollion, approchez-vous de moi!

Il examina ma main droite avec la plus grande attention. Une intense stupéfaction s'inscrivit sur son visage.

— D'où provient la bague que vous portez?

-- Elle m'a été donnée par Mohammed Bey, le gouverneur de la province de Béni-Hassan.

Un large sourire anima les lèvres charnues du potentat.

— C'est mon frère bien-aimé, déclara-t-il en m'embrassant avec tant d'empressement qu'il faillit m'étouffer. Les amis de mon frère sont mes frères!

Les effusions furent intenses et durables. Le potentat d'Esna jura qu'il m'offrirait son bras dans ce monde-ci comme dans l'autre, qu'il honorerait ma vieillesse de présents somptueux et qu'il me garderait une place au paradis auprès de lui. Je profitai de ces avantageuses dispositions pour lui demander quelques éclaircissements à propos de ces espions russes qui lui causaient tant de soucis. Il me répondit que l'affaire était sérieuse. La veille, on avait même cru que Le Caire, lieu de violents combats, était devenu inaccessible. Ces fausses nouvelles s'étaient heureusement dissipées comme un mirage.

— Puisque vous aimez les vieilles pierres, m'annonça fièrement le pacha, j'en ai à vous offrir.

*

Pendant qu'une pacifique armée d'ouvriers achevait les réparations de nos bateaux et qu'une cohorte de serviteurs apportait des mets succulents aux membres de mon expédition, je me dirigeais avec curiosité vers le temple d'Esna, puisque le conseil des dieux en avait décidé ainsi.

Quelle ne fut pas ma surprise de découvrir, au cœur de la bourgade bruyante et poussiéreuse, un édifice de bonne taille, presque entièrement enseveli sous le sable ! De plus, il servait de magasin à coton, ce qui lui permettrait d'échapper à la destruction encore quelque temps. Le temple a été crépi de limon du Nil, surtout à l'extérieur. On a également fermé avec des murs de boue l'intervalle qui existe entre les premiers rangs de colonnes du pronaos, de sorte que mon travail a exigé le secours d'échelles et de chandelles pour voir les bas-reliefs de plus près. Pour pénétrer dans le sanctuaire, il faut y descendre, non sans avoir écarté les ordures qui gênent l'accès. Une fois à l'intérieur, il faut éviter de bousculer les hommes qui dorment sur une natte et ceux qui, déchaussés et installés sur des tapis, lisent le Coran en ce lieu pourtant destiné à d'autres mystères. Ce sanctuaire, de fondation ancienne, est dédié au dieu bélier Khnoum, qui a pour fonction de modeler sur son tour de potier la totalité des êtres vivants. D'après ce que j'ai pu en juger, les reliefs enseignaient aux sages le processus de cette création qui est à la base de tous les artisanats.

L'échelle, dressée entre deux chapiteaux, grinça de manière sinistre. Quelqu'un descendait. Le bas d'une soutane apparut. A grand-peine, le père Bidant s'introduisit dans ce temple enseveli jusqu'au menton.

— C'est terrifiant, dit-il en m'apercevant, une chandelle à la main. On croirait pénétrer dans l'antre du diable !

— Rassurez-vous, mon père. Il n'y a que moi et quelques incroyants.

— Étrange endroit, observa-t-il, inquiet.

— Si on lui ôtait sa gangue, il apparaîtrait comme un temple commencé à bonne époque et mené à terme par les empereurs romains. Il y a ici des textes surprenants sur la naissance de la vie.

— En accord avec la doctrine chrétienne? s'angoissa le père Bidant.

— Je crains que non, avouai-je. D'après ce que je perçois, les textes parlent d'une divinité qui transmet sa puissance à d'autres forces créatrices agissant en son nom... des intermédiaires entre Dieu et l'homme, en quelque sorte. Ce que les anciens nommaient des « génies », contre lesquels le christianisme a tant lutté.

J'attendais une réplique cinglante, mais le religieux se contenta de déambuler dans la salle engloutie.

— J'ai eu tort de vous interpeller d'une façon aussi brutale, Champollion. Je me suis emporté au-delà du raisonnable, il est vrai. C'est bien peu chrétien. Je demande votre pardon. Il faut me comprendre. La chaleur, une nourriture peu raffinée, les fatigues du voyage, l'irritation d'être si éloigné de notre beau pays de France, le contact répété avec les infidèles... autant de poids presque insupportables qui m'ont amené à ce regrettable accès de faiblesse et d'intolérance.

J'étais profondément ému. La sincérité du père Bidant effaçait nos querelles passées.

— Je ne suis pas exempt de reproche, mon père. Dès que l'on s'attaque aux vieux Égyptiens, mon sang bouillonne. Ne me prenez pas pour un ennemi juré de la religion chrétienne. Je crois simplement qu'elle n'est pas originale et qu'elle prend ses racines dans une foi plus ancienne et plus vaste qui, demain, sera une lumière nouvelle pour l'humanité.

Le père Bidant passa avec précaution le doigt sur un relief comme si les figures divines étaient porteuses d'une magie le mettant en péril.

— Je ne peux évidemment vous suivre sur ce terrain, Champollion, mais j'admire votre démarche et je tente de la comprendre. Admettez, à votre tour, que j'ai le devoir de vous maintenir sur les chemins de la vraie foi.

— Je tenterai, mon père, de vous convertir à la religion des pharaons!

Le religieux sourit avec bonhomie.

— Soyez sans le moindre espoir ! Mais continuez à bien travailler pour votre science...

Le père Bidant sortit du temple. Je m'étais trompé sur son compte. C'était un brave homme, mal préparé à une telle aventure et tout à fait désorienté par l'Orient ! Sa tolérance devenait la meilleure arme pour rétablir entre nous une paix durable et profonde.

*

Il faisait nuit quand je quittai à mon tour le sanctuaire d'Esna. J'y avais perdu la notion du temps, étonné par l'ampleur de la philosophie déployée sur les murs. Étonné et irrité, car je butais encore sur certains hiéroglyphes et ne parvenais point au déchiffrement total que je sentais pourtant si proche.

Une joyeuse agitation régnait au-dehors. Des bohémiennes, les *ghaoûzis*, avaient installé leurs tentes sur une petite place. Elles étaient entourées de leurs pères, des marchands de bestiaux qui n'hésitaient pas à vendre leurs propres filles au plus offrant. Vêtues d'un boléro noir et de jupes blanches, le ventre à nu, le cou orné de lourds colliers de nacre, les *ghaoûzis* commencèrent à danser et à chanter. Leur voix aigrelette était accompagnée de sons de flûte, de clarinette et de luth. Cette musique lancinante produisait un effet immédiat : on l'écoutait sans plaisir mais on se laissait charmer. Se diffusant dans la nuit chaude, elle s'insinuait dans les moindres fibres du corps.

L'une des danseuses, qui se déhanchait en cadence avec beaucoup de grâce, était particulièrement belle. Les seins, libres sous le boléro, frémissaient d'aise à chaque mouvement. Son ventre plat, mordoré, semblait animé d'une vie indépendante. Les chevilles très fines tressautaient sur le sol avec une agilité surprenante.

— Vous vous intéressez aux filles de joie ?

La voix de Lady Redgrave me fit sursauter. S'étant accoutrée à la garçonne, d'un pantalon noir et d'une

202

chemise brune, elle avait ramassé ses admirables cheveux en un chignon dissimulé sous un bandeau. Dans la pénombre, elle pouvait passer pour un jeune homme.

— Bien curieuse occupation pour un homme de science, continua-t-elle, ironique. A moins que cet homme-là n'ait menti sur sa véritable occupation et qu'il ne soit qu'un espion à la solde des Français...

Dans cette atmosphère de gaieté et de détente, je n'avais point envie d'entamer une querelle.

— Ce n'est pas un lieu de promenade pour une dame, Lady Redgrave. Il est fort risqué de vous aventurer dans cette foule.

— Pourquoi m'abandonnez-vous à la solitude, Jean-François ? Vous ai-je contrarié ?

— Il n'est pas agréable d'être traité d'espion... mais c'est plutôt vous qui me tenez résolument à l'écart !

— Vous êtes de mauvaise foi, monsieur l'égyptologue. Ce manque de rigueur scientifique n'est pas à votre honneur.

— Vous ne parviendrez pas à me mettre en rage, Lady Ophelia... la soirée est trop douce, le spectacle trop aimable et vous trop séduisante. Goûtez ces danses et ces chants. Nous parlerons plus tard.

— Demain... toujours demain ! Restez avec vos courtisanes. Je rentre au bateau.

Comment la retenir ? Comment la persuader de rester à mes côtés ? Alors que la belle *ghaoûzi* s'envolait dans une périlleuse acrobatie, Lady Redgrave avait disparu.

*

Lorsque je rentrai, au petit matin, j'aperçus un objet inquiétant installé à l'avant de l'*Isis* : rien moins qu'un canon de taille respectable !

L'Hôte, qui m'attendait avec un bol de thé fumant, m'expliqua qu'il s'agissait d'un cadeau d'Ibrahim Bey pour assurer notre sécurité. Il me précisa qu'il ne s'était pas inquiété de ma longue absence car des soldats turcs avaient entouré le temple pendant que j'y travaillais et m'avaient suivi à distance pendant la fête des *ghaoûzis*. Leur commandant avait passé la nuit à bord du bateau, s'éclipsant juste avant mon arrivée.

Nous partîmes pour El-Kab, l'antique Nekheb. Nous y fûmes accueillis par la pluie, qui tomba par torrents avec tonnerre et éclairs. Ainsi pourrons-nous dire, comme Hérodote, lors de son voyage qui se déroula sous le règne du roi Psammétique : il a plu de notre temps en Haute-Égypte !

Je parcourus avec empressement l'intérieur de la ville d'El-Kab encore subsistante, ainsi que la seconde enceinte qui renfermait les temples et les édifices sacrés. J'examinai tout, de jour comme de nuit, une lanterne à la main. Je n'y trouvai plus une seule colonne debout ; les barbares ont détruit depuis quelques mois ce qui restait des deux temples antérieurs et le temple entier situé hors de la ville. On les a démolis pour réparer un quai ou quelque autre construction utilitaire. Il a fallu me contenter d'examiner une à une les pierres oubliées par les dévastateurs et sur lesquelles il restait quelques sculptures. Un monde sacré s'évanouissait. Çà et là, des cartouches contenant le nom de grands pharaons, les Thoutmosis, Aménophis ou Ramsès, prouvent que s'élevaient ici des chefs-d'œuvre évanouis quelque temps avant mon arrivée. Avais-je tort de me presser de venir en Égypte ?

La seule consolation me vint de Lady Redgrave qui était partie explorer une colline proche de la ville ancienne. Elle m'appela d'un cri joyeux.

— Il y a un curieux tombeau, m'annonça-t-elle dès que je l'eus rejointe en compagnie de L'Hôte et de Rosellini. Rien que des colonnes de texte.

Je mis un genou en terre pour les examiner. J'éprouvais une familiarité avec ces signes, percevant le sens général. L'inscription était l'œuvre d'un militaire de haut rang, Ahmosis, chef des marins de Pharaon. Il avait, sous le règne d'un monarque nommé également Ahmosis, conduit ses troupes à la victoire pour chasser d'Égypte les Hyksos, des envahisseurs venus de Libye.

C'était la plus longue et la plus révélatrice des inscriptions concernant cette guerre de libération au sortir de laquelle allait resplendir la gloire de Thèbes, nouvelle capitale de l'empire. A quelques siècles de distance, j'éprouvais une vive affection pour ce héros, regrettant qu'il ne fût point parmi nous pour expulser d'Égypte ses modernes barbares.

Moktar et Soliman m'interrompirent dans ma copie pour me prévenir que le professeur Raddi avait disparu. Ils avaient besoin de moi afin d'explorer le village où un paysan l'avait vu s'engouffrer en compagnie d'une jeune femme. Soliman ne cachait pas une vive anxiété. Si le minéralogiste avait décidé de séduire une indigène, l'affaire risquait de se terminer au plus mal.

Je courus jusqu'au village. Savoir en péril un membre de mon expédition me plongeait dans le plus déchirant des tourments. Mes chers hiéroglyphes eux-mêmes ne me réconfortaient pas.

Il n'y avait qu'une cinquantaine de cahutes, tassées les unes contre les autres de manière à lutter contre le soleil et la chaleur. Des enfants rieurs nous signalèrent aussitôt la présence d'un étranger dans l'une d'elles. Le professeur Raddi s'y trouvait, penché sur une fillette, allongée sur une natte. Au-dessus de son visage, il agitait une ficelle au bout de laquelle était accrochée une pièce de monnaie.

— Ne faites aucun bruit, Champollion. Cette enfant a la fièvre. Grâce à ma méthode, j'espère la guérir.

Nous assistâmes, impuissants et dubitatifs, à la cure du professeur Raddi. Les yeux des parents, qui avaient entendu parler de la présence d'un faiseur de miracles dans notre expédition, luisaient d'espoir. Leur masure était d'une absolue misère, leur seule richesse consistant en deux bassines d'étain que la mère récurait avec acharnement.

Une longue heure s'écoula. La pièce de monnaie allait et venait inlassablement. La fillette balbutiait des phrases incohérentes. Elle sortit de sa torpeur, redressa le buste, reconnut sa mère qui la prit dans ses bras.

— Je crois que j'ai réussi, soupira le professeur Raddi, s'épongeant le front.

— Comment avez-vous procédé ?

— Nous avons quelques dons de guérisseur, dans ma famille. En Italie, je les avais oubliés. Ici, je les ai retrouvés... c'est merveilleux de ne plus être confiné chaque jour dans une ville, dans un bureau, de ne plus être enfermé dans des recherches qui n'intéressent que moi ! J'apprends à ne plus travailler, Champollion !

Les parents voulurent congratuler le professeur qui les gratifia de nombreuses accolades et embrassades, avec une exubérance toute italienne. J'en profitai pour m'adresser à la fillette.

— Tu as parlé du Prophète, tout à l'heure... tu le connais ?

— Il me fait peur. Il m'a jeté le mauvais œil.

— Il a habité ton village ?

— Non. Mais il est venu ici, il y a une semaine.

— Sais-tu où il est parti ?

— Il a dit qu'il allait à Edfou... je suis bien contente qu'il ne soit plus là.

CHAPITRE 17

C'est débordant d'enthousiasme que nous arrivâmes de bonne heure devant le gigantesque pylône du temple d'Edfou. A grande distance, il nous avait frappés par ses dimensions colossales. Pourtant, ce prodigieux édifice, le mieux conservé de ceux que nous avions vus jusqu'à présent, était en grande partie englouti sous le sable. Les tours sacrées se dressaient à une hauteur de soixante-quinze pieds au-dessus de nos têtes et plongeaient à une profondeur d'au moins quarante pieds supplémentaires sous la surface du sol.

Le grand temple du dieu Horus, le protecteur direct de Pharaon, était devenu une sorte de village pouilleux sur lequel s'étaient installés des fellahs et leurs familles, ignorants du lieu saint qu'ils profanaient par leur présence. Ils habitaient sur le toit du temple qu'ils souillaient sans remords. Pour y parvenir, nous fûmes obligés de progresser entre des huttes avant d'atteindre une volée de marches grossièrement taillées. J'imaginais l'immense esplanade cachée sous ce tas de décombres, la grande cour précédant la salle à colonnes, les vastes pièces ornées de reliefs et de textes dont la plupart me demeuraient inaccessibles. Partout, un grouillement d'êtres humains vivant aux côtés de volailles, de vaches, de chiens, d'ânes et d'une surabondante vermine. Nous marchions sur d'immondes débris et dûmes déloger des indigènes dormant sur des corniches ou des tambours de chapiteaux, le dos calé contre le visage de la déesse Hathor ou celui du dieu Horus. On fumait, on mangeait, on buvait sans souci des divinités.

Ce temple était un résumé de l'univers et une somme des sciences pratiquées par les anciens. Astrologie, botanique, médecine, magie, minéralogie, alchimie, géographie étaient enseignées en ces lieux dont je rêvais qu'ils fussent un jour rendus à la pleine lumière.

Entrant dans les chambres aménagées à l'intérieur du pylône, Nestor L'Hôte poussa une exclamation. Il venait d'identifier le corps de garde utilisé par une centaine de grognards lors de l'expédition d'Égypte. Oubliés là après la convention d'El-Arish, ils se réfugièrent dans les villages environnants mais revinrent à ce campement sur les murs duquel ils gravèrent leurs noms, les dates des décès, dessinèrent des moulins à vent au toit pointu qui leur rappelaient un coin de France. Les derniers de ces braves étaient devenus mamelouks, prenant l'habit de ceux qu'ils avaient combattus.

— Fabuleux endroit, reconnut le père Bidant, qui visitait le temple à mes côtés.

— Il pourrait l'être, en effet, si on le débarrassait du monceau d'ordures et de sable qui l'étouffe.

— Et le protège de la destruction, objecta Rosellini.

Un profond sentiment d'impuissance m'envahit. Fallait-il donc enterrer les temples et les dissimuler à jamais aux regards pour les sauver ? N'était-ce point les condamner à une autre mort, à une destruction lente et pernicieuse ? Ne pouvait-on arracher l'Égypte à cette barbarie qui l'avait recouverte ?

Des tracasseries administratives vinrent briser cette méditation. Moktar avait besoin de moi. Il m'amena à l'extrémité de la ville arabe, jusqu'à un bureau militaire qui voulait examiner mes autorisations.

Je crus qu'il se moquait de moi. Il m'avait conduit devant une niche fermée par un rideau, entre deux murs de briques près de s'effondrer. Discernant d'autres niches semblables closes de même manière, je me demandais à quel mystère j'étais affronté quand le rideau s'ouvrit. Un homme enturbanné, assis sur une pierre, tenait une liasse de papiers sales. Il venait de me dévoiler son bureau.

— Vos autorisations, exigea-t-il, agressif.

Au lieu de répondre directement, ce qui aurait constitué une grave injure, je me lançai dans une kyrielle de compliments sucrés sur l'importance et la compétence du haut fonctionnaire qui me faisait l'immense honneur de m'adresser la parole. Ces fleurs de rhétorique, pourtant choisies avec soin, ne séduisirent pas le policier. Il se leva pour soulever le rideau d'une autre niche remplie de paperasses. Avec une dextérité acquise au cours d'une longue carrière, il extirpa un document jauni qu'il me brandit au visage. Je lus avec étonnement une loi locale datant de 1650 selon laquelle il était interdit à tout étranger de s'aventurer sur le territoire d'Edfou. Le contrevenant risquait une lourde peine de prison. Lui signaler que ces dispositions étaient caduques aurait été inutile et dangereux.

Le bonhomme triomphait, ne cachant pas sa haine de l'étranger. Il ne restait qu'une solution : lui prouver que je n'en étais pas un.

Changeant d'attitude, j'appuyai chaque syllabe de mon arabe et le menaçai des pires représailles ici-bas et dans l'au-delà s'il osait mettre en doute ma qualité et mes titres. Un semblant de colère m'emporta.

Effrayé par cette réaction qu'il n'attendait pas, pressentant que j'étais capable du pire, le fonctionnaire rassembla maladroitement ses papiers qu'il plia à la hâte. Une étrange inspiration me saisit.

— Qui t'a ordonné de m'importuner ainsi ?

Il serra les lèvres.

— C'est le Prophète, n'est-ce pas ? Tu es à son service ?

Son mutisme fut une réponse suffisante. Furieux, je rabattis moi-même le rideau sur ce fantoche.

*

Deux hommes avaient observé la scène depuis l'intérieur d'une cahute sise sur un monticule dominant la ville.

— Champollion continue, murmura Adbel-Razuk.

— Nous n'attendions pas mieux de cet imbécile de policier, jugea Drovetti. Il a répandu le peu de venin dont il disposait. Il a jeté une inquiétude nouvelle dans l'esprit de Champollion. L'homme est sensible. Nous parviendrons à l'effrayer et à le dégoûter.

*

Notre départ fut retardé par Nestor L'Hôte. Le malheureux avait pénétré à l'intérieur d'une des masures construites sur le toit du temple pour dessiner un chapiteau qu'il avait dégagé d'un tas d'immondices. Son exploit lui avait valu d'être couvert de boutons et de plaques rouges. D'insupportables démangeaisons le contraignirent à se baigner longuement dans le Nil.

Nos bateaux atteignirent l'un des plus surprenants endroits de la vallée du Nil, le Gebel Silsileh, où les deux déserts viennent à la rencontre l'un de l'autre. Ils n'accordent au fleuve qu'un étroit passage entre deux collines de grès jaune. Gebel Silsileh signifie « montagne de la chaîne » ; selon la tradition, une chaîne tendue entre ces deux massifs fermait le cours du Nil. Les deux rives ont été exploitées par les anciens Égyptiens et le voyageur est effaré s'il considère, en parcourant les carrières, le nombre de pierres qu'on a dû en tirer pour produire les galeries à ciel ouvert et les vastes espaces excavés qu'il ne se lasse point de découvrir, vivant avec le souvenir des ouvriers qui avaient sué sang et eau pour faire naître le premier état des futurs chefs-d'œuvre. Aux immenses failles et à la quantité de débris que l'on voit encore, on peut juger que les travaux ont été suivis pendant des milliers d'années et qu'ils ont fourni les matériaux employés à la plus grande partie des monuments de l'Égypte. Nous eûmes la sensation d'entrer dans le flanc même de la montagne où, bloc par bloc, étaient nés Louxor, Deir el-Bahari, Karnak...

210

Le professeur Raddi tomba en extase. Jamais il n'avait eu l'occasion de goûter une telle quantité de grès d'une aussi belle qualité. La voix du Nil, rapide et tonitruant à cet endroit, évoquait celle des maîtres d'œuvre, des contremaîtres, des tailleurs de pierre, des carriers, des tâcherons pour qui, pendant de longues années, cet immense chantier avait été le seul horizon.

— C'est prodigieux, dit le professeur Raddi agenouillé devant un bloc. Voici le plus beau laboratoire de ma carrière. Ils sont là les ingénieurs du vieux temps, ils sont là, je les entends ! Ces pierres n'ont aucun secret pour eux... avec leurs mains, ils en connaissent l'intérieur, la moindre veine. Ils sont capables de distinguer les bonnes des mauvaises par le simple contact de la paume. Ils sont là pour toujours, ils ne peuvent pas disparaître...

L'Hôte et Rosellini continrent leur étonnement. Leur regard indiquait assez qu'ils prenaient le minéralogiste pour un demi-fou.

— Le soleil est trop rude, dit Rosellini. Il nous liquéfie la cervelle. Nous devrions revenir à Thèbes.

La réaction du professeur Raddi fut d'une incroyable violence. Il souffleta son compatriote avec tant de force qu'il le jeta à terre.

— Je vous interdis de proférer des âneries ! Vous êtes indigne de ces lieux... taisez-vous ou partez !

L'Hôte voulut se jeter sur le minéralogiste. Lui barrant le chemin, Lady Redgrave l'en empêcha.

— Inutile d'ajouter encore à cet incident... gardez votre sang-froid, monsieur L'Hôte.

Ébahi, choqué, Rosellini tournait vers moi des yeux suppliants. L'Hôte attendait mes ordres. J'étais incapable d'en donner. La discorde me plongeait dans un total désarroi. Notre petite communauté se désagrégeait, la haine remplaçait l'amitié. Indifférent au drame qu'il avait provoqué, le professeur Raddi s'éloignait à pas lents, sortant sa loupe pour examiner de plus près chaque spécimen exceptionnel.

— Général, intervint L'Hôte, laissez-moi corriger ce malappris.

Je répondis non de la tête. Rageur, le dessinateur s'empara d'un petit bloc de grès et le jeta au loin, avant d'aller s'asseoir à l'écart.

Ce fut Moktar qui aida Rosellini à se relever. Mon disciple italien, qui n'avait rien d'un homme de pugilat, tardait à recouvrer son souffle.

— Pourquoi... pourquoi le professeur Raddi m'a-t-il frappé ?

— Soyez un homme, exigea Lady Redgrave. Vous l'avez blessé dans son affection, il a réagi. Si vous cédez à la première bataille, l'avenir de l'égyptologie est bien mal engagé !

Ippolito Rosellini sursauta.

— Maître... cette femme est un démon ! Elle ne cesse de nous espionner, elle est l'apôtre de notre pire ennemi ! Pourquoi lui faites-vous confiance ? Pourquoi ne la chassez-vous pas ? Bientôt, elle nous poignardera dans le dos !

Moktar souriait. Ces dissensions lui plaisaient.

— Laissez-moi seul, demandai-je.

*

Les masques étaient tombés. Les carrières du Gebel Silsileh avaient révélé la véritable nature de mes compagnons. Le professeur Raddi, égoïste, enfermé dans ses visions ; Nestor L'Hôte, vindicatif et intolérant ; Rosellini, lâche et sans caractère ; Lady Redgrave, impérieuse et implacable. Par bonheur, le père Bidant n'avait point assisté aux déchirures qui venaient de rompre notre tissu fraternel. J'eus la tentation de le rejoindre, à bord de l'*Hathor*, et de me confesser à lui. Mais la vision de Soliman, assis à l'avant du bateau, m'en dissuada. De quels péchés avais-je à délivrer mon âme ? Ne m'étais-je point abandonné moi-même pour m'offrir à l'Égypte, à la spiritualité qui imprégnait la moindre de ses pierres ?

Travailler dans ces carrières magiques me redonna la quiétude. Mes yeux fatigués par tant de sculptures du temps des Ptolémées et des Romains ont revu avec délices des bas-reliefs pharaoniques de la bonne époque. Il y a ici d'innombrables traces des rois de la dix-huitième dynastie et de leurs maîtres d'œuvre. Mon cher Ramsès, son père le farouche Sethi et son fils Merenptah s'étaient fait creuser dans le roc des chapelles d'éternité où figuraient des louanges au dieu Nil, identifié avec le fleuve céleste véhiculant l'eau primordiale à travers l'univers ; il est naturel qu'il soit honoré ici puisque c'est le lieu où le fleuve semble renaître après avoir brisé les montagnes de grès qui lui barraient le passage. Lorsqu'on comprendra complètement les textes, on s'apercevra que les Égyptiens avaient une conception très avancée de l'énergie dont les échanges assurent la perpétuation de la vie, qu'il s'agisse de celle des étoiles ou de celle de l'homme. Ils imaginaient que notre terre est environnée d'un océan de vibrations où prennent forme les puissances créatrices, ils voyaient chaque être comme un faisceau d'ondes perpétuellement renouvelées et agissant entre elles.

Ces carrières offrirent, au-delà de l'épreuve, une nouvelle impulsion au voyage. Elles incarnaient la jeunesse du monde, le désir de bâtir une autre vie. Le Gebel Silsileh enseignait que la société des hommes devait être habitée par des temples et qu'elle serait toujours un chantier.

J'avais puisé le réconfort dans la solitude, dans le dialogue avec la pierre. Je voyais clairement mon devoir : unifier à nouveau notre communauté.

*

Pendant deux jours, nous scrutâmes bloc par bloc le temple double de Kom Ombo dont l'une des moitiés est consacrée au dieu faucon Horus et l'autre au dieu crocodile Sobek. Ainsi s'alliaient le principe de l'air et celui de l'eau dans une alchimie subtile. Le lieu est superbe. Le sanctuaire forme une sorte de belvédère dominant le Nil. Le couchant le pare de lueurs dorées qui effacent la mauvaise qualité des sculptures tardives et rétablit l'édifice dans sa splendeur d'antan.

Le père Bidant demeurait cloîtré dans sa cabine où il se consacrait à la prière. Nestor L'Hôte, boudeur, dessinait avec application et quelque mauvaise grâce les reliefs que je lui désignais. Rosellini, fiévreux, gardait la chambre. Lady Redgrave lisait *le Paradis perdu* de Milton sur la terrasse du temple donnant sur le Nil. Soliman continuait à surveiller Moktar, redoutant les contacts que ce dernier pourrait établir avec des adversaires de l'ombre.

Qui, parmi mes compagnons de route, me trahissait au profit du pacha et du consul général ? Qui possédait assez de duplicité pour afficher une fausse amitié et tenter d'étouffer des découvertes qui, j'en étais persuadé, changeraient en profondeur l'histoire et la pensée des hommes ?

Ma conviction se renforçait chaque jour. L'Égypte était plus que l'Égypte. Elle avait fait naître les sciences, formulé la plus profonde des philosophies, édifié les plus achevés des temples. Ici palpite le cœur du monde. D'ici surgira la révolution spirituelle qui balayera les anciennes croyances et permettra aux hommes de communier à nouveau avec les dieux. C'est la raison pour laquelle je dois réussir, quoi qu'il m'en coûte, à déchiffrer cette langue sacrée, ces paroles de création qui donnent le mode d'emploi de l'énergie céleste. Les Égyptiens n'avaient pas d'autre ambition que la sagesse. L'obtenir ne résultait pas d'une croyance mais de la connaissance de l'univers.

Ces pierres façonnées par des siècles de lumière élèvent l'âme par leur seule présence. Le voyage que j'avais tant espéré devenait un pèlerinage vers le cœur de l'être. Quel individu doué de conscience aurait pu se sentir étranger à ce pays où chaque temple parle de l'essentiel ? Sur cette hauteur dominant le Nil, je surplombais pour la première fois ma propre existence. Elle m'apparut dans sa pauvreté et sa dérision. Je n'étais qu'une fourmi essayant de grappiller quelque nourriture dans une immense salle de banquet où des géants servaient les plats les plus savoureux ; mais une fourmi laborieuse, obstinée, à l'insatiable appétit et aux forces démesurées par rapport à sa taille. La providence m'avait offert le plus beau cadeau dont un homme puisse rêver : découvrir le paradis sur terre, y pénétrer de son vivant. En jouir de manière égoïste aurait été la pire des bassesses. Il me fallait transmettre les vérités que j'avais entrevues en soulevant le voile d'Isis, travailler sans relâche, ne tenir aucun compte de la fatigue.

Le soleil commença à descendre vers l'horizon, inondant d'or liquide les reflets d'argent du fleuve. J'appréciais cette heure-là comme une offrande. Les Égyptiens l'appelaient « plénitude ». Tout s'apaisait. Les parfums s'insinuaient dans la brise du nord qui ridait la surface de l'eau. D'instinct, on se taisait. Le paysage emplissait le regard, dissolvait les pensées dans un océan de vert et d'orange, effaçait les impuretés.

Une silhouette progressait entre les colonnes.

Moktar s'arrêta à distance respectueuse.

— Celui que vous cherchez est ici, annonça-t-il, mystérieux.

— Qui te l'a appris ?

— Les nouvelles vont vite, en Orient... nul ne sait qui les transmet. Le Prophète se cache au village, chez un marchand.

— Si je refusais de te croire ?

— Comment vous convaincre ? Je ne suis qu'un humble intermédiaire. Si vous souhaitez que je vous guide, deux ânes nous attendent.

Moktar m'attirait-il dans un piège ? Lui, le serviteur de mes ennemis, pouvait-il m'accorder son aide sans arrière-pensée ? A qui demander conseil sans révéler la présence du Prophète ? A moi de prendre le risque.

— Je te suis, Moktar.

*

Le marché nocturne du village de Kom Ombo battait son plein. La foule grouillait parmi les échoppes en plein air. Nos ânes, avec une patience inébranlable, se frayaient un chemin entre des caisses remplies de grain, bousculaient les porteurs d'eau, évitaient les chameaux, piétinaient des tas de pistaches disposés sur des carrés de tissus. Des femmes de fellahs, visage découvert, nous regardèrent passer avec curiosité. Elles achetaient de quoi manger, négociaient des pièces de vêtements. Un grand nombre d'entre elles s'était rassemblé autour d'un devin. Une autre, glapissante, échangeait un poulet contre des oignons. Un boucher, indifférent à une querelle qui venait d'éclater entre deux jeunes hommes, égorgeait un mouton. Des gamins, qui avaient volé des fèves, les déchiquetaient à belles dents. De multiples lampes à huile éclairaient les étals.

L'âne s'arrêta devant une masure. Des palmes obstruaient la porte.

— On vous attend à l'intérieur, indiqua Moktar.

J'hésitais. Aucun des membres de l'expédition ne connaissait l'endroit où je m'aventurais.

Moktar, glacial, m'observait. Impossible de discerner la moindre émotion sur son visage. Si je reculais devant l'obstacle, je perdais irrémédiablement la face. Plus personne, dans ce pays, ne m'adresserait la parole. Chacun saurait que le « général », que l'Égyptien, que l'envoyé du gouvernement français était un lâche.

Me retournant pour saluer les derniers feux du couchant, je ne tergiversai pas plus longtemps. Enjambant un rebord de terre, je pénétrai dans la masure.

Il y régnait une totale obscurité. Une entêtante odeur d'ail agressa mes narines. Me tenant immobile, retenant mon souffle, je perçus une respiration légère.

— Êtes-vous le Prophète ? demandai-je, tendu.

Je n'obtins pas de réponse. La peur me creusait le ventre. Une faible lumière illumina la petite pièce au fond de laquelle se tenait une Arabe voilée, habillée d'un délicat corsage rouge et d'un pantalon bouffant de soie bleue. Une riche aristocrate.

— Qui êtes-vous ? Pourquoi m'avoir fait venir ici ?

— Qui êtes-vous vous-même ? m'interrogea, en arabe, une voix déformée par le voile.

— Champollion, mandaté par la France pour découvrir et sauvegarder les richesses de l'Égypte ancienne.

— Gardez vos déclarations pompeuses pour le pacha, rétorqua-t-elle. Qui êtes-vous vraiment ?

Une certitude me traversa l'esprit.

— Otez ce voile ou je le fais moi-même.

Je m'avançai d'un pas.

— Oseriez-vous ?

Mon attitude lui prouva que j'étais décidé à mettre ma menace à exécution.

Très lentement, elle ôta le fragile tissu qui lui dissimulait le visage.

— Lady Ophelia... pourquoi cette comédie ?

— Ce n'est pas une comédie, Jean-François. J'avais besoin de vous parler, hors de toute présence ennemie et loin de Soliman.

— Considéreriez-vous tous les membres de notre expédition comme des ennemis ?

— Je suis au service de mon pays comme vous êtes au service du vôtre. Moi aussi, je remplis une mission. Si vous m'aimez un peu, révélez-moi vos véritables desseins.

— Vous avez recouru à cette mascarade...

— Je suis heureuse de vous prouver que je m'adapte à l'Égypte aussi bien que vous. Je connais sa langue et ses coutumes.

— Vous connaissez surtout Moktar... et sans doute son maître, Drovetti.

— Pourquoi le cacherais-je ? Oui, le consul général est un ami. Oui, le pacha m'a reçue et a écouté mes avis. Sont-ils des criminels pour autant ? Suis-je la plus méprisable des femmes pour les estimer à leur juste valeur ? Vous avez des préjugés, Champollion. Les maîtres de l'Égypte ne sont pas aussi diaboliques que vous le croyez.

— Tentez-vous de me persuader qu'ils ne laissent pas détruire les monuments égyptiens ?

Elle eut un mouvement d'épaules exaspéré.

— Ne jouez pas sans cesse les archéologues outragés, Jean-François ! Vous travaillez pour la plus grande gloire de la France, moi pour celle de l'Angleterre, voilà tout. Nous faisons le même métier, même si nous sommes dans deux camps opposés. Le devoir n'exclut ni l'admiration ni... l'affection.

— Lady Ophelia, je ne suis pas un espion, affirmai-je avec la plus grande fermeté. La France m'a confié un travail scientifique, il est vrai, mais ce voyage a dépassé toutes mes espérances. Ce sont les plus grands mystères qui m'attendaient ici.

Lady Redgrave sourit.

— Vous avez du génie, Jean-François ! Votre personnage de savant est parfait. Je ne doute presque plus de votre passion pour les hiéroglyphes. Vos dons pour la comédie sont exceptionnels.

— Comment vous faire admettre votre erreur ? Comment vous persuader que je suis égyptologue et rien d'autre ?

Elle se voila à nouveau.

— Je sais aussi garder mes mystères, dit-elle avec une caresse dans la voix. Mon plus cher désir serait de vous les révéler... si vous étiez sincère.

La sublime princesse d'Orient s'avança vers moi en ondulant. Sans avoir conscience de faire le moindre geste, je la pris dans mes bras. Sa bouche s'approcha de la mienne. Sa peau était parfumée au jasmin.

— Non, répondis-je en la repoussant. Ce n'est pas moi que vous aimez, mais un fantôme que vous avez inventé. Ayez d'abord confiance en ma parole, confiance totale ! Sinon, demeurons chacun dans le silence.

De ses yeux vert clair, accusateurs et dépités, elle me perça le cœur.

CHAPITRE 18

Dans la chaleur de midi, sous un soleil éclatant, nous voguions vers Assouan. Le paysage changeait, s'adoucissait. Palmiers, sycomores, acacias, tamaris, taillis verts égayaient les rivages. Çà et là, les taches blanches formées par de petites mosquées couronnées d'un dôme ou d'un minaret. Les villages étaient plus riches, plus riants. Les environs d'Assouan marquèrent l'entrée dans un monde nouveau. Au grès succéda le granit. La population que l'on voit s'agiter est mêlée de fellahs, de Turcs, de Bichâris, de Nubiens, d'Abyssiniens, de Soudanais. Les étals des marchés sont couverts de dents d'éléphant, de dattes, de gommes, de peaux de félins, d'épices, de produits exotiques. Si l'on regarde au fond du paysage, le Nil est barré par un rideau d'arbres, de rochers nus, de collines arides qui laissent croire que l'Égypte finit là et que les sources du Nil sont toutes proches.

Mes compagnons étaient enchantés par cette vaste oasis au sortir du chemin aride de la vallée du Nil. Je n'avais de cesse de me rendre sur l'île d'Éléphantine pour y étudier deux fameux temples de la bonne époque. J'eus encore de cuisants regrets : ils avaient été démolis voici peu d'années. Il n'en subsiste que l'emplacement. Il a fallu me contenter d'une porte ruinée dédiée à Alexandre, fils du conquérant, et de quelques actes d'adoration hiéroglyphiques gravés sur une vieille muraille ; enfin, de quelques débris pharaoniques épars et employés comme matériaux dans des constructions romaines. Ce que m'apprit l'un des gardiens de l'île déclencha ma fureur : c'étaient le nouveau palais du pacha et une nouvelle caserne qui avaient dévoré les pierres des anciens sanctuaires. Nestor L'Hôte, qui constatait mon dépit, s'acharnait à dessiner en silence.

Ce fut Rosellini qui m'arracha à la triste torpeur qui m'accablait.

— Venez, maître, me supplia-t-il. Je crois avoir découvert... la fontaine sans ombre !

L'excitation de mon disciple était à son comble. En cet endroit, que l'on croyait mythique, les rayons du soleil tombaient verticalement le jour du solstice d'été. Les Égyptiens, grâce à de savants calculs, y avaient mesuré la circonférence exacte de la terre.

La fontaine sans ombre se présentait comme un puits, une sorte de nilomètre qui, au terme d'une volée de marches, donnait accès au fleuve. Les degrés étaient recouverts de mousse. Rosellini glissa et tomba lourdement sur le côté. Je l'aidai à se relever, mais il refusa de continuer, redoutant une nouvelle chute. Pour ma part, je retrouvais la force et l'audace de la jeunesse dès que j'entrais en contact avec les vieilles pierres. Je m'enfonçai avec un vif plaisir au cœur de ce vieux monument où tant de prêtres étaient descendus avant moi.

Je demeurai un long moment dans la pénombre régnant à l'intérieur du puits destiné à capter la lumière. Sa fraîcheur effaçait la fatigue. Le temps s'arrêtait. Je me sentais plus seul, il est vrai, depuis la rupture avec Lady Ophelia, mais cette solitude était traversée par les soleils qui illuminaient mes journées d'Égyptien. J'avais la sensation de parcourir les salles d'un temple immense, à la taille du pays entier, au fur et à mesure que je progressais vers le sud. Dès le début de mon voyage, j'avais perçu que voir l'Égypte dans sa totalité était essentiel. Parvenu à la porte du Midi, à Assouan, je m'étais empli de paysages et de sanctuaires. Ma soif d'Égypte grandissait à chaque seconde.

C'est en me retournant pour monter l'escalier que je la vis.

La vipère me fixait de son regard vide, dressée sur sa queue, près de bondir.

Je ne pouvais ni reculer ni avancer. Il me fallait demeurer aussi immobile que le reptile. La mort se présentait à moi sous la forme de ce serpent qui, étrangement, ne m'inspirait aucune frayeur. J'avais eu commerce, au cours de mes recherches, avec de nombreuses déesses-serpents : le cobra protecteur de l'Égypte, celui qui se dressait au front du roi pour écarter de sa route les forces nocives, celui encore qui veillait sur les récoltes et les moissons. Et que dire des reptiles qui avaient valeur de lettres mères dans l'alphabet hiéroglyphique ? Si j'étais bien l'Égyptien, qu'avais-je à craindre d'un hiéroglyphe vivant ?

Je montai donc une marche, sans cesser de fixer la vipère. Elle se dressa davantage. Je continuai, très lentement. Ma jambe gauche passa à moins d'un mètre de la petite tête plate. Elle pouvait encore frapper par-derrière. Je ne me hâtai pas.

Marche après marche, je revis la lumière du soleil qui ne m'avait jamais paru aussi douce.

*

La plus grande célébrité d'Assouan, c'est son marché, le plus coloré et le plus animé du pays. A l'entrée, des monceaux de blé, de millet et de riz gardés par des fellahs endormis, roulés dans leurs robes, à l'ombre des parasols. Des enfants nus, environnés de mouches, couraient dans tous les sens. Des magiciens, lisant l'avenir dans des figures de géomancie tracées dans la poussière, étaient assaillis par une clientèle nombreuse. Je surpris l'un d'eux, un grand Soudanais aveugle, à sourire d'aise à l'idée d'exploiter tant de crédulité.

— Pourquoi m'avoir fait venir ici ? demandai-je à Soliman.

— L'un de nos Frères m'a donné les nouvelles les plus alarmantes nous concernant. Tous les membres de notre confrérie ont quitté l'Égypte. Drovetti a adressé de nombreux rapports au pacha pour dénoncer les Frères de Louxor comme de dangereux conspirateurs. Le pacha a décidé de les supprimer selon ses méthodes habituelles, avec la plus absolue discrétion. De très graves soupçons pèsent sur vous. Vous êtes encore protégé par le caractère officiel de votre mission, mais pour combien de temps ? Mieux vaudrait retourner au Caire le plus vite possible et vous plaindre d'ennuis de santé pour demander votre rapatriement. Continuer ce voyage constituerait une imprudence peut-être mortelle.

Nous passâmes dans une ruelle encombrée par une caravane composée de chameaux fatigués, couverts de poussière. Ils soufflaient sous le poids de leur lourd chargement, composé d'œufs d'autruches, d'ivoire, de bracelets d'or et d'argent, d'écuelles en bois, de peaux de bêtes, de cuir, de tambours. A la tête du cortège, un ânon chevauché par un vieillard dont les jambes étaient si longues qu'elles touchaient presque le sol. D'enivrantes odeurs, où se mêlaient épices et aromates, montaient des cuisines en plein air.

— Es-tu identifié par la police du pacha, Soliman ?

— Je l'ignore.

— L'ignores-tu vraiment, mon Frère, ou refuses-tu de me l'avouer ?

Il garda le silence.

— Tu cours de bien plus grands risques que moi, Soliman. Quitte l'expédition. Cache-toi.

— J'ai juré de vous protéger. Je ne reviendrai pas sur ma parole.

La lumière ne filtrait plus que par paillettes jaillissant de la toile tendue au-dessus de la ruelle. La terre était mouillée. Des hommes accroupis fumaient le narguilé, d'autres mangeaient du maïs ou des dattes. Une petite Nubienne, uniquement vêtue d'un collier, les chevilles chargées d'anneaux, me tira par la manche et s'enfuit en riant.

— Et moi, Soliman, je ne reviendrai pas sur ma décision. J'ai attendu toute ma vie ce voyage. Il est le but et le couronnement de mon existence. Quels que soient les périls, j'irai jusqu'au bout. Pour m'en empêcher, il faudra me détruire. Si je dois mourir heureux, ce sera sur cette terre.

— Vous oubliez, mon Frère, que vous devez transmettre à autrui ce que vous avez vu et perçu. Vous n'avez plus le droit de vivre pour vous-même.

— Je n'oublie rien. La Nubie m'est encore inconnue, j'ai effleuré Thèbes, je n'ai pas mis la main sur le Prophète... Tant que mon travail ne sera pas terminé, tant que mon déchiffrement ne sera pas au point, je ne transmettrai rien de sérieux.

— Entrons dans cette boutique, recommanda Soliman, soudain inquiet. Nous sommes suivis.

Le marchand, un gros homme trapu et chauve, s'inclina profondément devant nous puis, avec un abondant lyrisme, nous vanta l'extraordinaire qualité de ses produits dont la renommée atteignait le monde entier : flèches, arcs, poignards, massues, cravaches, tapis, narguilés, turbans... le bonhomme était un bazar à lui seul. Nous discutâmes le prix d'une couverture que nous avions dénichée au fond de la boutique dont nous sortîmes une heure plus tard.

Soliman observa la foule.

— Allons boire un café, dit-il en frappant à un volet de bois peint en bleu.

Le volet s'ouvrit en deux, dans le sens vertical, découvrant une niche à l'intérieur de laquelle était assis un vieil Arabe ridé, veillant sur une cafetière fumante. Il nous servit deux tasses.

— Nous sommes en sécurité, jugea Soliman. Du moins pour quelque temps... Je comprends votre détermination, mais est-elle raisonnable ?

— Ce voyage est-il raisonnable ? Vouloir arracher l'Égypte au silence et aux ténèbres est-il raisonnable ? Cet argument-là ne me convaincra pas, Soliman. La prudence n'est plus de mise. Il faut prendre de vitesse l'adversité.

— Il est bien difficile de vous faire changer d'avis, même devant l'impossible.

— Drovetti a-t-il des agents en Nubie ?

— Je ne crois pas. La police du pacha est presque totalement absente de cette région. Nous n'aurons à redouter que les pillards... et les traîtres.

— As-tu identifié la créature que Drovetti a placée parmi nous ?

Soliman but une gorgée de café.

— Accuser sans certitude serait une infamie. Les mots prononcés ne s'effacent plus. Non, je ne l'ai pas identifiée.

Brusquer Soliman aurait été une erreur. Je dégustais à mon tour l'excellent breuvage, attendant qu'il se prononçât davantage.

— Votre disciple, Ippolito Rosellini, est un homme étrange. Son regard est fourbe. Il vous manifeste trop de déférence. Ce n'est pas ainsi que se comporte un élève bienveillant.

— As-tu des faits précis à lui reprocher ?

— Il est trop rusé pour commettre des fautes grossières. C'est lui, néanmoins, qui vous a conduit à la nécropole où a été découvert le cadavre du moine copte, le fouilleur d'Anastasy. C'est lui, également, qui vous a indiqué l'emplacement du nilomètre où vous attendait une vipère. Et si Rosellini avait organisé le premier crime et préparé le second ?

Je n'avais point caché à Soliman l'incident de la fontaine sans ombre. De sombres pensées à l'égard de Rosellini m'avaient traversé l'esprit. Effrayé, je les avais chassées.

— Rosellini n'est pas un traître.

— Évitez quand même l'endroit le plus dangereux de la région, recommanda Soliman.

— A savoir ?

— Les carrières.

— Les carrières de granit ? Ce lieu fabuleux ? Soliman, tu es mon Frère... tu ne peux m'interdire une pareille joie !

Soliman secoua la tête, découragé.

— C'est bien ce que je craignais... soyez au moins attentif au comportement de Rosellini... si c'est lui qui vous demande de visiter les carrières, songez à un guet-apens.

*

Au dîner du soir, l'atmosphère se révéla morose. Lady Redgrave, indisposée, prenait son repas dans sa cabine. Le père Bidant avait commencé un jeûne. Le professeur Raddi, qui avait entrepris l'étude des minéraux collectés depuis le début du voyage, s'était retiré dans son domaine après avoir gobé un œuf et bu un verre de vin. Moktar et Soliman dînaient de galettes et de fèves dans le quartier des serviteurs.

L'Hôte faisait grise mine. Rosellini mangeait un poulet rôti d'un bel appétit.

— Pourquoi ce visage fermé, Nestor ?

— Le mal du pays, général. Trop de chaleur, trop de désert, trop de poussière... je rêve de vertes campagnes, de pluies, de nuages. Je me rappelle les petits matins brumeux où l'herbe est humide de rosée, le feu dans la cheminée, les nuits froides où l'on se pelotonne dans des draps réchauffés par un moine [1].

Je me souvenais, moi aussi, des dortoirs glacés du collège, de la bruine, de la boue des villes, de cette chape de plomb parisienne masquant le soleil des journées entières, des semaines, des mois. Je me remémorais les doigts gelés, les rhumes, les bronchites, les membres douloureux, le désespoir des ciels bas... et je ne les regrettais pas !

— Général... il faut me dire où nous allons. Je suis toujours prêt à vous suivre, mais j'aimerais savoir où vous m'emmenez... retournons-nous à Thèbes ou continuons-nous vers le sud ?

— Je n'ai pas l'habitude de vous dissimuler la vérité, Nestor. Quand je vous ai demandé de venir avec moi

1. Dans le Lot, nom donné aux bassinoires destinées à réchauffer les lits.

en Orient, je vous ai donné mon but : Thèbes et le grand sud, aussi loin que s'enfonce le Nil. Nous sommes aux portes de la Nubie. Nous continuons.

Rosellini intervint.

— Ne quittons pas Assouan sans voir le temple de Philae. Les anciens affirment que c'est une merveille.

— De beaux dessins en perspective, apprécia L'Hôte, émoustillé.

— Il y a un autre site que nous ne devons pas oublier. Son importance scientifique est grande.

— Lequel ?

— Les carrières de granit, maître.

*

Entre Assouan et Philae, les carrières se développent sur un espace de plus de six kilomètres. Des ânes agiles et pleins d'ardeur nous conduisirent d'abord sur des sentiers connus d'eux seuls, sentiers qui traversaient des mausolées musulmans en ruine, avant de déboucher sur un océan de roches de granit parsemé de naos, de stèles, de colonnes et de statues ébauchées. Ces œuvres avaient été abandonnées à cause d'imperfections de la pierre. Un colosse d'Aménophis III, taillé dans le roc puis dégrossi pour le transport vers « la demeure de l'or » où les sculpteurs, « ceux qui donnent la vie », lui ouvriraient la bouche et les yeux, a été délaissé sur un chemin se dirigeant vers la plaine. Le siège de la statue est de la hauteur de deux hommes. Le plus extraordinaire est un obélisque d'au moins trente-deux mètres de long, bien taillé, mais encore couché dans le roc dont il n'est pas entièrement détaché. Une fissure avait rendu le monolithe impropre à l'élévation. En l'examinant de près, je m'aperçus que, pour dégager un bloc aussi colossal, les carriers y creusaient à la pointerolle, de six pouces en six pouces à peu près, des entailles qui délimitaient la surface de pierre à extraire. Dans celles-ci, qui pouvaient aller jusqu'à vingt centimètres, ils introduisaient des coins de bois qu'ils mouillaient. Ces derniers gonflaient et ce simple mécanisme suffisait à faire éclater le granit, offrant aux tailleurs de pierre des masses prêtes à polir. Çà et là gisaient des restes de percuteurs qui servaient précisément à dégrossir et à polir.

Nous nous étions dispersés, chacun admirant l'une des régions de ce paysage minéral où l'on sentait encore la présence des génies qui avaient eu une connaissance si intime de la pierre qu'ils en savaient d'avance la moindre veine et lui destinaient sa juste place dans le futur édifice.

Le professeur Raddi, ébloui par ce nouveau paradis, avait embauché L'Hôte et Moktar pour ramasser et porter les plus remarquables échantillons de granit qu'il sélectionnait avec un soin pointilleux. Cette passion renouvelée me rassurait. De retour à ses premières amours, le bon professeur s'extirpait du dégoût de vivre qui l'avait assailli.

Le père Bidant était en grande conversation avec Lady Redgrave. Ils s'étaient assis, en plein soleil, sur un gigantesque bloc de granit rose. Soliman était invisible. Parcourant quelques mètres en direction d'une stèle dont je voulais relever les inscriptions hiéroglyphiques, je m'aperçus que seul Rosellini était demeuré auprès de moi. Avec son souci habituel du détail, il prenait de nombreuses notes.

— Regardez cela, dis-je, mettant un genou en terre. Des traces d'un plan incliné... on y faisait glisser les blocs à l'aide de rouleaux et de traîneaux. Ils étaient acheminés à un débarcadère pendant la période des basses eaux. Les charpentiers construisaient de très grands radeaux au-dessous des pierres ; lorsque la crue venait, elle soulevait ces masses et les acheminait dans toute l'Égypte. Sans doute une partie des colosses, une fois soulevés, demeurait-elle immergée de manière à perdre au moins le tiers du poids. Quel fabuleux chantier, Ippolito... les Égyptiens ne savaient pas seulement extraire, polir, tailler. Ils avaient aussi le génie de l'organisation, de la distribution du travail, de la création du sacré à l'échelle d'un pays entier.

Mon disciple demeurait sévère, comme s'il n'appréciait pas mes propos.

— Qu'est-ce qui vous permet d'imaginer tout cela, maître ?

— Je n'imagine pas, Ippolito, je vois. Je vois ces scènes comme si je les vivais en vous parlant. Nous trouverons les documents qui le confirmeront.

Dans la main gauche, Rosellini tenait une pierre noire qui avait servi de percuteur.

— Et si vous vous trompiez ? Si les anciens Égyptiens n'avaient été que des barbares, comme ceux d'aujourd'hui ?

Je contemplai mon disciple avec effarement. Mon regard se brouilla. Il me sembla qu'il levait le bras, comme s'il désirait me frapper.

— J'ai dû mal entendre, Ippolito... après ce que nous avons vu, ressenti, comment...

Le bras amorça un mouvement agressif. Je ne bougeai pas. Je préférais mourir plutôt que d'accepter la trahison d'un homme à qui j'avais accordé ma confiance.

Soudain, les yeux de Rosellini changèrent d'expression. La peur l'habitait, comme s'il avait aperçu une présence derrière moi. Sa main s'ouvrit. La pierre aiguisée tomba à terre.

— Pardonnez-moi, maître... un instant d'égarement. La chaleur, sans doute... laissez-moi noter le texte de cette stèle. Ne vous surmenez pas. Nous avons tant besoin de vous.

J'étais incapable de parler. Avais-je rêvé ? Mon disciple avait-il formé contre moi un projet meurtrier ? Cela n'était qu'un horrible cauchemar. J'en avais d'ailleurs la preuve, puisqu'il avait renoncé de lui-même à son intention première, à supposer qu'elle eût jamais existé.

L'air léger et le soleil ardent régnant sur les carrières purifièrent ces ténébreux moments.

Je tressaillis quand, sur le monticule surmontant l'endroit où je me trouvais avec Rosellini, j'aperçus Soliman, le visage grave comme celui d'un juge.

*

Moktar prit un air navré.

— C'est tout à fait impossible, affirma-t-il une nouvelle fois. *L'Isis* et *l'Hathor* ne peuvent franchir la cataracte.

Impressionné d'avoir été admis dans ma cabine qui débordait chaque jour davantage de papiers et de petites statuettes achetées par Rosellini, Moktar, le serviteur de Drovetti, faussement contrit, me transmettait les ordres de l'administration égyptienne.

— Quelle solution me proposes-tu ? demandai-je, conciliant.

— Ce qu'Allah ne souhaite pas, les hommes ne peuvent l'accomplir.

— Fort bien. N'existe-t-il pas, au-delà de la cataracte, d'autres embarcations qui nous emmèneraient en Nubie ?

— Peut-être... mais il faudrait décharger *l'Hathor* et *l'Isis* et acheminer à dos de chameau le matériel de l'expédition jusqu'au débarcadère, en face de Philae.

Radieux, je souriais.

— Eh bien, déchargeons !

*

Philae, l'île sacrée, la demeure de la grande magicienne, me réservait une mauvaise surprise. Une douleur de rhumatisme au pied gauche m'empêchait de marcher. Le bon sens m'aurait conseillé le repos, mais comment demeurer immobile alors que le temple d'Isis était si proche ?

Soutenu par Soliman, j'enfourchai un âne pour franchir les carrières de granit rose, hérissées d'inscriptions hiéroglyphiques. Après avoir traversé le Nil en barque, je fus aidé par quatre hommes encouragés par six autres, car la pente était presque à pic. Ils me prirent sur leurs épaules et me hissèrent auprès d'un petit sanctuaire, où l'on m'avait préparé une chambre dans de vieilles constructions romaines assez semblables à une prison, mais fort saines et à l'abri des vents.

Le sol de l'île était très aride. Des rochers de granit

défendaient ses côtes. Elle offrait le plus admirable groupe de ruines que j'aie jamais contemplées sur un espace aussi resserré. Quelques palmiers, des herbes folles, des fleurs orange et jaune accordaient une illusion de fraîcheur.

Le père Bidant se pencha vers moi.

— Souffrez-vous beaucoup ?

— Suffisamment pour me clouer ici alors que je devrais déambuler dans le temple.

— Accepteriez-vous mon bras ?

— Avec joie, mon père. Quelques pas hâteront ma guérison.

Nous cheminâmes péniblement jusqu'au passage central du pylône extérieur où Nestor L'Hôte pleurait en contemplant une inscription. Intrigué, je crus qu'il avait soudain acquis la pleine et entière connaissance des hiéroglyphes ! M'approchant de l'objet de son émotion, je déchantai.

— Lisez, général, lisez ! Quel merveilleux souvenir !

L'An VI de la République française, le 13 Messidor, une armée française commandée par Bonaparte est descendue à Alexandrie. L'armée ayant mis vingt jours après les mamelouks en fuite aux pyramides, Desaix, commandant la première division, les a poursuivis au-delà des cataractes où il est arrivé le 13 ventôse de l'an VII.

Attendri, j'abandonnai le dessinateur à son enthousiasme patriotique pour examiner les bas-reliefs innombrables du grand temple. Le domaine d'Isis était voué au culte et aux mystères accessibles aux seuls initiés dont la vie était assez pure aux yeux de la grande déesse. Ils vécurent ici jusqu'au Ve siècle après la naissance du christianisme et n'en furent chassés que par des persécutions. Je compris que le dernier monument élevé par les Égyptiens ne contenait aucune nouvelle forme de divinité. Le système religieux de ce peuple était tellement un, tellement lié dans toutes ses parties, et arrêté depuis un temps immémorial d'une manière si absolue et si précise que la domination des Grecs et des Romains n'a produit aucune innovation : les Ptolémées et les Césars ont refait seulement, en Nubie comme en Égypte, ce que les Perses avaient détruit lors des invasions, et rétabli des temples là où il en existait autrefois et dédiés aux mêmes dieux. Cette formidable vision du sacré que j'exposais avec fougue ne convainquit pas le père Bidant, pourtant attentif à mes propos.

— Ma croyance me suffit, Champollion. Vous ne devriez pas vous échauffer l'esprit avec ces rêveries anciennes. Soyez plutôt vigilant vis-à-vis de ceux qui vous entourent.

Ma goutte se fit plus douloureuse.

— Qu'insinuez-vous, mon père ?

— Nestor L'Hôte est un bien curieux personnage... sa noyade n'était-elle pas un simulacre ? Je me méfie de lui depuis le début de notre voyage. Deux ou trois fois, il m'a semblé l'apercevoir en compagnie d'Arabes plutôt louches, sans doute des sbires de Drovetti et du pacha. Je crains fort qu'il ne nous trahisse.

Impressionné par les déclarations du religieux, je tentai de me remémorer les moments où la conduite de L'Hôte se serait avérée condamnable. La souffrance causée par mon pied m'empêcha de réfléchir.

— Vous êtes trop naïf, Champollion. Croyez-vous vraiment qu'un homme comme L'Hôte ait entrepris une si périlleuse aventure pour le seul plaisir de dessiner ? Songez à l'intérêt... c'est ce qui mène le monde. Ce L'Hôte n'est pas meilleur que les autres. Si on lui a offert de l'argent pour vous espionner, le complot a été fomenté depuis la France. Son instigateur ne peut être que Drovetti.

— Menez-moi au sud-ouest de l'île, devant la porte de la salle à colonnes.

— Pourquoi cet endroit ?

— Un souvenir, mon père, un simple souvenir...

Le père Bidant comprit que je garderais le silence sur ce point. Je ne désirais pas lui confier mon espoir de contempler là un petit obélisque de grès dont j'avais reçu une lithographie. Elle m'avait permis d'identifier un cartouche et d'y déchiffrer le nom de Cléopâtre, écrit comme je l'avais prévu. Ce précieux témoin était une étape essentielle sur le chemin de la compréhension des hiéroglyphes. Une vérification sur l'original s'avérait indispensable et me donnerait une clé grâce à laquelle je pourrais peut-être me passer de ce maudit Prophète qui fuyait sans cesse devant moi.

Il n'y avait point d'obélisque mais Lady Ophelia Redgrave, drapée dans une ample cotonnade blanche, lui laissant les épaules à nu. Habituée au soleil, elle ne portait pas de chapeau, suffisamment protégée par son ample chevelure blond vénitien qu'elle laissait épanouie.

— Votre obélisque est à présent au British Museum, monsieur Champollion. Mon oncle en avait besoin pour ses travaux. Il lui est parvenu en bon état.

Son ton se voulait cassant. Elle me portait un coup qu'elle désirait fatal. Mais son regard parlait autrement.

Le père Bidant, choisissant d'éviter une querelle, m'entraîna plus loin.

— Renonçons au grand sud et retournons au Caire le plus vite possible, me recommanda-t-il. Ce pays est terrifiant. Il nous fera tous mourir.

— A la grâce de Dieu, mon père... j'hésite, il est vrai, à prolonger l'aventure.

— Deviendriez-vous enfin raisonnable ?

— Lady Redgrave m'a indiqué la seule décision à prendre... l'absence de cet obélisque me contraint à rechercher l'autre trace qui a préludé à mes premières intuitions que je dois vérifier sur place.

— Un autre obélisque ?

— Un temple entier.

— A Thèbes ?

— Non, mon père. Dans le grand sud. Là où nous allons.

Je ne regagnai pas ma couche immédiatement. Je me sentais assez de force pour flâner sous la galerie du grand temple aboutissant à l'escalier devant lequel accostaient les barques. Bien que le soleil fût brûlant, l'endroit était frais, reposant. Chacun des chapiteaux de la colonnade était différent, réjouissant l'œil par la délicatesse du modelé. Le sourire de la déesse était inscrit dans la pierre.

*

La fièvre fut si forte que le délire me prit. Le visage de Lady Ophelia se confondait avec celui de la déesse Isis qui recevait la semence d'Osiris mort pour donner naissance à un fils, Horus, qui rétablissait la justice et l'ordre troublés par son frère Seth, assassin de son père. Les reliefs de Philae tournoyaient autour de moi, me dévoilant la véritable nature d'Isis, la Nature créant selon un plan préconçu par les dieux. La grande déesse devenait Hathor, le temple d'Horus, le sourire du ciel, l'éternelle joie de la danse des étoiles, mère et nourrice de la lumière. Isis et Hathor, la même et l'autre, le sourire de l'au-delà qui fait mûrir les moissons et verdoyer les champs. La même femme, celle qui ne varie jamais, l'amour céleste.

— Maître ! Maître ! J'ai réussi !

Les exclamations de Rosellini m'arrachèrent à mon rêve. Je me redressai sur mon lit.

— Maître, un naos ! Un naos entier ! Je l'ai trouvé dans les chambres souterraines du temple. Je l'ai acheté pour une somme modique... le seul intact de toute l'Égypte !

Rosellini se lança dans une description détaillée de ce bloc monolithe, le saint des saints du temple, contenant la statue du dieu que seul Pharaon pouvait contempler.

— J'ai aussi pour vous... une lettre de France !

— Donnez vite !

Une longue missive de plus de quatre pages signée de mon frère Jacques-Joseph. Il évoquait ses courriers précédents qui, malheureusement, avaient dû se perdre. Il me décrivait le froid parisien, les pluies, le brouillard, me souhaitait mille bonheurs et plus encore de trouvailles qui fonderaient la science égyptologique et feraient renaître la spiritualité des pharaons. Il me parlait de ma santé, qu'il imaginait bien meilleure qu'en France, m'assurait de son impatience de lire les innombrables notes que je ne manquerais pas de rédiger. Il me réservait pour la fin une mauvaise nouvelle qui l'attristait beaucoup : ma candidature à l'Académie avait été refusée une fois de plus. Mon renom auprès de la science officielle ne cessait de décroître. Les campagnes de calomnie allaient bon train. Il me suppliait de ne point en être affecté et d'espérer en l'avenir.

— J'ai faim, dis-je à mon disciple. Préparez-moi un solide repas pour fêter ma guérison.

*

Tous réunis, nous organisâmes une partie de plaisir sur le site de la cataracte, assis à l'ombre d'un santh, mimosa fort épineux, le seul arbre du lieu, en face des brisants du Nil dont le bruissement me rappela nos torrents des Alpes. La majesté de l'endroit, l'absolue sérénité des pierres que n'affectaient pas les passions humaines nous réduisit au silence. Nous nous préparions à franchir une frontière et prenions conscience de la gravité de l'événement.

Je me fis ensuite débarquer sur la rocheuse Biggeh au granit couleur de sang. Là était inscrit le souvenir d'Osiris revenant à la vie. Non loin, le Nil se frayait un passage à travers un amas d'écueils, ouvrant des canaux de pierre où les eaux bondissaient et rebondissaient en une joyeuse cérémonie. La voix de la cataracte, puissante et autoritaire, emplissait nos oreilles. Des Nubiens, complètement nus, nageaient entre les roches en s'aidant de paquets de roseaux qu'ils poussaient devant eux comme des flotteurs. L'un d'eux se dirigea vers nous, peu soucieux de la présence d'une dame, et nous convia à prendre le thé dans son village composé de huttes entourant les ruines d'un temple.

J'eus envie de m'asseoir ici et d'y demeurer, attendant la résurrection osirienne. L'homme, en ce territoire isolé, était à peine toléré.

Nestor L'Hôte interrompit ma méditation.

— Qu'avez-vous vraiment décidé, général? Des bruits courent... votre santé, les dangers... j'ai besoin de savoir.

— Nous continuons. Le grand sud ne nous décevra pas.

*

— Voici notre nouvelle escadre, annonça Moktar, servile.

Cette flottille de l'au delà de la cataracte se composait d'un vaisseau amiral, une *dahabieh* portant pavillon français sur pavillon toscan, de deux barques à pavillon français, deux autres toscans, une barque de provisions à pavillon bleu et d'une dernière portant la force armée, c'est-à-dire Moktar et quelques sbires. Le vaisseau amiral était armé de la pièce de canon de trois que notre ami Ibrahim Bey nous avait offert. Cette *dahabieh* était un navire de bonne taille dont la partie d'habitation était aménagée de manière presque luxueuse. Chacun de nous disposait d'une chambre à coucher et d'un cabinet de bains; les parties communes comprenaient une salle à manger et un salon meublé de deux divans et d'un piano.

Moktar m'expliqua avec emphase que la *dahabieh* avait été noyée pendant quatre jours pour être débarrassée des rats et de la vermine. Les policiers du pacha avaient même monté la garde pour éviter le retour des rongeurs.

— Je veux voir l'avant du bateau, exigeai-je.

— Ce n'est pas la coutume.

— Peu m'importe. Je dois connaître la totalité du navire auquel seront confiées les vies des membres de mon expédition.

— D'ordinaire, les voyageurs ne vont pas...

— Je ne suis pas un voyageur ordinaire. Écartez-vous de ma route.

Moktar s'inclina. Au même moment, un marin se coula dans l'eau, une planchette en main, pour la clouer sous la quille près du gouvernail. Elle y jouerait le rôle d'un frein.

L'avant du bateau était occupé par une cuisine derrière laquelle un mât trapu, avec voile latine, était lacé à une vergue immense. Près de la cuisine, une cabine munie d'une minuscule fenêtre, de laquelle émanait une musique lancinante. J'entrai. Là étaient entassés une dizaine de matelots, jouant du tambourin et de la flûte. D'autres, enroulés dans leurs burnous, étaient allongés sur le côté, ressemblant à des paquets de vieux vêtements. Leur seule richesse consistait en un fauteuil d'osier réservé à leur chef. Ces hommes vivaient dans la crasse et dans la misère la plus insupportable.

— J'exige qu'un logement décent soit offert à ces marins, dis-je à Moktar qui ne me quittait pas d'un pas.

— Impossible... si vous changez leurs habitudes, ils refuseront de travailler. Cette cabine leur appartient. Ils l'ont construite de leurs mains. Ils y ont chacun leur place. Si vous les insultez en les chassant, ils se révolteront.

Je fus obligé de me rendre à ses raisons. Faire le bonheur des êtres malgré eux s'avérait une sottise. Je venais de recevoir une leçon d'humilité que je n'oublierais pas.

Revenant sur le pont, je découvris un incroyable spectacle. Une autre barque avait été ajoutée à l'expédition. Celle du professeur Raddi qui y avait entassé les innombrables échantillons de pierres ramassés depuis le début du voyage. Cette embarcation, trop chargée, risquait de couler à tout moment. De plus, le professeur, admonestant une dizaine de jeunes Nubiens, tentait de faire transporter un palmier haut de plus de quatre-vingts pieds ! Il me fallut déployer la plus insistante des persuasions pour mettre fin à ce projet. La barque, néanmoins, se joignit à l'expédition et Raddi s'installa dans une cabine ressemblant à une caverne rupestre.

*

236

De grand matin, sous le ciel bleu de Philae, nous quittâmes l'Égypte pour la Nubie. Des hirondelles dansant dans la lumière saluèrent notre départ. Le vent fut notre allié, autorisant une bonne allure. Un couple de canards sauvages nous guida. Pour les anciens, ils symbolisaient les deux âmes d'un couple volant vers la cité céleste pour y rencontrer Osiris, maître de la résurrection. Quel meilleur signe les divinités pouvaient-elles m'accorder ?

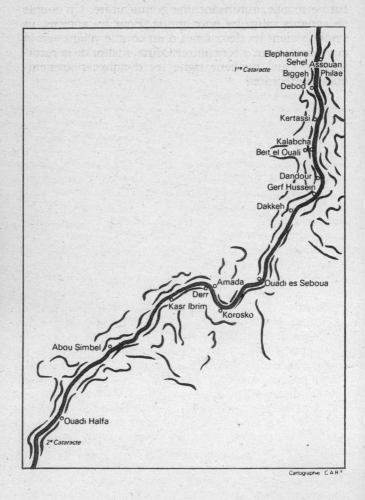

Elephantine
Sehel   Assouan
Biggeh   Philae
1ʳᵉ Cataracte

Deboo

Kertassi

Kalabcha
Beit el Ouali

Dandour
Gerf Hussein

Dakkeh

Amada   Ouadi es Seboua
Derr
Kasr Ibrim
Korosko

Abou Simbel

Ouadi Halfa

2ᵉ Cataracte

Cartographie C A R T

CHAPITRE 19

Qui pare le froid pare le chaud. Vêtu de flanelles et de fourrures, chargé d'un épais burnous et d'un manteau, j'avais adopté la même tenue pour le jour et pour la nuit. Mes compagnons ne tardèrent pas à faire de même. Depuis que nous étions passés sous le tropique, nous grelottions de froid dès le coucher du soleil.

Débôd, Qertasi, Taffah, Kalabscha, Dakka... les temples de Nubie s'étaient égrenés devant mes yeux, offrant allées de sphinx, portiques, colosses royaux. C'est à Kalabscha que j'ai découvert une nouvelle génération de dieux qui complète le cercle des formes d'Amon, point de départ et réunion de toutes les essences divines. Amon-Rê, l'Être suprême et primordial, étant son propre père, est qualifié de « mari de sa mère », la déesse Mout, sa portion féminine renfermée en sa propre essence à la fois mâle et femelle. Tous les autres dieux égyptiens ne sont que les formes de ces deux principes constituants considérés sous différents rapports pris isolément. Ce ne sont que de pures abstractions du grand Être. Ces formes secondaires, tertiaires, etc., établissent une chaîne ininterrompue qui descend des cieux et se matérialise jusqu'aux incarnations sur la terre et sous forme humaine. La dernière de ces incarnations est celle d'Horus, modèle et protecteur de Pharaon.

La Nubie se montrait aussi belle que généreuse. Elle

entrouvrait davantage mes yeux, m'initiait davantage à la lumière spirituelle des anciens, à ce voyage dans un univers d'avant la création du matérialisme.

Quand nous arrivâmes à Derr, capitale de la Basse Nubie, le 23 décembre, un autre souci m'assaillit : faire cuire au plus vite la provision de pain nécessaire. Soliman alla quérir le magistrat turc régnant sur les lieux pour obtenir l'autorisation d'utiliser un four. Alors que j'écoutais les musiciens, à l'avant de la *dahabieh*, je distinguai deux silhouettes courant vers le village : Nestor L'Hôte et le professeur Raddi, ce dernier ayant enfin abandonné son costume italien pour des habits orientaux. Pourquoi se dissimulaient-ils ainsi ? Inquiet, j'allai jusqu'à la cabine de Rosellini. Vide. Aucun marin n'avait vu mon disciple depuis le début de l'après-midi.

Le soleil préparait la cérémonie du couchant. Il se tramait de sombres événements. Angoissé, je frappai à la porte de la cabine du père Bidant. Aucune réponse. J'osai entrer. Je vis le prie-dieu, le crucifix, une Bible, un lit soigneusement apprêté, mais point de religieux. Lui aussi avait disparu. Une nouvelle enquête auprès du reis chargé de la navigation ne donna aucun résultat. Il ne me restait plus que Lady Redgrave. Elle savait peut-être ce qui se manigançait. A moins qu'elle ne fût l'instigatrice du complot que j'étais en train de découvrir.

Mais Lady Ophelia avait quitté la *dahabieh* sans que quiconque l'ait vue s'éloigner.

Il était impossible que tous mes compagnons se fussent ainsi éclipsés sans avoir éveillé l'attention des matelots. Ces derniers me mentaient. Une chape de plomb tombait sur mes épaules. J'avais le sentiment d'être un insecte s'agitant au centre d'une toile d'araignée et s'y débattant en vain. Devais-je demeurer sur ce bateau ou m'enfuir ? M'enfuir où ? Quérir de l'aide, mais quelle aide ?

L'arrivée du magistrat turc, un grand gaillard sec et nerveux, mit un terme à ce dilemme. Accompagné d'une dizaine de Nubiens porteurs d'un simple pagne et armés de lances, il monta à bord de la *dahabieh* et s'inclina devant moi.

— Je vous prie de me suivre.

— Pour quel motif?

— Je n'ai aucune explication à vous donner. Vous êtes placé sous mon autorité.

Le piège se refermait brutalement. Soit mes compagnons avaient été arrêtés, soit ils m'avaient trahi. Et de revoir l'étrange fuite de deux d'entre eux...

— Je suis mandaté par la France, indiquai-je. Vous ne pouvez vous saisir de ma personne qu'avec des documents signés du pacha.

— Je suis le représentant officiel du pacha, rétorqua-t-il. J'agis en son nom et n'ai pas besoin de documents.

Perdu en cette lointaine Nubie, à quel tribunal pouvais-je faire appel? Mon arme ultime était mon dérisoire honneur de savant. Même si j'étais dévoré de peur, je garderais la face. Accorder à ces gens le spectacle de ma frayeur était indigne de ma mission. Je suivis donc le magistrat turc. Aucun des marins de la *dahabieh* ne bougea. L'affaire avait été bien montée. J'en avais tout ignoré jusqu'au dernier moment.

Nous nous dirigeâmes vers le village, empruntant un sentier poussiéreux. Les misérables cahutes étaient silencieuses. Pas le moindre rire d'enfant. Pas âme qui vive dans la ruelle obscure qui menait au centre de l'agglomération.

Là, un feu.

— Avancez, exigea le Turc.

J'hésitais, assuré de recevoir un fer de lance entre les épaules dès que j'aurais fait le premier pas. Conservant un semblant de courage, je me mis pourtant en mouvement.

A peine avais-je progressé qu'une immense clameur me figea sur place. Les indigènes, sortant de partout, m'entourèrent. Ils entonnèrent un chant nubien dont je ne compris pas un mot.

Leur cercle s'ouvrit pour laisser le passage à une procession conduite par un grand Turc enturbanné, un flambeau à la main. De quelle cérémonie barbare allais-je être le centre?

Un rire spontané, énorme, libérant un trop-plein d'anxiété, me secoua la poitrine quand je reconnus Nestor L'Hôte, suivi de Rosellini, du docteur Raddi, de Soliman, de Moktar, d'une danseuse voilée aux cheveux blonds qui n'était autre que Lady Redgrave et d'un curé en soutane ! Vinrent ensuite le magistrat local et les matelots de la *dahabieh*. Tout ce que la Basse-Nubie comptait d'habitants s'était rassemblé là.

— Mais... pourquoi ? demandai-je à L'Hôte.

— Auriez-vous oublié l'événement, général ? Nous sommes le 23 décembre... et nous fêtons votre trente-huitième anniversaire !

*

Le burnous à la turque a ceci de pratique qu'on peut le rabattre sur les yeux pour voiler des pleurs. Cette nuit d'anniversaire, la plus émouvante de mon existence, fut riche en rires, en chants et en danses. Même le père Bidant, passé minuit, abandonna un peu de sa réserve ecclésiastique pour s'amuser des gaillardes plaisanteries de Nestor L'Hôte et admirer une danse du ventre accomplie avec fougue par deux jeunes Nubiennes.

Rosellini m'expliqua que le potentat local avait failli se suicider en apprenant que mes compagnons souhaitaient organiser une grande fête en mon honneur. La région était si pauvre qu'elle ne disposait ni de viande fraîche, ni de légumes, ni même de fours banaux pour faire cuire des galettes. Lady Ophelia avait sauvé le malheureux du déshonneur en l'invitant à se joindre à nous et à présider un frugal banquet où nous mangeâmes des biscuits achetés à Assiout et des conserves d'Europe.

Peu importait la richesse des aliments. Celle que nous avions dans le cœur avait une qualité ineffable.

*

Le vent du *schamali* soufflait avec une telle violence qu'il causait des orages et mettait le Nil en fureur. Des vagues battaient le rivage. Le soleil était obscurci par des nuages blanchâtres. Le vent soulevait des colonnes de sable. Mais rien n'empêcha notre vaisseau amiral et ses acolytes de traverser le pays de la faim et de progresser vers Abou-Simbel que je considérais depuis toujours comme le terme ultime de mon voyage. Il nous fallut lutter à la rame contre le courant, procéder à des opérations de halage, éviter des récifs au milieu du fleuve, vaincre les courants contraires.

La passion qui m'animait sut être assez rayonnante pour effacer toute trace de découragement autour de moi. Du temple majeur du grand Ramsès, j'attendais confirmation de mon système de déchiffrement et la rencontre du Prophète. S'il devait m'affronter ou m'aider, ce serait là et nulle part ailleurs. Pourquoi n'avais-je pas accepté cette évidence ? Le nom royal qui avait servi de support à mon intuition était celui de Ramsès. L'inscription qui le mentionnait provenait d'Abou-Simbel. Le destin me fixait un rendez-vous auquel je me rendais avec un enthousiasme de jeune homme.

La vie à bord de la *dahabieh* ne manquait pas de douceur. Chacun possédait ses appartements. Les repas étaient l'occasion de confidences qui nous rapprochaient les uns des autres. Le père Bidant nous conta sa sainte carrière et ses séjours à Rome. Il acceptait ce voyage en terre païenne comme une épreuve du ciel. L'Hôte nous initia à l'art du dessinateur, traçant le portrait de chacun des membres de l'expédition. Rosellini prophétisa sur l'avenir du musée de Turin, sur les collections de trésors et de chefs-d'œuvre qu'il espérait réunir. Le professeur Raddi, en termes fort érudits, nous décrivit les premiers chapitres de sa monumentale histoire de la terre qu'il rédigeait depuis plus de vingt ans. Lady Ophelia évoqua son enfance londonienne, ses promenades dans la campagne anglaise, son éducation sévère conduite par Thomas Young, son goût pour les peuples de l'Orient.

La fraîcheur nocturne favorisait un sommeil bienfaisant. Lorsque l'ouragan se calma, lors d'un lever de soleil faisant jaillir l'or sur le sommet des montagnes, nous distinguâmes enfin une rive paisible où paysans et paysannes nus travaillaient dans des champs irrigués par des norias. Les jeunes Nubiennes étaient d'une tendre et innocente beauté qui reléguait dans les ténèbres l'Ève du paradis. Des bœufs au cuir luisant faisaient tourner une roue montant, à un rythme lent et régulier, des pots d'eau puisée dans le Nil. Près de la berge, un groupe de palmiers serrés les uns contre les autres et sous lesquels une mère allaitait son enfant.

J'étais abasourdi par tant de beauté et tant de sérénité. Ici, l'homme s'était réconcilié avec Dieu. La nature ne lui était pas hostile. Elle exigeait simplement de lui l'offrande nécessaire pour lui offrir à son tour une vie solaire.

— Général ! Regardez, sur l'autre rive !

Hors d'un immense monticule de sable accumulé contre une haute falaise émergeaient des têtes gigantesques. Des visages de colosses royaux. Impossible de savoir s'ils étaient debout ou assis.

Il était sept heures quand nous abordâmes au pied d'un temple que je reconnus comme appartenant à la déesse Hathor qui avait revêtu les traits de Nefertari, la grande épouse royale chère au cœur de Ramsès II et représentée sous la forme de statues géantes aux côtés de son mari. Voir ces deux temples, ceux du roi et de la reine, dans leur édition originale, me plongea dans une véritable extase. Ces édifices, taillés à même le roc, traduisaient la naissance de l'esprit hors de la matière, la puissance de la lumière exprimant l'âme de la pierre.

Où se cachait l'inscription dont la copie m'avait, le 14 septembre 1822, ouvert les portes de l'écriture égyptienne ? Elle m'avait jeté dans un tel état d'excitation que j'avais cherché mon frère dans le petit appartement que nous occupions, ne pouvant m'empêcher de hurler « j'ai trouvé ! » avant de m'évanouir.

Une violente douleur enflamma soudain mon genou gauche. La respiration me manqua. Incapable de tenir debout, je m'effondrai.

— Que s'est-il passé ? demandai-je au père Bidant dont je reconnus le visage penché vers moi. Où suis-je ?

— Une grave attaque de goutte. Nous vous avons ramené dans votre cabine.

— Avez-vous de la coiffe de taffetas ?

— J'en possède, en effet.

— Apportez-m'en, ainsi qu'une éponge.

La coiffe de taffetas gommée d'éponge est un remède excellent pour soulager la douleur. Obligé de prendre mon mal en patience et de rester cloué trois jours sur mon lit, je mis à profit cette période de répit pour commencer un dictionnaire hiéroglyphique et tenter de traduire un texte que j'intitulai « décret du dieu Ptah ». Je l'avais obtenu à partir d'un moulage exécuté dans la grande salle du temple de Ramsès. Mes yeux se dessillaient peu à peu. Des enchaînements de phrases s'opéraient presque naturellement. Le langage des dieux me devenait chaque jour plus familier. J'apprenais à lire et à écrire les hiéroglyphes avec comme seuls maîtres les textes eux-mêmes et la magie de la terre des pharaons.

Rosellini et L'Hôte m'informaient chaque soir du travail accompli. Ils copiaient des reliefs historiques encore animés par des couleurs chatoyantes dont certaines, hélas, commençaient à disparaître. Je bouillais d'impatience, attendant que cette maudite goutte cessât de me rendre impotent.

Il était plus de minuit. Un calme absolu recouvrait la *dahabieh*. Chacun dormait, après une journée de travail harassante. Mon dictionnaire progressait presque seul, comme s'il m'était dicté par une voix intérieure. Je ne dormais pas. La maladie régressait.

La porte de ma cabine s'ouvrit avec lenteur. Lady Redgrave apparut. Sa robe mauve laissait les épaules nues. Une exquise tenue de nuit en satin, du meilleur goût anglais. Elle se tint sur le seuil, le visage à peine éclairé par la lueur vacillante d'une bougie.

— Êtes-vous éveillé, Jean-François ? murmura-t-elle d'une voix juvénile que je ne lui connaissais pas.

— Approchez-vous, Lady Ophelia. Il y a un fauteuil au pied du lit.

Dédaignant le siège en osier, elle s'assit sur le rebord de ma couche, près de ma jambe gauche.

— Ne pourrions-nous mettre un terme définitif à nos hostilités ? proposa-t-elle. Nous voici perdus au bout du monde, oubliés de la civilisation. Nous devrions essayer... d'être heureux.

J'avais beau tenter de me fermer les oreilles pour ne point entendre le chant de cette sirène, elle m'ensorcelait. Ma conscience me reprochait aussitôt cette inqualifiable faiblesse, mais comment lutter ?

— Être heureux... encore faudrait-il que nous ayons confiance l'un en l'autre, Lady Ophelia.

— J'ai confiance en vous, Jean-François. En l'homme que vous êtes. Pas en l'espion au service de la France.

— Je ne suis pas un espion et il n'y a plus de France, ici. Seulement la Nubie, les temples, le Nil, un reflet du paradis... et nous deux.

Elle sourit.

— J'aimerais vous croire... mais nous sommes, vous et moi, esclaves de notre mission. Mon oncle m'avait avertie : vous êtes le plus intelligent et le plus rusé des hommes.

— Aidez-moi à me lever, je vous prie.

Je m'appuyai sur son bras pour gagner la table de travail où Rosellini avait rangé mes papiers.

— Examinez tout ceci, la priai-je. Voici l'ébauche d'un dictionnaire, des traductions de textes, la vérification d'hypothèses émises dans la froidure parisienne, des relevés de scènes... est-ce le travail d'un espion ou celui d'un égyptologue ?

Avec douceur et fermeté, elle me contraignit de m'allonger à nouveau sur le lit.

— Vous ne pouvez convaincre que vous-même, monsieur le savant... puisque vous êtes le seul à lire les hiéroglyphes.

— L'avenir vous prouvera que je ne fais pas fausse route.

Lady Redgrave prit ma main droite entre les siennes.

— Cessons ce jeu cruel, Jean-François. Je comprends votre engagement. Comprenez le mien. Avoir l'amour de son pays, désirer sa grandeur sont des sentiments nobles. Nous ne sommes peut-être pas des adversaires. Notre cible est sans doute la même. Unissons nos efforts... à condition d'être sincères. Si vous m'aimez, révélez-moi le but réel de votre mission. Alors, je pourrai... tout vous donner.

— Je pourrais vous mentir, dis-je, la voix étranglée, mais je ne me détruirai pas à mes propres yeux... non, Ophelia, je ne suis pas un espion. C'est la France qui m'a donné le moyen d'organiser cette expédition, il est vrai, mais uniquement pour mettre mes pas dans ceux des anciens Égyptiens.

Elle se leva, subitement hautaine, et marcha à reculons vers la porte de la cabine.

— Puisqu'il en est ainsi, Jean-François, passez une excellente nuit...

*

Je ne trouvai le sommeil qu'à l'aube. A peine avais-je dormi quelques minutes qu'on frappa avec fracas à ma porte.

— Ouvrez ! Ouvrez immédiatement ! hurlait le professeur Raddi.

— Poussez la porte, répondis-je, d'une voix brumeuse.

Un ouragan se rua vers moi.

— Champollion, un malheur ! Un épouvantable malheur ! Une catastrophe sans nom ! Un désastre insensé !

Il continua ainsi pendant d'interminables secondes, se noyant dans les termes les plus excessifs. J'attendis qu'il en eût terminé avec sa litanie pour demander quelques éclaircissements sur la cause de cette colère.

— Mes sacs... mes sacs remplis d'échantillons minéraux... ils ont disparu !

— Où les aviez-vous rangés ?

— Sur le pont avant, sous une bâche. Je n'avais plus assez de place dans ma barque. Il faut ouvrir une enquête.

— Faites venir le *reis*.

L'investigation fut des plus aisées. Interrogé, le capitaine nous amena aussitôt le coupable qui s'était dénoncé avec spontanéité.

— Qu'as-tu fait des collections du professeur Raddi ? demandai-je à un grand diable maigre.

Il ne comprit pas la question. Je lui parlai des sacs.

— Les sacs remplis de pierres ? Je les ai jetés à l'eau. Des pierres, on en trouve partout.

Impossible d'expliquer à ce malheureux, dépourvu de toute connaissance minéralogique, la nature de sa faute. Avant de donner au bon professeur le résultat de mon enquête, je renvoyai le matelot dans ses quartiers.

Raddi s'effondra. Je le vis vieillir de dix ans en quelques secondes.

— Je quitte Abou-Simbel, annonça-t-il. Je remonte vers Le Caire. Je reconstituerai mes collections, pierre par pierre.

— Professeur, je partage votre affliction. Renoncez à cette décision, je vous en supplie. Vous n'auriez pas les forces nécessaires pour aller au terme de votre périple. Attachez-vous à la minéralogie nubienne que personne n'a encore explorée...

— J'ai besoin de mes échantillons pour écrire l'histoire du monde. Sans eux, je suis un homme perdu.

— Ne désiriez-vous pas renoncer au travail de bureau, professeur ? N'étiez-vous pas tombé amoureux du désert et du silence ?

Raddi baissa la tête, honteux.

— Si... mais il y a mon œuvre, la plus immense jamais entreprise par un homme ! Vous vous rendez compte, Champollion : l'histoire du monde racontée par les minéraux ! Les granits, les grès, les albâtres, les calcaires d'Égypte devaient me fournir des jalons décisifs.

— Vous avez ici une ample moisson à accomplir, professeur. Travaillez d'arrache-pied ! C'est le meilleur remède contre les épreuves, si cruelles soient-elles. Quand nous remonterons vers le nord, vous retrouverez ce que vous avez perdu.

J'avais mis tant de conviction dans mon propos que Raddi en fut ébranlé. Il accepta de renoncer à ses projets et de demeurer dans la communauté.

Quand il quitta ma cabine, j'étais épuisé mais heureux d'avoir sauvegardé l'unité de notre petite communauté, bien qu'elle me parût de plus en plus compromise. Lady Redgrave devenait une ennemie irréductible. Rosellini, malgré sa déférence, laissait percer des pointes d'ambition et d'envie. L'Hôte, qui s'en tenait aux principes de la discipline, se lassait peu à peu de l'aventure. Le professeur Raddi subissait, de la part du destin, des assauts violents. Et qui, parmi eux, avait décidé de me trahir ? Le seul bonheur était la « conversion » du père Bidant, adepte d'une tolérance que je n'espérais plus.

J'avais toujours refusé la fatalité. Je la niais à nouveau. Pour recouvrer une énergie nouvelle, j'avais besoin de ma liqueur de jouvence : un temple égyptien. Et j'en avais un, superbe, à quelques pas de moi.

Oubliant la maladie et la souffrance, je me levai.

*

Le grand temple d'Abou-Simbel est une merveille qui ne déparerait pas Thèbes. Le travail que cette excavation a coûté effraie l'imagination. Le sourire des colosses gardant la façade et représentant Ramsès le Grand est l'un des plus purs chefs-d'œuvre sortis du ciseau des sculpteurs égyptiens. Il est à la fois sérénité et puissance, divin et humain, ciel et terre.

Je regrette de n'être point muni de quelque baguette magique pour transporter les statues géantes d'Abou-Simbel au milieu de la place Louis XIV afin de convaincre ainsi d'un seul coup les détracteurs de l'art égyptien.

Malgré le vent glacial, je m'étais rendu au sanctuaire, soutenu par Soliman et Nestor L'Hôte. Les

Nubiens avaient installé poutres et planches pour accéder au trou qui livrait accès à l'intérieur. Les matelots avaient consolidé cette architecture fragile qui menaçait ruine. Il fallut déblayer du sable et emprunter l'étroit passage.

Le miracle se produisit : le mal s'estompa et je retrouvai le plein usage de mes jambes. Je me déshabillai presque complètement, ne gardant que ma chemise arabe et un caleçon de toile, et abordai à plat ventre la petite ouverture d'une porte qui, dégagée, aurait au moins vingt-cinq pieds de hauteur. Je crus me présenter à la bouche d'un four et, me glissant entièrement dans le temple, je me trouvai dans une atmosphère chauffée à cinquante-deux degrés Réaumur. Nous parcourûmes cette étonnante excavation, Rosellini, L'Hôte, Soliman et moi, tenant chacun une bougie à la main.

La première salle est soutenue par huit piliers contre lesquels sont adossés autant de colosses de trente pieds chacun, représentant Ramsès le Grand ; sur les parois, une file de grands bas-reliefs historiques, relatifs aux conquêtes du Pharaon en Afrique ; une scène surtout, représentant son char de triomphe, accompagné de groupes de prisonniers nubiens et nègres de grandeur naturelle, ce qui offre une composition de toute beauté et du plus grand effet. Les autres salles, et on en compte seize, abondent en beaux bas-reliefs religieux, offrant des particularités fort curieuses.

Nous avons formé l'entreprise d'avoir le dessin en grand et colorié de tous les bas-reliefs qui décorent la grande salle du temple. Lorsque l'on saura que la chaleur qu'on éprouve dans ce temple, aujourd'hui souterrain puisque les sables en ont presque couvert la façade, est comparable à celle d'un bain turc fortement chauffé ; quand on saura qu'il faut y entrer presque nu, que le corps ruisselle perpétuellement d'une sueur abondante qui coule sur les yeux, dégoutte sur le papier déjà trempé par la chaleur humide de cette atmosphère chauffée comme dans un autoclave, on admirera sans doute le courage de l'expédition qui, bravant cette fournaise, ne sort que par épuisement et lorsque les jambes refusent de porter le corps.

Tout est colossal ici, sans en excepter les travaux que nous avons entrepris, dont le résultat aura quelque droit à l'attention publique. Tous ceux qui connaissent la localité savent quelle difficulté on a à vaincre pour dessiner un seul hiéroglyphe dans le grand temple. Mais qui pourrait parler de travail devant de telles splendeurs ? La fatigue et la douleur m'avaient quitté. Juché sur une échelle, je copiais les textes, prenais des empreintes, collationnais plusieurs fois sur l'original. Les textes seraient ensuite portés sur des dessins dûment préparés pour éviter toute erreur.

C'est en me trouvant face à face avec un portrait de Ramsès que je perçus la signification de sa fonction. Il faisait offrande à un dieu qui portait ce même nom de Ramsès. Mais on se tromperait lourdement en croyant que le souverain s'adulait lui-même. Il honorait, à travers sa personne symbolique, le soleil divin qu'il portait dans le cœur et dont il était le représentant sur terre.

Ayant vu tous les bas-reliefs, le besoin de respirer un peu d'air pur se fit sentir. Il fallut regagner l'entrée de la fournaise en prenant des précautions pour en sortir. J'endossai deux gilets de flanelle, un burnous de laine, et mon grand manteau dont Soliman m'enveloppa aussitôt que je fus revenu à la lumière ; et là, assis auprès d'un des colosses extérieurs dont l'immense mollet arrêtait le souffle du vent du nord, je me reposai une demi-heure pour laisser passer la grande transpiration. Je regagnai ensuite ma barque, où je passai près de deux heures sur mon lit. Cette visite expérimentale m'a prouvé qu'on peut rester deux heures et demie à trois heures dans l'intérieur du temple sans éprouver aucune gêne de respiration, mais seulement de l'affaiblissement dans les articulations.

Ce bain turc fut le meilleur des remèdes aux maux petits et grands dont nous souffrions les uns et les autres. Aussi décidai-je de porter à au moins trois heures la durée de mes propres stations dans le temple, n'imposant à L'Hôte et à Rosellini que deux heures de travail le matin et autant l'après-midi pour ne pas les condamner à l'asphyxie.

Le grand temple d'Abou-Simbel, outre ses révélations pharaoniques, m'offrit un superbe cadeau : il me délivra de la goutte.

*

Je fis mander Lady Redgrave par Soliman. Elle me rejoignit alors que je méditais devant le petit temple d'Abou-Simbel et ses six figures colossales représentant le couple royal entouré de ses enfants. J'étais furieux contre un dessinateur nommé Gau, par qui je croyais connaître ces chefs-d'œuvre méprisés à cause de ses médiocres reproductions. Je lui en voulais d'avoir donné à ces statues si sveltes et d'un galbe si élégant la tournure de lourds magots et d'épaisses cuisinières dans les vues qu'il avait osé publier.

— Que désirez-vous ? demanda Lady Ophelia, vêtue d'une robe de mousseline rose.

Elle se protégeait des ardeurs du soleil grâce à une ombrelle orange et se pavanait comme une élégante marchant à pas menus, se croyant au cœur d'un salon londonien.

— Regardez... regardez ce temple, Lady Redgrave. Savez-vous pour qui il a été construit ? Pour Nefertari, la grande épouse royale de Ramsès, celle qu'il aimait au-delà de tout... il a fait venir ici l'architecte en chef du royaume, a organisé le plus actif des chantiers, a composé le plus tendre et le plus noble des poèmes d'amour, à jamais inscrit dans une pierre d'éternité. Quel plus beau présent un pharaon pouvait-il offrir à la femme qu'il vénérait ?

Lady Ophelia Redgrave abaissa son ombrelle. Elle fit quelques pas en direction du temple et se tint là, seule au milieu de l'esplanade.

*

Le petit temple d'Abou-Simbel m'avait prouvé combien la civilisation égyptienne différait essentiellement de celles du reste de l'Orient ; car on ne peut apprécier le degré de culture véritable d'un peuple que d'après l'état qu'occupent les femmes dans l'organisation sociale. Au temps des pharaons, la femme remplissait les plus hautes fonctions spirituelles et matérielles. Elle pouvait accéder au rang de chef d'État, connaître les mystères du temple, avoir des biens propres, les léguer à qui bon lui semblait. Sa condition fut des plus élevées et nous devrions plus souvent nous en inspirer. Quand les travaux urgents et indispensables, dictionnaire et grammaire, seront achevés, je consacrerai un ouvrage à la femme en Égypte ancienne. Le jour où Lady Redgrave comprendra enfin que ma vie est destinée à chanter la gloire d'une civilisation de lumière, elle prendra peut-être plaisir à le lire.

Le travail se poursuivit sur un rythme soutenu. Abou-Simbel est un site qui donne un bonheur immédiat et constant. Les Nubiens, indolents de nature, participèrent de bon cœur à la tâche. Les trouvailles s'ajoutaient aux trouvailles. Ainsi, dans les environs du grand temple, découvris-je une stèle prouvant que Ramsès avait si complètement annexé la Nubie qu'elle était devenue une province de l'Empire. Certains monuments étaient si peu accessibles que je dus copier les textes en élaborant une dangereuse stratégie : debout dans une barque, j'utilisais deux longues-vues grâce auxquelles j'identifiais chaque hiéroglyphe gravé sur les rochers.

Le soir, nous partagions un maigre repas avec les Nubiens. Nous avions le sentiment d'être devenus des villageois. Nous avions oublié le temps des villes, le labeur quotidien, le bruit, l'agitation. Le soleil donnait le ton, le ciel ses couleurs, le temple le sens de l'éternel. Les nourritures matérielles comptaient peu. La douceur de l'amitié partagée rendait de maigres galettes plus savoureuses que les mets les plus fins.

D'ordinaire, nous nous disposions en cercle autour d'un feu et nous écoutions un vieillard aveugle raconter de longues et belles histoires où revenait la figure d'une lionne terrifiante, chargée par le dieu soleil de détruire l'humanité qui avait trahi la lumière et souillé la vie. La déesse Hathor était intervenue pour calmer ces ardeurs meurtrières et sauver quelques justes qui s'étaient enfuis dans le désert.

Ce soir-là, le chef du village était absent. Nous attendîmes sa venue avant de toucher au plat de fête qui nous était servi, un mélange de fèves et d'orge. L'atmosphère était solennelle, presque tendue. Personne n'osait parler. Bientôt, on n'entendit plus que le crépitement du feu. Le chef apparut alors, en compagnie d'un étonnant personnage, un jeune et grand Noir drapé dans un manteau blanc qui recouvrait une robe bleue. Sa coiffure me frappa. Elle était composée d'un grand nombre de boucles formant perruque, me rappelant celle que portaient les nobles sur certains bas-reliefs égyptiens. De plus, cette coiffe, qui abaissait le fossé entre le passé et le présent, répandait de suaves odeurs. La coutume égyptienne du banquet voulait que l'on y vînt la tête parfumée pour réjouir les narines des dieux. Le jeune homme, s'accompagnant à la lyre, entonna un chant en mon honneur, me qualifiant de « grand général envoyé par un puissant monarque ». Sa voix mélodieuse, s'épanouissant sur le rythme envoûtant d'une mélopée, nous plongea dans une extase collective.

Le chef du village, qui m'offrit du café, arborait un large sourire.

— Vous êtes venu de très loin, me dit-il, et vous êtes arrivé parmi nous parce que vous êtes un ami de Dieu. Désormais, mon village vous est ouvert. Vous y viendrez selon votre désir et, dès que vous foulerez notre sol, ce sera la fête. Vous habiterez dans ma maison, nous dormirons sous le même toit et nous partagerons le pain. Ainsi sera réalisée la volonté de Dieu.

J'étais profondément ému.

Deux bambins, amenés par une Nubienne aux hanches fortes, me furent présentés.

— Voici mes enfants, déclara le chef. Que votre

bénédiction soit sur eux. Moi, je ne quitterai pas mon village. Mais eux, ils iront peut-être chez vous. Je suis certain que vous leur accorderez l'hospitalité et que chez vous aussi, ce sera la fête quand ils viendront.

Je lui donnai aussitôt l'assurance qu'il en serait ainsi, bien que je fusse rouge de confusion. J'étais persuadé, hélas, que deux jeunes Nubiens ne recevraient pas un accueil de cette qualité dans notre vieille Europe où la plupart des familles avaient oublié les anciennes coutumes.

Ma vie m'apparut dérisoire, presque inutile. Ici, je vivais une quiétude au-delà des sentiments et de la raison. L'Égypte, en Europe, n'était qu'un rêve. Dans ce village du grand sud, elle devenait éternité. Elle détruisait en moi l'inutile et le superficiel. Ma vie ? Quelle importance avait-elle face à ces pierres sans âge, sans histoire personnelle, dépourvues du germe de la mort ? Les aimer, les vénérer ne suffit pas. Les connaître par la seule intelligence est impossible. S'y identifier, devenir pierre, entrer dans leur cœur... n'est-ce pas la plus enviable des destinées ?

*

Au matin, je fus appelé par le chef du village qui tenait à nous remettre deux cadeaux exceptionnels : une gazelle que Nestor L'Hôte baptisa aussitôt du nom de « Pierre » et un gros chat de Kordofan. Sous le couvert d'un présent équivalent, nous le payâmes largement et j'ajoutai une forte somme à l'intention du chanteur qui avait enchanté nos âmes.

Des rires bruyants attirèrent mon attention. Un groupe d'enfants s'était formé autour du professeur Raddi qui tentait d'acquérir un petit chien jaune et un buffle. Pour négocier, il n'avait trouvé d'autre moyen que d'imiter les cris des animaux, ce qui déclenchait une franche hilarité. Au grand désespoir des enfants, je le persuadai de renoncer à ses achats.

De retour au vaisseau amiral, j'allai jusqu'à ma cabine pour y classer des papiers et avancer un peu mon dictionnaire avant de retourner au temple. Sur ma table de travail, une feuille de papier, bien en évidence, avec ces quelques mots en arabe :

> « *Le Prophète a quitté Abou-Simbel. Il vous attend sur le Nil.* »

A peine me remettais-je de ma surprise qu'un formidable concert de cris et de vociférations, accompagné d'une cavalcade, retentit sur le pont. Le temps d'y accéder, la cause du drame avait disparu. Le *reis* m'expliqua qu'il venait de se quereller avec l'un de ses cuisiniers qu'il avait surpris en train de fouiller la cabine de Lady Redgrave. L'homme l'avait frappé, bousculé puis s'était enfui. Plusieurs matelots s'étaient lancés à sa poursuite.

J'avais cru l'affaire de peu d'importance lorsqu'un matelot, affolé, revint prévenir son capitaine que le cuisinier s'était réfugié dans le grand temple de Ramsès et qu'il menaçait d'en détruire les reliefs si l'on tentait de l'arrêter. Ma présence s'avérait indispensable. Je ne tergiversai pas un instant, bouleversé à l'idée que de tels chefs-d'œuvre fussent défigurés par un forcené.

A l'entrée du sanctuaire se tenaient plusieurs matelots armés de bâtons et bien décidés à infliger une bastonnade au fuyard dont on n'entendait plus les invectives. Muni d'une torche qu'avait allumée Nestor L'Hôte et n'écoutant aucun conseil de prudence, je m'engouffrai aussitôt dans l'ouverture.

L'antichambre et la grande salle étaient silencieuses et désertes. Un examen rapide me prouva que mes inestimables reliefs étaient intacts. Je courus jusqu'au fond du sanctuaire, plongé dans d'épaisses ténèbres. Devant les quatre statues divines, il y avait un corps étendu. En l'éclairant, je vis qu'il avait la nuque brisée. L'homme avait trébuché et s'était rompu le cou en heurtant les genoux d'une des statues.

Ce faux cuisinier n'était pas un inconnu.

Abdel-Razuk, le policier du pacha, venait de terminer sa misérable carrière, frappé par les dieux égyptiens.

CHAPITRE 20

Abdel-Razuk fut enterré dans le cimetière du village. Moktar, en tant que représentant des autorités, avait surveillé la courte et modeste cérémonie.

— Quel était le nom de ce malheureux ? lui demandai-je alors qu'il remontait sur la *dahabieh*.

— Un certain Silouf. Le *reis* l'employait pour la première fois. Allah l'a châtié pour son crime.

Ainsi, Moktar refusait d'identifier son collègue, choisissant de le tuer une seconde fois en supprimant son identité ! Mon silence sembla le rassurer. Sans doute crut-il que j'étais dupe et que je n'avais pas examiné le cadavre de trop près. Mes compagnons, quant à eux, n'en avaient pas eu la possibilité.

La Nubie avait eu raison d'Abdel-Razuk, mettant un terme à la méprisable mission qui lui avait été confiée. J'y discernais l'intervention bienveillante du grand Ramsès qui, au-delà des temps, m'accordait sa protection.

*

Voici plusieurs journées que je n'ai point échangé la moindre parole avec Soliman qui observe sans cesse les membres de l'expédition. Nous nous isolâmes à l'arrière de la *dahabieh* qui avait pris la direction de Ouadi Halfa. Je lui appris que le cuisinier décédé accidentellement à Abou-Simbel n'était autre qu'Abdel-Razuk. La nouvelle le plongea dans une sombre perplexité.

— Ainsi, ils nous ont suivis jusqu'en Nubie...

— Espérais-tu qu'ils nous abandonneraient enfin ?

— Cette région n'intéresse guère le pacha et Drovetti. Abdel-Razuk avait toute la confiance de ses maîtres. Il n'était pas un policier ordinaire. S'il a pris la décision de vous suivre là où vous iriez, c'est que votre personne est fort précieuse... ou fort menaçante.

— Le malheureux est mort, Soliman. Que risquons-nous encore ?

— Ne soyez pas naïf, mon Frère. Il reste Moktar et, à ses côtés, un traître qui nous épie à chaque instant. Près de vous rôde l'ombre du pacha qui attend le moment où vous ferez un pas de trop. Je suis inquiet... de plus en plus inquiet.

— Que penses-tu de ceci ?

Je lui montrai l'énigmatique message concernant le Prophète.

— Impossible de rien obtenir de certain sur cet homme... Il est plus fuyant que le vent. Je finis par croire qu'il a été inventé par Drovetti pour mieux nous égarer et nous entraîner sur de fausses pistes.

— Il existe, Soliman. Je le sens. Je dois le rencontrer.

— Mais qui peut avoir écrit ces lignes ? Allié ou adversaire ?

— Qui connaît l'arabe, parmi nous ? Toi et... Lady Redgrave.

Soliman sourit.

— N'oubliez pas le capitaine et certains membres d'équipage. Sont-ils tous de simples matelots ? Abdel-Razuk avait bien réussi à se faire engager comme cuisinier.

— Fions-nous au destin... je refuse de m'angoisser à chaque instant et de vivre dans la suspicion.

*

258

Le 30 décembre, à midi, nous sommes arrivés à Ouadi Halfa, à une demi-heure de la seconde cataracte où se sont posées nos colonnes d'Hercule. Il y a là quelques maisons en terre bâties à la lisière des cultures, sur la rive est du Nil, des palmiers et des sycomores. Quelques Nubiens maigres tentent de survivre avec peine. La cataracte est une barrière de granit, formée d'une suite de petits îlots parfois couverts de broussailles et d'arbustes. Partout, des pointes de rochers à fleur d'eau.

Au-delà, en sentinelle sur un îlot au milieu du fleuve, se dressent les murailles de la forteresse égyptienne de Bouhen qui interdisait aux nègres l'accès de la Nubie. Mon cœur se serra. Je ne parvenais pas à détacher mon regard de cette ultime frontière. Me voici arrivé fort heureusement au terme extrême de mon voyage. Cette barrière de granit que le Nil a su vaincre, je ne la dépasserai pas.

Au-delà existent bien des monuments que j'espère de moindre importance et que je ne verrai pas. Il faudrait renoncer à nos bateaux, se hisser sur des chameaux difficiles à trouver, courir les déserts et risquer de mourir de faim, car vingt-quatre bouches veulent au moins manger comme dix, et les vivres sont déjà fort rares. Ce sont nos biscuits d'Assouan qui nous ont sauvés.

Je dois donc arrêter ma course en ligne droite et virer de bord. La *dahabieh* et les barques, incapables de franchir les rapides, tournèrent leur proue vers l'Égypte. Pendant que la nouvelle du retour se répandait et qu'on effectuait les manœuvres, je grimpai sur les hauteurs d'Abousir en compagnie de Soliman. De là, nous assistâmes au spectacle des eaux en furie, de vagues se brisant sur des récifs, d'un horizon perdu dans des teintes bleuâtres où se noyait le ciel d'Afrique.

L'homme, ici, n'était plus rien. A peine pouvait-il se considérer comme un hôte de passage, tenu au plus absolu des silences. En lui s'élevaient les voix du fleuve, du soleil, des rochers. Il perdait d'un coup la superbe attachée à ce qu'il croyait être son intelligence, pour s'incliner devant la majesté de la vie.

En quittant le promontoire, je vis que Soliman avait gravé mon nom sur un rocher, laissant trace de notre aventure et de l'homme qui en avait pris l'initiative. Jean-François Champollion... qui était-il d'autre qu'un jouet entre les mains de la Providence, un homme de désir qui devait exprimer le feu intense qui l'habitait depuis l'enfance, un explorateur de l'invisible à la recherche d'une civilisation perdue?

De lui, il ne resterait rien. Sauf, peut-être, un nom sur un rocher à jamais oublié dans la solitude de la cataracte.

*

Un coup de canon brisa la quiétude de l'air nubien, faisant s'envoler une troupe de pélicans à grands battements d'ailes. Lady Redgrave se tenait à l'avant de la *dahabieh*, près de la pièce d'artillerie dont elle venait de commander le tir.

C'était notre ultime salutation au grand sud. Les matelots entonnèrent un chant d'adieu, à la fois triste et rempli d'espérance. J'eus l'exaltante sensation que mon travail commençait réellement aujourd'hui, quoique j'eusse déjà en portefeuille plus de six cents dessins; mais il reste tant à faire que j'en suis presque effrayé. J'aurais voulu exploiter la Nubie pendant des mois, résider à Thèbes des années durant, habiter chaque temple, en éprouver le génie propre, le vivre de l'intérieur.

Mais l'angoisse rongeait à présent ma pensée, comme si le temps m'était brusquement compté.

*

— Ne traînons pas en route, général, exigea Nestor L'Hôte, affolé. J'ai inspecté la barque garde-manger. Les provisions baissent dangereusement. Si nous nous attardions trop longtemps sur les sites, nous risquerions de mourir de faim. Les villages sont trop pauvres pour nous nourrir.

J'acquiesçai d'un hochement de tête. L'Hôte avait fait cette déclaration devant l'ensemble des membres de l'expédition, de manière que nul n'ignore la gravité de la situation. Ma responsabilité se trouvait ainsi pleinement engagée. Cette attitude me peina. Mon fidèle dessinateur semblait gavé d'Égypte. Le pays et le travail ne le charmaient plus. Il était prêt à utiliser n'importe quel moyen pour hâter le retour.

— Nous ne prendrons aucun risque, déclarai-je. Je réduirai nos recherches à l'essentiel.

— Pourtant, l'Égypte vaut bien quelques repas, objecta le père Bidant. Maigrissons un peu pour la gloire de la science.

Cet allié inattendu ne demeura pas isolé. Rosellini et Lady Redgrave abondèrent dans son sens. L'Hôte, s'estimant isolé, se tassa dans un coin de ma cabine, croisa les bras et choisit la désapprobation muette.

— Ne perdons pas notre temps en palabres, recommandai-je. Allons plutôt fouiller.

Je fis arrêter notre flottille non loin du site de l'antique Beheni. Je comptais bien y retrouver deux grandes stèles historiques dont l'existence avait été signalée par des voyageurs. Il ne restait qu'un vaste désert et quelques misérables ruines. Le sable avait tout recouvert. Je ne m'avouai pas vaincu. Les matelots acceptant de nous prêter main-forte, je désignai plusieurs équipes qui creusèrent et déblayèrent avec ardeur aux endroits que je leur indiquais.

Le sort me fut vite favorable. Assisté de Soliman, je mis au jour une imposante stèle du premier des Ramsès. Rosellini, les yeux pétillant d'envie, accourut.

— Un chef-d'œuvre, jugea-t-il aussitôt. Le Louvre a beaucoup de chance... tant pis pour l'Italie.

Dépité, il s'éloigna, se lançant avec passion sur la piste de la seconde stèle que nous savions enterrée dans les parages. Mais les efforts demeurèrent vains. Au soir, fourbus et découragés, nous regagnâmes le vaisseau amiral. L'amertume s'inscrivait sur les visages. J'avais expliqué, en effet, que le monument introuvable devait être d'une importance majeure pour l'établissement de l'histoire égyptienne. Tant de sueur avait été dépensée en vain... je désespérais de réanimer mes troupes pour le lendemain.

J'avais mésestimé leur courage. Dès l'aube, nous étions tous à pied d'œuvre, bien décidés à ne pas revenir bredouilles du champ de fouilles dont Rosellini avait établi le plan détaillé. Soliman, sans cesser de veiller sur ma personne, choisit un rocher proéminent pour y graver à nouveau le nom du chef de l'expédition, conformément à l'habitude qu'il avait prise. Personne ne rechignait à la tâche. Lady Redgrave, en pantalon, n'était pas la moins active. Le père Bidant, en dépit de sa soutane, adoptait l'allure penchée du fouilleur écartant le sable avec l'espoir de lui arracher un trésor.

A l'heure de midi, nous demeurions vaincus. Les uns après les autres, mes compagnons s'assirent, les jambes coupées, le front brûlant, le souffle court. Il me restait quelque énergie. Je sortis de l'aire délimitée par mon disciple pour entamer une promenade solitaire dans ce désert que j'aimais au-delà de toute raison. Un pas après l'autre, je m'éloignais de ma pacifique armée jusqu'à l'instant où mon pied gauche heurta une masse dure émergeant à peine du sable fin. M'agenouillant aussitôt, le cœur battant, je dégageai à la hâte ce qui me semblait être le sommet arrondi d'une stèle antique. J'éprouvai une indescriptible sensation de bonheur. C'était bien le monument de Sesostris. J'appelai aussitôt mes compagnons qui accoururent, Rosellini en tête.

Mon disciple était livide. Il s'aperçut de la qualité de la stèle qu'il caressa du bout des doigts.

— Quelle admirable pièce... la désirez-vous aussi pour le Louvre, maître ?

— Qu'en penses-tu ?

— La loi est la loi... le fouilleur conserve le résultat des fouilles.

— Ce monument vous est cher, Ippolito. C'est un voyageur italien qui le premier, a signalé son existence. Il vous revient donc de droit.

Satisfaction ? Étonnement ? Dépit ? Je fus incapable de déchiffrer le regard de Rosellini.

— Je refuse, maître. Ces deux monuments doivent demeurer ensemble. Ils sont à vous et, par votre personne, ils appartiennent à la France. Permettez-moi d'être intraitable.

Je pris mon disciple par les épaules et lui donnai l'accolade.

— Soyez remercié pour votre générosité, Ippolito. Les dieux vous en seront reconnaissants.

Avec une joie communicative, nous procédâmes à un rapide déblaiement. Je donnai l'ordre de transporter la stèle de Sesostris à bord de la *dahabieh*.

Pendant que s'opérait le chargement, sous la conduite de Rosellini, nous demeurâmes dans le désert, savourant cette victoire et saluant Rê, le soleil divin qui nous l'avait accordée. Même le père Bidant devenait sensible aux beautés de l'Égypte, tandis que L'Hôte, regaillardi, chantait notre succès.

Respectant ma parole, je donnai l'ordre de poursuivre notre descente du Nil qui, à chaque seconde, nous rapprochait de Thèbes. Le courant était puissant, le vent du nord soufflait fort. Ouadi Halfa et la Nubie profonde s'éloignaient définitivement.

Des canards sauvages prirent leur envol dans le ciel bleu. Sur la rive, un buffle s'ébrouait après son bain. C'est à cet instant que je perçus la beauté cachée du paysage égyptien. Chaque jour plus envoûtant, il ne changeait jamais. Les seules modifications résidaient dans la plus ou moins grande intensité de la lumière, dans le scintillement plus ou moins éclatant des eaux du Nil. L'homme était l'hôte de cette terre et de ce ciel qui, à chaque instant, prolongeaient le passé et animaient l'avenir d'un souffle d'éternité. Cette nature façonnée par les divinités était en même temps solitude et fraternité ; elle rendait mon âme contemporaine des anciens Égyptiens, faisait apprécier le plus infime des événements, le passage d'une felouque, le chant d'un oiseau, la brillance d'un feuillage. En s'oubliant soi-même, on accédait à l'absolue simplicité de cette vie millénaire qui ne s'écoulait pas comme du sable entre les doigts mais dilatait le cœur, l'inondant d'un soleil qui avait vu s'ériger les temples. Le superflu disparaissait. L'être se dépouillait. Il prenait conscience de sa finitude et, dans ce détachement, découvrait l'espérance, cette union indicible avec le feu secret qui rendait l'Égypte inaltérable.

*

Tentant de vaincre la nostalgie qui m'envahissait, je rédigeai les notes sur les circonstances de la découverte des deux stèles et sur les monuments eux-mêmes. Au cours de ce travail, j'eus un doute sur l'écriture exacte du nom du roi Sesostris. Bien que la nuit fût tombée, je voulus vérifier ce détail sans tarder. Quittant ma cabine, je gagnai l'avant de la *dahabieh* où j'interrogeai le *reis* sur l'endroit où avaient été déposées les pierres sacrées. Il s'étonna de ma demande, arguant qu'aucun objet de cette importance n'avait été embarqué sur le vaisseau amiral. Il appela ses marins qui lui confirmèrent le fait. L'un d'eux, en revanche, déclara qu'il avait aidé à un chargement sur la barque servant de garde-manger.

— Sur l'ordre de qui ? m'indignai-je.

Les descriptions désignèrent Rosellini.

Je le fis convoquer par le *reis* qui l'amena jusqu'à ma cabine. Je le regardai en silence.

— Qu'y a-t-il, maître ? Une mauvaise nouvelle ?

— Très mauvaise, Ippolito. Vous la connaissez déjà.

— Moi ? Comment...

— Je ne suis pas un procureur. A vous d'avouer votre faute et de la réparer.

— Quelle faute ? De quoi suis-je accusé ? Et pourquoi...

— Taisez-vous, Ippolito. Ne vous enferrez pas davantage.

Rosellini baissa la tête, rompant le combat.

— J'ai été stupide, maître. J'ai cédé à la plus vile des impulsions. J'avais tellement envie de ces deux stèles... pas pour moi, mais pour le musée...

264

— Je peux le comprendre, Ippolito, mais je n'admets pas que vous m'ayez menti, abusé, que vous ayez trompé ma confiance.

— Non ! protesta-t-il. J'étais sincère ! C'est en arrivant près de la barque garde-manger que l'idée m'est venue... une envie irrésistible de posséder les stèles. J'ai cru que vous ne vous apercevriez de rien.

Rosellini pleura, sans verser une larme. Des sanglots étouffés, des halètements. Sans relever la tête, il sortit de ma cabine.

*

Dès que la flottille se fut immobilisée à Serret el-Gharb, je convoquai mes compagnons de voyage. Rosellini, mort d'inquiétude, se terrait derrière L'Hôte. Sans doute redoutait-il que je fusse décidé à dénoncer son ignominie devant la communauté.

— J'ai oublié la date de mon anniversaire, mais point celle d'aujourd'hui. Nous allons fêter ensemble le Nouvel An et j'ai tenu, en tant que chef de cette expédition, à vous offrir des cadeaux. Je ne veux plus penser à nos différends. Soyons unis, dans la plus fraternelle des amitiés. Lady Redgrave, si vous voulez bien vous approcher...

Soliman, sur ma demande, avait réussi à négocier un collier de lapis-lazuli dont j'ornai moi-même le cou de la belle espionne. Émue, elle me remercia d'un sourire qui n'était certes pas celui d'une ennemie.

Rosellini, qui commençait à se détendre, reçut un *ouchebti*, petite figurine magique destinée à travailler dans les champs de l'autre monde à l'appel du ressuscité, reconnu comme un juste. Nestor L'Hôte fut gratifié d'une collection de fusains qui revivifièrent son désir de dessiner l'Égypte entière. Au père Bidant, j'offris un manuscrit copte traitant des épreuves traversées par les saints. Au professeur Raddi, un traité de minéralogie rarissime que Jacques-Joseph avait consenti à m'abandonner après l'avoir extrait de sa bibliothèque.

Je me rendis ensuite à l'avant du bateau où, sur mon ordre, le capitaine avait convoqué l'équipage. Je leur offris une prime en les remerciant de leur précieux concours. Les musiciens empoignèrent leurs instruments. Un chant d'allégresse monta des poitrines.

L'exaltation s'était emparée de l'expédition. Nous installâmes des tables sur la berge. Non loin, une noria, actionnée par des bœufs, faisait entendre sa plainte amère qui ne se tait jamais. Des palmiers de trente mètres de haut nous dispensèrent calme et fraîcheur. Levant les yeux vers le ciel où renaissaient les premières étoiles, contenant les âmes des pharaons retournés dans la lumière d'où ils étaient issus, je contemplais la cime de ces grands arbres, capable d'accueillir le feu du soleil sans perdre de sa verdeur. Des paysans, assis en tailleur, tressaient des fibres pour fabriquer des couffins, des cages, des paniers. En entrée, nous eûmes droit à des tiges de palmier exprimant une sève sucrée et à une purée de moelle de jeunes plants. Les troupeaux, d'un pas très lent, rentraient des champs où jouaient encore des enfants nus.

Qui saura dire la vie enchantée à l'ombre des palmiers ? Qui saura chanter la plénitude d'un banquet de Nouvel An sur la rive nubienne, baignée d'un air limpide, héritière d'une immortelle sagesse que continue à nourrir la voix du fleuve ? A cet instant, j'aurais voulu être poète, peintre et musicien...

La gorge serrée, je me levai, un verre en main.

— J'aimerais porter une santé au plein succès de notre expédition.

— Avec quel nectar ? s'enquit Nestor L'Hôte, ironique.

— Avec deux bouteilles de vin de Saint-Georges, révélai-je, heureux de ce coup de théâtre.

Soliman apporta le précieux liquide, qui avait été soigneusement tenu caché au fond d'une malle. Nous le dégustâmes avec vénération, bien qu'il fût un peu amorti par le Tropique.

« Vie, santé, force ! » : tel était le triple vœu accolé au nom de chaque Pharaon. Tel fut celui émis en faveur de notre communauté qui salua par des exclamations laudatives l'arrivée d'un grand Nubien chargé d'une peau de panthère, de plumes d'autruches, d'un javelot et de coquillages. Ces cadeaux nous furent distribués avec un entrain communicatif qu'attisa encore le vin de palme.

Je reçus un gros œuf d'autruche, décoré de dessins d'enfants. Le sommet avait été découpé, formant couvercle. Alors que les convives, quelque peu enivrés, chantaient des chansons à la mode reprises tant bien que mal par les Nubiens, j'eus la curiosité d'ouvrir l'œuf et de regarder à l'intérieur.

Il y avait une sorte de papyrus soigneusement roulé. Je m'en emparai avec discrétion et allai le dérouler sous un bouquet, à l'abri des regards. Le document était écrit en copte, d'une main qui trahissait les traces de l'âge.

Le texte qu'il portait était signé : « le Prophète ».

« Je suis fier, disait-il, que, vous ayant accompagné depuis l'embouchure du Nil jusqu'à la seconde cataracte, j'aie le droit de vous annoncer qu'il n'y a rien à modifier dans votre alphabet des hiéroglyphes. Votre déchiffrement est le bon. Vous l'appliquerez avec un égal succès aux monuments égyptiens du temps des Romains et des Grecs. Et ensuite, ce qui est d'un bien plus grand intérêt, aux inscriptions de tous temples, palais et tombeaux des époques pharaoniques. Par votre voyage, vous avez renoué avec la tradition et vos travaux hiéroglyphiques seront universellement reconnus. Adieu. »

La clé. L'ultime clé. La langue hiéroglyphique n'avait pas varié dans son architecture depuis la naissance de la civilisation jusqu'au dernier souffle vital, depuis les tombeaux de l'Ancien Empire jusqu'aux grands temples ptolémaïques.

L'Égypte, une et indivisible. L'Égypte, créatrice d'une langue sacrée qui avait échappé au temps et à la mort.

Et mon déchiffrement était le bon...

*

N'ayant plus le loisir de nous reposer, d'autant que le banquet du Nouvel An, malgré sa frugalité, avait encore diminué nos pauvres réserves de nourriture, nous explorâmes dès le lendemain matin la grotte de Machakit dont l'entrée s'ouvrait dans une falaise tombant à pic dans le Nil. Le temps était détestable ; un vent violent soufflait en rafales. Nestor L'Hôte, qui souffrait pourtant d'une forte migraine, ne voulut pas renoncer à l'ascension. Sa détermination emporta ma décision.

J'éprouvais la plus grande peine à réfléchir. Le message du Prophète m'avait bouleversé. Quand et où l'avais-je croisé ? Pourquoi refusait-il une entrevue ? L'Hôte, à plusieurs reprises, me tendit la main pour m'aider à grimper. Nos efforts furent récompensés. Nous découvrîmes une chapelle de la dix-huitième dynastie, consacrée par un noble nommé Paser à la déesse de la cataracte, la belle Anoukis, une femme fort gracieuse aux cornes de gazelle. L'Hôte dessina les bas-reliefs, je copiai les inscriptions.

En les copiant, je les déchiffrais. Les hiéroglyphes n'étaient plus une langue morte, extérieure à moi, mais un discours du dedans devenu aussi naturel que ma langue maternelle.

Je lisais les hiéroglyphes.

Les signes dansèrent brusquement devant mes yeux.

Ils tourbillonnèrent. Je fus emporté avec eux dans une vague immense montant jusqu'au ciel.

*

Une violente douleur à la joue gauche me ramena à la conscience.

Nestor L'Hôte me gifla une nouvelle fois. J'ouvris les yeux.

— Ah, général ! J'ai eu peur... vous êtes tombé comme une masse ! L'épuisement, sans doute...

— Oui, l'épuisement...

— Il ne faut pas nous attarder. Regardez dehors.

Le vent du nord, qui s'était levé peu avant notre arrivée au pied de la roche, s'était renforcé en une espèce d'ouragan. L'Hôte, ne quittant pas ma main, m'entraîna sur le chemin de la descente. A plusieurs reprises, nous fûmes plaqués contre la paroi par des rafales. J'en perdis même l'équilibre, me rattrapant à une branche noueuse qui gémit sous ma pression.

Le sort voulut que nous rentrâmes sains et saufs dans les barques où nos compagnons nous reprochèrent notre témérité. La flottille chemina pendant une demi-heure, dans l'espoir que le courant l'emporterait sur la violence du vent contraire. Mais le *schamali* devint furieux, le Nil moutonna comme la mer et de grandes vagues s'élevèrent. Enfin, la tourmente nous contraignit de gagner le rivage.

Bienheureuse tourmente, au demeurant, puisqu'elle nous déposa devant le temple rupestre de Gebel-Adda ! En y pénétrant pour nous abriter, nous nous aperçûmes que le sanctuaire égyptien avait été habité par des coptes qui avaient recouvert les reliefs pharaoniques de motifs chrétiens. Le père Bidant, heureusement surpris, tomba même à genoux devant un saint Georges à cheval qui lui rappelait ses églises familières.

— Enfin, Champollion, enfin ! Des souvenirs de la vraie croyance !

— Je suis venu ici rencontrer des saints plus anciens, mon père.

J'obtins satisfaction quelques secondes plus tard, dans le saint des saints. Le spectacle y était si curieux que j'éclatai de rire.

— Venez vite, mon père ! Voilà une vérité qui vous surprendra !

Le religieux, de fait, demeura coi. Sur la paroi, le stuc des chrétiens était partiellement tombé, remettant à nu une des figures égyptiennes originales, celle d'un pharaon à qui un saint Pierre rendait hommage !

— Si la chrétienté s'incline devant l'Égypte, dis-je au père Bidant avec gravité, c'est qu'elle a reconnu toute sa grandeur.

*

La nuit nubienne était le plus parfait des écrins pour la lumière lunaire. Elle recouvrait de bleu les montagnes et le désert. J'avais quitté la *dahabieh* pour marcher seul dans les ruines d'une citadelle mamelouk démantelée par l'armée du pacha. Ce monde détruit, où résonnait encore le bruit de sanglantes batailles, me plongea dans une tristesse douloureuse. Quitter la Nubie était un déchirement. Chaque temple, chaque grotte sculptée aurait mérité un long séjour.

Dans la fraîcheur nocturne, sous le scintillement des étoiles, l'âme et le corps vivaient en plénitude, loin de toute agitation. Les envies et les désirs s'étaient éteints, laissant place à la sérénité des premiers âges, lorsque l'âme humaine et celle du cosmos ne faisaient qu'une.

Des pierres roulèrent non loin de moi. Je ressentis une présence. Malgré la peur, je voulus savoir qui m'avait suivi. Le Prophète, peut-être ? Avait-il choisi cet endroit solitaire pour m'aborder ? Les bruits de pas se rapprochèrent. Un corps chuta lourdement, derrière un pilier de briques menaçant ruine. Je me précipitai et relevai un homme habillé à la turque, le visage en sang.

Le professeur Raddi.

Le minéralogiste était hébété. Par bonheur, la blessure, malgré son apparence spectaculaire, n'était que superficielle. Une simple coupure. Je l'aidai à s'asseoir sur les vestiges d'un mur et le laissai reprendre son souffle.

— Champollion... c'est vous, Champollion ? Ah, le désert... le désert ! Je l'ai parcouru toute la nuit ! J'ai contourné des rochers, escaladé des dunes et des versants aux flancs desquels scintillaient des calcaires. La lumière de la lune les rend plus brillants... on croirait des diamants qui sortent du sable. J'en ai ramassé des milliers, des milliers... et puis j'ai continué. J'ai vu une île. Sur elle était construite une ville immense avec des colonnades, des obélisques, des pyramides blanches et rouges, des maisons entourées de jardins... comme c'était beau ! Je vais y retourner... c'est là-bas que je veux vivre...

270

— Nous irons ensemble, lui dis-je, dès que nous aurons pris un peu de repos.

Je le pris par le bras. Il n'opposa aucune résistance. Nous marchâmes lentement jusqu'à la *dahabieh*. Je le couchai sur son lit. Il s'endormit à la seconde.

Peut-être le professeur Raddi perdait-il la raison. Sans doute avait-il été témoin d'un de ces mirages dont le désert a le secret. A moins qu'il ne s'agisse d'ultimes réalités que ne peuvent percevoir les hommes ordinaires.

*

L'arrivée sur le site d'Abou-Simbel fut un grand moment de bonheur pour l'expédition entière. Nous étions devenus des familiers de deux temples de Ramsès et de son épouse. La joie claire et radieuse qui émanait de ces pierres, le sourire des colosses prolongèrent l'harmonie communautaire engendrée par la fête du Nouvel An.

Bien malgré moi, je dus hâter le travail. Nos provisions seraient bientôt épuisées. Mettre des vies en péril m'était insupportable. Nous vérifiâmes donc nos copies de textes et de scènes, les complétant et les améliorant. Je constatais que, malgré nos soins, nous avions commis erreurs et omissions. Il aurait fallu passer des mois entiers pour revoir cent fois chaque paroi, chaque colonne de hiéroglyphes.

Un calme très égyptien était devenu la règle de notre communauté. Chacun œuvrait en silence, témoignant du respect aux chefs-d'œuvre que nous fréquentions. Le père Bidant avait abandonné la prière pour prêter main-forte à L'Hôte avec qui il s'entendait fort bien. Lady Redgrave assistait Rosellini, lui tenant ses cahiers, se chargeant de lui procurer à boire. Le professeur Raddi, assis sur le pied d'un des colosses, demeurait immobile face au Nil, admirant des paysages que lui seul voyait.

*

Quitter Abou-Simbel fut une épreuve presque insupportable. Les jours et les nuits passés sur ce site compteront parmi les plus heureux de mon existence. Quand le 16 janvier, vers une heure de l'après-midi, les barques, bannières déployées, se furent éloignées du rivage aux cris des Nubiens entonnant en chœur un chant du départ, mon cœur se déchira.

Parvenu au milieu du fleuve, je fis s'immobiliser le vaisseau amiral d'où je contemplai une dernière fois le temple de la reine. Puis je dis adieu aux énormes statues de la façade du grand temple dont la masse gigantesque grandit à mesure qu'on s'écartait. Je laissais là un moment essentiel de mon aventure, un paradis retrouvé.

Je n'ai pu me défendre d'un sentiment d'abandon de moi-même en quittant ainsi pour toujours, selon toute apparence, ce sublime monument qui était aussi le premier temple dont je m'éloignais pour ne plus le revoir.

CHAPITRE 21

Le 17 janvier au soir, nous étions à Derr, la capitale actuelle de la Nubie, où nous soupâmes en arrivant, par un clair de lune admirable et sous les plus hauts palmiers que nous eussions vus. Ayant lié conversation avec un homme âgé du pays qui, m'apercevant seul à l'écart sur le bord du fleuve, était venu poliment me faire compagnie en m'offrant de l'eau-de-vie de dattes, je lui demandai s'il connaissait le nom du sultan qui avait fait construire le temple de Derr. Il me répondit aussitôt qu'il était trop jeune pour savoir cela mais que les vieillards du pays lui avaient paru tous d'accord que ce sanctuaire avait été construit environ trois cent mille ans avant l'islamisme, mais que tous ces anciens étaient encore incertains sur un point, savoir si c'étaient les Français, les Anglais ou les Russes qui avaient exécuté ce grand ouvrage. Voilà comment on écrit l'histoire en Nubie !

Continuant ma promenade solitaire, je me heurtai bientôt au père Bidant.

— Vous me paraissez fort troublé, Champollion. Quelque désagrément vous aurait-il frappé ?

— Non point, répondis-je. Plutôt un grand bonheur... le plus grand des bonheurs.

— Ce fameux déchiffrement, n'est-ce pas ?

Sa perspicacité me surprit. Il s'en aperçut.

— C'est à l'âge de neuf ans que vous avez appris la

découverte de la pierre de Rosette, rappela-t-il. A treize ans, vous avez décidé que vous liriez un jour les hiéroglyphes. A vingt, vous avez reçu la chaire de civilisation antique à l'Université de Grenoble. Depuis, vous ne cessez de poursuivre votre rêve et de tenter de persuader le monde savant que vous atteindrez votre but.

— Vous connaissez ma vie mieux que moi-même ! m'étonnai-je.

— Je dois tout savoir des âmes que j'ai en charge, indiqua-t-il, fort grave.

— En charge ?

— Oui, Champollion. J'ai reçu, des plus hautes autorités de l'Église, la mission de vous arracher aux ténèbres si ces dernières menaçaient de vous engloutir. Nous redoutions que ces décorations magiques vous troublent l'esprit.

— Les hiéroglyphes, objectai-je, ne sont pas une décoration vaine. Ils expriment une pensée. Je me fais illusion, peut-être, mais je crois que les résultats de mon travail ne seront pas sans intérêt pour les études historiques et philosophiques. La langue et les écritures de l'Égypte diffèrent tellement de nos langues et de tous les systèmes d'écriture connus, que l'histoire des idées, du langage, des arts ne saurait manquer d'y recueillir des données qui ne paraîtront pas moins importantes que nouvelles. L'historien verra dans les plus anciens temps de l'Égypte un état de fait que le cours des générations n'a point perfectionné, parce qu'il ne pouvait pas l'être : l'Égypte est toujours elle-même à toutes ses époques. Toujours grande et puissante par ses lumières.

— Pouvez-vous, dès aujourd'hui, apprécier les conséquences de votre découverte par rapport aux vérités révélées par la Bible ?

— Il faudra tout passer au crible, mon Père. Les Égyptiens étaient antérieurs aux Hébreux. Ils leur ont tout appris. Moïse était un Égyptien qui a quitté son pays d'origine. Demain, on lira des centaines de textes qui nous enseigneront la sagesse égyptienne, la plus pure jamais vécue par des hommes. Notre vision du monde en sera modifiée.

Le religieux baissa la tête, son menton touchant presque la poitrine. Il marmonna quelque chose d'incompréhensible puis s'empara d'un chapelet qu'il égrena avec nervosité.

— Soyez prudent, Champollion, conseilla-t-il avant de s'éloigner.

*

Toute capitale qu'elle fût, Derr n'était qu'un gros bourg rassemblant de pauvres maisons devant lesquelles les habitants avaient disposé écuelles, pots, marmites et cuillers, étalant ainsi leur fortune devant les yeux des voyageurs. Nous eûmes droit à un repas plus consistant, servi sur un morceau de cuir taillé en cercle où étaient disposés des plats contenant du riz bouilli au safran, des oignons, des pois chiches. Chacun mangea de bon appétit, comprenant que le temps des restrictions s'achevait.

L'Hôte avait retrouvé bonne humeur et entrain. Il buvait quantité de vin de palme et commençait à s'échauffer sérieusement.

— Général, avança-t-il d'une voix forte, j'ai conçu un formidable projet avec le *reis*... j'en ai parlé à Ippolito qui est d'accord et à Lady Redgrave qui m'a donné son appui... j'espère que vous ne me refuserez pas le vôtre.

L'inquiétude me prit. La manière dont mon dessinateur abordait le sujet était rien moins que mystérieuse. L'assemblée était devenue très attentive.

— C'est un projet un peu étonnant, continua L'Hôte, mais il constituera le plus vivace des souvenirs. Il y a bien un peu de danger, mais nous pouvons le réduire de beaucoup...

Ces tergiversations ne me rassuraient pas. Je le priai d'en venir au fait.

— C'est une occasion unique, d'après le *reis*... il nous garantit notre sécurité si nous suivons ses consignes.

Irrité, je croisais les bras.

— Mais enfin, L'Hôte! Quel est ce pharamineux projet si difficile à énoncer?

Il hésita encore quelques instants.

— Une grande chasse au crocodile, avoua-t-il, gourmand.

*

Juste avant l'aube, je m'offris le plaisir d'une nouvelle promenade solitaire entre des demeures entourées d'acacias et de palmiers. Les habitants dormaient encore. L'air fluide du petit matin était parcouru de chants d'oiseaux. Les plus beaux ornements de la modeste capitale, à la propreté remarquable, étaient de splendides sycomores au feuillage brillant. Sous leur délicieux ombrage avait été édifiée une mosquée bâtie en briques de couleurs.

Non loin un *sebil*, abri où s'installaient les marchands venus du Soudan en longues et patientes caravanes. Ils couchaient là, mêlés à leurs esclaves des deux sexes. Un fonctionnaire chargé de percevoir les impôts sur les palmiers dormait sur une natte. Je passai à pas silencieux, telle une ombre, pour ne point troubler cet ordonnancement, moi qui n'étais que le témoin de l'instant.

Je rejoignis la berge où l'expédition s'apprêtait. Le *reis* et L'Hôte avaient, avec mon accord, réquisitionné la *dahabieh* et six autres bateaux, chargés de rameurs, de matelots et de chasseurs armés de fusils. L'Hôte, animé d'un bel enthousiasme, était debout à l'avant de la première barque, chargée de lancer l'assaut contre les monstres. Le courant était si vif et le vent si violent que les embarcations volèrent comme des flèches. Tantôt la *dahabieh* prenait la tête, tantôt la barque de L'Hôte. Les matelots se prirent au jeu et entamèrent une course folle. Le père Bidant, affolé, se voilait la face. Deux barques de la flottille se heurtèrent violemment. Des rames furent cassées, des dos souffrirent. Je donnai l'ordre au capitaine de ralentir l'allure pour ne pas mettre en péril équipage et passagers.

L'Hôte, au comble de l'excitation, brandissait son arme, prêt à tirer sur le premier saurien qui passerait à sa portée. Mais le Nil demeurait désespérément vide de crocodiles. J'avoue que j'étais curieux, moi aussi, de voir surgir l'un de ces monstres dans le corps desquels s'incarnait le dieu Sobek, maître des eaux qui donnent la vie.

Le fleuve s'élargit, mais des îlots rendirent la navigation malaisée. L'Hôte poussa un tel cri de joie que chacun sursauta. Sur un petit promontoire sableux, de gros doyens se doraient au soleil. L'Hôte tira aussitôt, croyant abattre l'un d'eux. Mais les balles ricochèrent sur l'épaisse carapace. Animaux peureux, affolés par le bruit, les crocodiles coururent jusqu'à l'eau et s'y glissèrent prestement.

La déception des chasseurs fut considérable. Par dépit, ils vidèrent leurs armes.

Soliman me bouscula et se plaça devant moi.

— Ne restez pas ici. On vient de tirer sur vous.

*

Notre retour à Derr fut salué par une foule d'enfants qui prirent les barques d'assaut. Il fallut une intervention quelque peu brutale des matelots pour briser cette exubérance trop envahissante. Nous partîmes sans tarder pour le temple d'Amada. L'enquête menée par Soliman n'avait abouti à rien. Un nombre considérable de personnes s'était servi d'un fusil. Plusieurs chasseurs avaient même tiré ensemble.

Le sanctuaire impressionna tous les membres de l'expédition. Perdu dans le désert, environné du plus profond silence, dépourvu de tout ornement extérieur, ce temple de la bonne époque était l'image même de la sérénité.

Il me fit le plus grand bien, au moment même où, longtemps après, je ressentais les effets nerveux de l'attentat auquel j'avais échappé grâce à l'intervention de Soliman.

Bien qu'il fût enseveli sous des dunes de sable, le

temple d'Amada demeurait une borne sacrée émergeant hors du temps. Pénétrant à l'intérieur, je vis avec désespoir que les reliefs pharaoniques avaient été recouverts d'un misérable emplâtrage par les coptes qui avaient transformé le temple en église. Jusqu'à cet instant, j'avais résisté à une envie qui avait monté en moi pendant notre périple nubien. Cette fois, c'en était trop. Blême, je me tournai vers L'Hôte.

— Apportez-moi un marteau.

Mon collaborateur ne fut pas long. Personne n'osa me poser la moindre question. Chacun ressentait l'énorme colère qui m'habitait.

J'agrippai le marteau que me tendait L'Hôte et je cassai un grand morceau de stuc, ramenant ainsi au jour un relief égyptien brillant encore de ses couleurs originelles.

Le père Bidant, indigné, voulut m'arrêter mais Rosellini et L'Hôte l'empêchèrent d'avancer. Avec force et précision, je continuai un travail qui était surtout un hommage au génie des anciens. Une joie tranquille m'animait. En ressuscitant cet art de lumière, je me purifiais.

*

Nous passâmes deux journées merveilleuses à travailler sans relâche dans le temple d'Amada, remettant en valeur la plupart des figures antiques, admirant des colonnes qui préfiguraient le style dorique, dessinant et notant avec ardeur. Avec quelle émotion traduisis-je sans peine un discours du dieu Thot, maître des hiéroglyphes, dont je pouvais à présent comprendre les paroles ?

Quand nous partîmes pour Dakkeh, j'avais le cœur léger. Après Amada, j'espérais un autre chef-d'œuvre. C'est au pas de course que nous nous précipitâmes, L'Hôte et moi, vers le pylône de Dakkeh alors que le soleil se levait. La première inscription hiéroglyphique qui me tomba sous les yeux m'apprit que j'étais dans un lieu saint dédié à Thot. Cette fois, je n'en doutais plus : le dieu des scribes me témoignait de sa faveur. Non sans irrévérence, je l'avoue, je crus même à une sorte de clin d'œil de la part de l'auguste Thot, le Mercure égyptien armé du caducée, le sceptre ordinaire des dieux.

La journée du 26 janvier fut donnée en partie au petit temple de Dandour. Nous retombâmes dans le moderne. C'est un ouvrage non achevé du temps de l'empereur Auguste. Quoique peu important par son étendue, ce monument m'a beaucoup intéressé puisqu'il est entièrement relatif à l'incarnation d'Osiris, sous forme humaine. Osiris, le vainqueur de la mort... cette mort qui, dans mon sommeil, me souriait de plus en plus souvent.

Le professeur Raddi poussa un cri, suivi d'un autre cri, puis d'un autre encore.

Nous sortîmes du sanctuaire. Le minéralogiste était heureux comme un enfant. Il venait de découvrir, par hasard, un superbe écho ! Il répétait fort distinctement et d'une voix sonore jusqu'à onze syllabes. Rosellini, aussi enthousiaste que son compatriote, se plut à faire déclamer à l'écho des vers du Tasse, entremêlés de coups de fusil que les matelots tiraient de tous côtés et qui, par magie naturelle, recevaient en réponse des coups de canon ou des éclats de tonnerre.

Le destin, hélas, me réservait un autre éclat qui déchira le ciel clément. J'eus besoin d'un nouveau carnet pour noter des colonnes de hiéroglyphes. Quittant L'Hôte quelques instants, j'allai chercher Rosellini qui prenait des mesures à l'extérieur du temple. Ne le trouvant point, je marchai vers une colline voisine d'où l'écho me renvoyait des bribes de conversation. Je reconnus la voix de Lady Redgrave et de Rosellini. Ce que disait mon disciple me glaça le sang.

— Champollion n'est pas un plus grand savant que moi, affirmait Ippolito Rosellini. Impossible, pour le moment, de l'en persuader. Je lui laisse croire que je me considère comme son inférieur, alors que j'en sais plus que lui. De retour en Italie, je deviendrai un grand conservateur qui créera le plus grand musée du monde. Champollion est un rêveur, un idéaliste... il ne saura pas exploiter les résultats de cette expédition. Moi, si. Le seul égyptologue dont la postérité retiendra le nom, ce sera moi. Même si je dois écarter Champollion de ma route.

Ne voulant pas en entendre davantage, je rebroussai chemin.

*

Après avoir franchi le tropique du Cancer en aval de Dandour, nous dîmes adieu à la Croix du Sud à Beit el-Ouali, laissant derrière nous les merveilleuses nuits claires de la Nubie. En jetant un dernier regard à ces étoiles d'un autre monde, je songeais à don Calmet, le moine qui me donnait des leçons de choses en plein air et qui, le premier, m'avait reconnu le don des langues. Combien il aurait apprécié ces instants d'intense recueillement où l'on apprenait le ciel en le contemplant depuis la berge du Nil.

Une main très douce se posa sur mon épaule.

— Qu'espérez-vous encore, Jean-François ? demanda Lady Redgrave. N'avez-vous point atteint votre but, déchiffrer les hiéroglyphes ?

— Les informations circulent vite... mais vous me croyez enfin !

Elle ne répondit pas. Je me tournai vers elle, rempli d'espoir.

— Pas davantage. Pourquoi continuer ce voyage, si vos désirs sont satisfaits ?

— Parce que maintenant, il me faut lire ! Déchiffrer Thèbes, entrer au cœur de la cité sainte ! Mon travail ne fait que commencer, Lady Ophelia... c'est un univers qui s'ouvre devant moi.

— Et si vous retourniez vers Thèbes pour rencontrer enfin le fameux Prophète à qui vous confierez les renseignements que vous avez recueillis ? Si vous poursuiviez inexorablement le plan qui vous mènera à l'ultime combat contre Drovetti ?

J'étais atterré. Trahi par les uns, mécompris par les autres... était-ce si difficile de faire partager un idéal ?

— Ce ciel est le plus beau du monde, dit-elle. Pourquoi le gâcher en nous mentant ? Pourquoi ne pas nous abandonner aux sentiments qui nous animent ?

Peut-être aurais-je dû la prendre dans mes bras, lui confesser que la moindre de ses paroles me troublait, lui avouer que sa beauté était celle des femmes nobles de l'ancienne Égypte... je me suis comporté comme un lâche. Je me suis enfui. Mais je ne voulais pas d'une affection qui ne fût pas nourrie par une totale confiance.

Mieux valait la solitude que le doute.

*

Philae s'annonçait. Nous rentrions en Égypte, disant adieu à cette pauvre Nubie, dont la sécheresse avait fini par lasser mes compagnons de voyage. En remettant le pied en Égypte, nous pouvions espérer manger du pain un peu plus supportable que les maigres galettes azymes dont nous régalait journellement notre boulanger en chef, tout à fait à la hauteur du gargotier arabe qu'on nous donna au Caire comme un cordon bleu.

Le 1er février, vers neuf heures du soir, nous vîmes d'abord les puissantes roches granitiques formant les bords du Nil, puis les falaises de Biggeh et enfin l'admirable pylône d'entrée du temple de Philae. Je rendis grâce à ses antiques divinités, Osiris, Isis et Horus, de ce que la famine ne nous avait pas dévorés entre les deux cataractes.

Les étoiles brillaient. Plusieurs familles nubiennes nous accueillirent avec des cris de joie lorsque nous débarquâmes près du kiosque de Trajan. Nous bénéficiâmes d'un concert de flûtes et de tambourins auquel L'Hôte participa de sa belle voix grave, tandis que le professeur Raddi, un morceau de granit dans chaque main, esquissait des pas de gigue qui amusèrent follement les enfants. Rosellini, offrant le bras à Lady Redgrave, l'aida à quitter la *dahabieh* pour fouler à nouveau la terre des pharaons. Côte à côte, Soliman et

Moktar gardèrent l'accès au vaisseau amiral de manière à décourager toute tentative de rapine.

Alors que je dégustais un café offert par le chef des gardiens du site de Philae, on m'agrippa par le pantalon. Me baissant, je découvris une petite fille d'une dizaine d'années. Elle portait une magnifique robe rouge, sans doute parce qu'elle venait d'être l'héroïne d'une fête.

— Il faut venir avec moi, me dit-elle.

Je souriais.

— Pourquoi donc ?

Elle réfléchit avec intensité, pour bien se remémorer la phrase qu'elle avait à prononcer.

— Un grand ami de M. Anastasy vous attend.

Anastasy... son nom constituait la plus sûre des garanties. « Un grand ami » ne pouvait être qu'un des Frères de Louxor. Impossible de prévenir Soliman que Moktar ne lâchait pas d'un pouce.

— Je te suis, dis-je à la fillette.

Rapide, elle me conduisit de l'autre côté de l'île, là où était amarrée une autre *dahabieh* presque semblable à la nôtre. Les deux matelots qui en gardaient l'entrée s'inclinèrent devant moi et libérèrent le passage. Ils retinrent la fillette à laquelle ils offrirent une poupée qu'elle adopta aussitôt.

Un serviteur me guida jusqu'à la cabine du maître des lieux. Elle était somptueusement meublée : fauteuils de cuir, divan, table en acajou, bibliothèque en chêne.

Un homme d'une soixantaine d'années, d'une grande prestance, se leva et vint vers moi. Il était vêtu d'un costume blanc et fumait la pipe. Son visage, que creusaient des rides profondes, était buriné par le soleil.

— Heureux de vous accueillir, Champollion. Mon nom est Lord Prudhoe.

— Et vous êtes un grand ami d'Anastasy...

— Et votre Frère...

Spontanément, nous nous donnâmes l'accolade, aussi émus l'un que l'autre.

— Vous serez le dernier d'entre nous, Champollion. Méhémet-Ali nous pourchasse. Il nous identifie les uns après les autres. La délation est efficace. La plupart d'entre nous ont déjà quitté l'Égypte. On nous confond avec une secte révolutionnaire. J'entreprends un grand voyage d'exploration en Nubie puis en Arabie. J'irai mourir là-bas, sous ces soleils qui ne déçoivent jamais mon attente. Je pars dès ce soir. Vous, vous retournez à Thèbes, le plus haut lieu de l'univers. Drovetti et ses hommes vous y attendent. Sachez que votre existence est en péril.

— Qui me trahit, parmi les membres de mon expédition ?

— Je l'ignore, Champollion. Il est certain que tout a été organisé avant votre départ de Toulon. Je n'ai aucun espoir de vous faire renoncer à votre séjour thébain. Je ne tenterai même pas de vous convaincre. Vous l'espérez depuis trop longtemps. Soyez conscient que vous êtes menacé tant à l'intérieur qu'à l'extérieur.

Bien que je gardasse un calme apparent, les avertissements de Lord Prudhoe m'ébranlèrent.

— Je n'ai plus le choix, constatai-je. J'ai déchiffré les hiéroglyphes.

Un long silence succéda à cette déclaration.

— Je n'ai pu rencontrer le Prophète, ajoutai-je, mais j'ai reçu un message de sa part me confirmant la valeur de ma découverte.

— Eh bien, dit Lord Prudhoe, il ne nous reste qu'une ultime précaution à prendre : partager votre secret. Ainsi, si vous disparaissez, je transmettrai les mystères qui sont jusqu'à présent en votre seule possession.

Ma gorge se noua. Il me demandait de lui confier mon plus précieux trésor, l'essentiel de ma vie, alors que je le rencontrais pour la première fois. J'avais si souvent été trop crédule, accordant ma confiance à des êtres qui l'avaient utilisée pour me nuire... Lord Prudhoe avait un regard perçant qui analysait à la perfection mon débat intérieur. Patient, il tirait sur sa pipe.

— Donnez-moi du papier, demandai-je. Je vais vous expliquer.

Il sourit avec bonhomie.

— Inutile, Champollion. Votre confiance me suffit. Je serais bien incapable de comprendre. Vous seul êtes apte à transmettre votre prodigieuse découverte aux générations futures. Un détail, cependant... j'ai un cadeau pour vous.

De sa bibliothèque, il sortit un ouvrage ancien, un traité sur les hiéroglyphes écrit par un prêtre égyptien, Horapollon, vivant à l'époque grecque.

— Vous avez lu ce texte... mais, dans cet exemplaire, il est complété par des commentaires manuscrits qui vous serviront. Ils sont de la main d'un ancien, dont vous jugerez vous-même de la compétence. Pour notre confrérie, c'est une clé indispensable dont l'utilisation vous était réservée.

Passionné, je me jetai sur ce vénérable document qui m'apporta une révélation essentielle : le triple sens de la langue hiéroglyphique, littéral, moral et symbolique, les trois aspects étant le plus souvent liés pour rendre compte de la réalité. Ce n'était pas seulement un langage qui se dévoilait, mais une philosophie entièrement neuve, une vision de la vie qui apparaîtrait demain comme la plus essentielle des créations.

Je tenais entre mes mains une formidable révolution de la pensée.

Suffirait-il d'un Drovetti et de quelques brigands pour l'empêcher de s'accomplir ? Me voyant troublé par l'émotion, Lord Prudhoe m'offrit un excellent porto.

— Si les dieux vous sont favorables, Champollion, les conséquences de votre expédition seront incalculables. Vous allez fonder une science, ressusciter une civilisation et surtout faire renaître une sagesse dont les hommes de demain auront le plus grand besoin.

— Pourquoi ne pas rester à mes côtés ?

— Il est dans notre règle de nous disperser aux quatre coins du monde. Vous vous dirigez vers le nord, moi vers le sud. C'est bien ainsi.

— Ce fameux Prophète existe-t-il vraiment, à votre avis ? Ami ou ennemi ?

— Vous l'avez souvent rencontré sur les bas-reliefs, Champollion ! Un homme altier, portant la barbe, tenant une grande canne... n'est-ce point le fidèle portrait d'un grand dignitaire à la cour de Pharaon, de chacun de ces maîtres de domaine chargés de faire régner l'harmonie sur cette terre ?

Je m'étais montré bien peu attentif. La confrérie de Louxor m'avait tendu le plus salutaire des pièges, celui qui mettait à mal ma vanité.

Nous passâmes la nuit à parler de notre passé et de nos projets. Nous oubliâmes qu'il existerait un lendemain et que l'aube rosirait.

— J'ai horreur des adieux, déclara Lord Prudhoe. Je ne voudrais pas prendre du retard. Vous-même n'avez plus de temps à perdre. Nous nous reverrons... dans une autre vie.

Sans davantage de cérémonie, Lord Prudhoe quitta sa cabine pour se diriger vers l'avant de la *dahabieh* et donner ses ordres au capitaine. Sur la berge, j'attendis que le bateau quitte le quai.

La petite fille à la robe rouge dormait sous un acacia, serrant une poupée contre sa poitrine. Je souhaitais ne point la réveiller mais mon pied gauche fit rouler une pierre. La petite fille se frotta les yeux, se leva et m'agrippa par le bras.

— Tu n'as pas de cadeau pour moi ? demanda-t-elle.

— Ceci te plaît ?

Je lui offris un mouchoir brodé.

Elle s'en servit pour habiller sa poupée.

— J'aimerais savoir... qui t'a offert cette belle robe ?

— Le monsieur du bateau qui s'en va... celui qu'on appelle le Prophète.

CHAPITRE 22

D'après les renseignements obtenus par Soliman à Assouan, Drovetti avait depuis longtemps quitté la région pour résider à Thèbes où, disait-on, ses hommes se répandaient partout sous le prétexte de fouilles à entreprendre. J'eus souhaité le plus prompt départ vers l'ancienne capitale, mais il fallut procéder à une remise en état de nos deux bateaux, *l'Isis* et *l'Hathor,* dont personne ne s'était occupé pendant notre aventure nubienne. Mes compagnons mirent à profit ce temps de repos pour dormir tout leur saoul et manger à satiété. Me portant à merveille, nullement fatigué après tant de succès, j'étudiais une nouvelle fois les pauvres vestiges des temples anciens.

Nous dîmes adieu à l'antique Syène le 8 février et nous jouâmes de malheur.

Nous voici au 10, et nous sommes loin d'avoir franchi la distance qui nous sépare d'Ombos, où l'on se rend d'Assouan en neuf heures par un temps ordinaire ; mais un violent vent du nord souffle sans interruption depuis trois jours et nous fait pirouetter sur les vagues du Nil, enflé comme une petite mer. Nous avons amarré, à grand-peine, dans le voisinage de Mélissah, où est une carrière de grès sans aucun intérêt ; du reste, santé parfaite, bon courage, et nous préparant à explorer Thèbes de fond en comble.

Je me réjouis d'avance en pensant que j'aurai peut-être un nouveau courrier. Je trouve les lettres de Paris un peu courtes ; on oublie que je suis à mille lieues de France et que les soirées peuvent être longues ! Toujours fumer ou jouer à la bouillotte ! Il nous faudrait une bonne édition des petits paquets de Paris. Qu'on ne me trouve pas exigeant ; j'ai presque le droit de l'être sous les auspices des vingt-sept pages que je viens d'écrire, et que je clos au plus vite, de peur qu'on ne dise que les plus grands bavards du monde sont les gens qui reviennent de la seconde cataracte.

Une étrange torpeur s'est emparée de notre communauté. Le père Bidant s'est de nouveau enfermé dans ses prières ; le professeur Raddi, installé sur le pont de *l'Hathor,* contemple le Nil et les montagnes, muré dans le silence ; Rosellini classe ses notes scientifiques ; L'Hôte retouche croquis et esquisses. De mon côté, j'avance mon dictionnaire et ma grammaire, travaillant dans une sorte de rêve éveillé où je dialogue avec le dieu Thot qui me fait progresser dans la connaissance de la langue sacrée.

Notre voyage se poursuit sans embûches ; une courte distance nous sépare de Thèbes.

Nos cœurs étaient gros de revoir ses ruines imposantes. Nos estomacs se mettaient aussi de la partie, puisqu'on parlait d'une barque de provisions fraîches, arrivée à Louxor à mon intention. C'était encore une courtoisie de notre digne consul général Drovetti, et nous avions hâte d'en profiter. Mais un vent du nord d'une violence extrême nous arrêta pendant la nuit entre Hermonthis et Thèbes, où nous ne fûmes rendus que le lendemain matin 8 mars, d'assez bonne heure. Nos bateaux furent amarrés au pied des colonnades du temple de Louxor que nous étions décidés à étudier plus à fond. L'état de ce magnifique palais divin ne s'était, hélas, point amélioré. Il était toujours obturé par des cahutes de fellahs, défigurant ses beaux portiques, sans parler de la chétive maison d'un *brin-bachi,* juchée sur la plate-forme violemment percée à coups de pic, pour donner passage aux balayures du Turc. Le sanctuaire ne nous offrait aucun local commode ni assez propre pour y établir notre ménage. Il a donc fallu garder nos bateaux jusqu'au moment où nos relevés dans le temple ont été terminés.

Les provisions offertes par Drovetti, dont on prétendait qu'il avait regagné Le Caire après des fouilles fort décevantes, furent servies à la table d'un grand banquet célébrant notre retour à Thèbes. Soliman, malgré mon opposition à son projet, tint à goûter aux viandes, aux légumes et aux fruits que nous dégustâmes. Aucune saveur ne lui parut suspecte jusqu'au moment où il se contraignit à tremper les lèvres dans du vin de Bordeaux. Une minute plus tard, il avait le ventre en feu.

Le professeur Raddi le magnétisa aussitôt tandis qu'un matelot apportait une tisane amère. Le mal s'estompa, mais Soliman demeura fiévreux pendant plusieurs heures.

— Du poison, murmura-t-il, du poison...

*

Nous passâmes sur la rive gauche le 23 et nous avons pris la route de la vallée de Bilan el-Molouk, où sont creusés les tombeaux des pharaons du Nouvel Empire. Cette Vallée des rois étant étroite, pierreuse, circonscrite par des montagnes assez élevées et dénuées de toute espèce de végétation, la chaleur y est parfois insupportable. Notre caravane s'y est établie le jour même et nous occupons le meilleur logement et le plus magnifique qu'il soit possible de trouver en Égypte. C'est le roi Ramsès, sixième du nom, qui nous donne l'hospitalité, car nous habitons son magnifique tombeau, le second que l'on rencontre à droite en entrant dans la vallée. Cet hypogée, d'une admirable conservation, reçoit assez d'air et de lumière pour que nous y soyons logés à merveille ; nous occupons les trois premières salles, qui forment une longueur de 75 pas ; les parois, de 15 à 20 pieds de hauteur, et les plafonds sont tout couverts de sculptures peintes, dont les couleurs conservent presque leur éclat d'origine ;

c'est une véritable habitation de prince, à l'inconvénient près de l'enfilade des pièces. Le sol est couvert en entier de nattes et de roseaux. Enfin, nos gardes du corps et les domestiques couchent dans deux tentes dressées à l'entrée du tombeau. Tel est notre établissement dans la Vallée des rois, véritable séjour de la mort, puisqu'on n'y trouve ni un brin d'herbe, ni êtres vivants, à l'exception des chacals et des hyènes qui, l'avant-dernière nuit, ont dévoré, à cent pas de notre palais, l'âne qui avait porté des provisions.

Ce drame, par bonheur, avait laissé sains et saufs le chat du Kordofan et la gazelle de L'Hôte qui se sont installés dans la salle du sarcophage où j'avais déposé mon lit de camp, dormant d'un sommeil paisible dans cette demeure d'éternité, auprès de l'âme du Pharaon. Ma vénérable chambre à coucher était fermée par une porte en bois provenant d'une *dahabieh*.

Chaque nuit, j'attendais que chacun s'endormît, caressant doucement la gazelle plongée dans un sommeil béat. Quand j'entendais les souffles réguliers des dormeurs, j'allumais une lampe un peu fumeuse pour préparer le programme du lendemain. On attendait mes ordres, je devais être prêt à les donner avec clarté et sans hésitation.

Au dehors régnait un calme presque absolu, parfois rompu par les hurlements des chacals ou des hyènes. Habitués, les ouvriers calfeutrés sous leurs tentes ne se réveillaient pas.

Ce furent mes plus belles heures de travail. Entré vivant dans ce tombeau que les Égyptiens appelaient « demeures d'éternité », j'en savourais les mystères et les symboles sans avoir besoin de les disséquer. L'enseignement des pharaons ne passait pas par le mental. Il fallait s'en imprégner, vivre avec les bas-reliefs, au cœur de ces figures étranges qui ne parlaient que de l'essentiel.

Le repos de mes compagnons me comblait d'aise. Ils étaient sereins, détendus. L'énergie qui se dégageait de ces murs sacrés me dispensait presque de sommeil. En écrivant, en songeant aux prochaines tâches, je me défatiguais. J'avais conscience du caractère exceptionnel de ces moments et je ne voulais pas en perdre une miette. Mon devoir était de protéger mes compagnons et mes ouvriers, de veiller sur leur quiétude ; mon plaisir ineffable, récompense suprême, consistait à goûter cette solitude communautaire, à me sentir présent à l'esprit des anciens comme à celui des hommes qui, par leur acharnement, commençaient à arracher l'Égypte à son linceul de sable.

Le matin venait toujours trop vite. Le chat et la gazelle me sortaient sans ménagement de ma contemplation, me témoignant, chacun à sa manière, une touchante affection. Se laissant prendre au manège des deux complices, qui faisaient semblant d'être affamés, Rosellini les nourrissait une seconde fois, leur murmurant des mots doux en italien. Le chat, passant le plus clair de son temps à dormir, avait communiqué ce goût à la gazelle dont il était devenu le maître incontesté.

Nos deux hôtes privilégiés n'appréciaient pas les visites des paysans qui se présentaient à la porte de notre domicile royal avec des brebis, des chèvres, des ânes ou des poules. Ni le chat ni la gazelle ne supportaient l'intrusion de ces visiteurs indésirables que nous étions obligés de refouler sans pitié.

Le logement me parut chaque jour plus convenable. La longue galerie en pente douce conduisant jusqu'au sanctuaire était remplie pendant la chaleur d'une douce pénombre. Une agréable fraîcheur permettait de travailler sans peine. Sous la direction de L'Hôte furent entassés pêle-mêle vêtements, armes, provisions. Bientôt, la tombe de Ramsès ressembla à une caverne de brigands ! Avec nos moustaches, nos barbes, nos costumes orientaux et nos sabres aux côtés, nous avions la mine d'aventuriers redoutables prêts à trancher la gorge du premier passant venu.

Pour fêter cette installation, j'offris une petite réception arrosée par un vieux bourgogne. Nous levâmes nos verres en l'honneur de la dynastie des Ramsès qui nous accueillait avec tant de cordialité. A notre table était invité le sieur Piccini, agent d'Anastasy à Thèbes, dont la franche gaieté décupla la nôtre.

À l'issue d'une plaisanterie napolitaine, il se pencha vers moi.

— J'ai une requête à vous présenter, me dit-il à l'oreille.

— Je vous écoute.

— Avez-vous l'intention de faire des fouilles ?

J'hésitais à répondre. Le bon visage de Piccini me parut soudain hostile, inquisitorial. Cherchait-il à s'informer pour me nuire ? Était-il un agent de Drovetti déguisé sous le masque de l'amitié ? Je voulus en avoir le cœur net. Autant dévoiler mes projets et apprécier ses réactions.

— J'en ai l'intention, en effet.

— Ici même ou sur les deux rives ?

— Sur les deux rives.

— Avec quel argent ?

— Le mien, puisque les crédits annoncés ne sont pas encore arrivés.

— En ce cas, permettez-moi de vous présenter une requête. J'aimerais que vous gardiez mes enfants.

Il avait prononcé sa supplique la tête basse, la voix tremblante.

— Vos enfants ? Mais quel âge...

— Mes enfants... je veux dire mes ouvriers. Ceux qui fouillent avec moi depuis quatorze ans. Si vous pouviez les conserver avec vous, ce serait un immense soulagement.

Je lui servis un grand verre de vin.

— Soyez tout à fait rassuré, monsieur Piccini. Notre expédition n'est pas riche mais nous embaucherons le maximum d'ouvriers.

Nous réglâmes aussitôt cette affaire avec Rosellini. Nos finances nous permirent de retenir trente-six des « enfants » du fouilleur italien, qui, dès le lendemain, se mettraient au travail sous la direction de Rosellini. Piccini était ému aux larmes. Mon disciple, dont l'esprit pratique ne s'émoussait en aucune occasion, commença à distribuer des consignes, insistant tout particulièrement sur la discipline.

Nestor L'Hôte s'installa à mes côtés.

— J'ai la meilleure des histoires à vous raconter, dit L'Hôte, égrillard. Un Turc avait révélé à sa femme un enseignement qu'il avait reçu à la mosquée. L'Imam avait évoqué la sainteté et les obligations sacrées du mariage. Les maris qui s'acquittent de leur devoir conjugal à l'entrée de la nuit, avait-il indiqué, font une œuvre aussi méritoire que s'ils sacrifiaient un mouton. Ceux qui payent un second tribut au milieu de la nuit font autant, aux yeux de Dieu, que s'ils sacrifiaient un chameau. Les méritants qui rendaient un troisième hommage à la sainteté de leur union au lever du soleil ont agi avec autant de générosité que s'ils avaient délivré un esclave. L'épouse, dont chacun sait qu'elle n'est préoccupée que par le salut de son époux, lui demanda à l'entrée de la nuit : « Sacrifions un mouton. » Le mari obéit et s'endormit, le devoir accompli. Mais sa femme le réveilla au milieu de la nuit pour lui dire : « Sacrifions un chameau. » Le mari obéit à nouveau et se rendormit, épuisé. A l'orée du jour naissant, sa fidèle et croyante épouse l'avertit que le moment était venu... de délivrer un esclave. Tendant les bras vers elle, il l'implora : « A présent, chérie, c'est moi qui suis ton esclave ! Délivre-moi, je t'en conjure ! »

Les rires éteints, L'Hôte s'adressa à moi avec gravité.

— Général... quel genre de travail comptez-vous me donner, les jours prochains ?

— Nous allons nous enterrer vivants dans les tombes des rois et les étudier à fond.

— Avez-vous fait un choix ?

— Les plus belles...

— Autrement dit, rétorqua L'Hôte qui commençait à me connaître, nous les choisissons toutes. Combien de temps comptez-vous nous priver de la lumière du soleil ?

— Trois ou quatre jours...

— Disons donc au moins deux semaines, général, si nous travaillons vite !

Je n'osais contredire L'Hôte qui avait deviné mes intentions secrètes. Morose, il s'écarta, préférant écouter le professeur Raddi qui s'était lancé dans un long monologue sur la classification des granits.

— A votre santé, Champollion ! déclama Lady Red-grave, me défiant du regard. Que la vallée des tombeaux vous soit favorable !

*

Dès l'aube du lendemain, notre communauté composée d'ânes et de savants prit possession de la nécropole royale creusée pour les illustres pharaons du Nouvel Empire.

L'impression produite était fascinante. Aridité, rochers coupés à pic, montagnes en pleine décomposition offrant presque toutes de larges fentes occasionnées soit par l'extrême chaleur, soit par des éboulements intérieurs, et dont les croupes sont parsemées de bandes noires, comme si elles eussent été brûlées en partie. Aucun animal vivant ne fréquente cette vallée de mort. Je ne compte point les mouches, les renards, les loups et les hyènes, parce que c'est notre séjour chez Ramsès et l'odeur de notre cuisine qui avaient attiré ces quatre espèces affamées.

En entrant dans la partie la plus reculée de la vallée, par une ouverture étroite évidemment faite de main d'homme, et offrant encore quelques légers restes de sculptures égyptiennes, on voit bientôt au pied des montagnes, ou sur les pentes, des portes carrées, encombrées pour la plupart, et dont il faut approcher pour déchiffrer la décoration. Ces portes, qui se ressemblent toutes, donnent entrée dans les tombes. Chacune a la sienne, car jadis aucune ne communiquait avec l'autre. Elles étaient isolées ; ce sont les chercheurs de trésors, anciens ou modernes, qui ont établi des communications forcées.

La gardienne imperturbable de la vallée est une haute montagne que termine une sorte de pyramide que l'on jurerait taillée de main d'homme. Elle me fit penser à la mère pyramide, le monument à degrés de Saqqarah d'où découle toute l'architecture sacrée. Cette cime est gardienne du silence que doit observer tout être pénétrant en ces lieux. Dominant une nature pétrifiée, elle marque l'accès au paysage de l'autre monde.

J'allai visiter les vieux rois de Thèbes dans leurs palais creusés au ciseau ; là, du matin au soir, à la lueur des flambeaux, je parcourus des enfilades d'appartements couverts de sculptures et de peintures, pour la plupart d'une étonnante fraîcheur.

Ici, j'étais pleinement heureux et rassuré, comme si tout danger avait disparu. Chaque tombe exprimait un génie particulier, dévoilant un aspect du mystère inscrit en ces lieux. Un peu partout traînaient des restes de bandelettes de momies sur lesquels je me suis assis, méditant avant d'explorer dans ces palais souterrains. Quelle émotion indicible... Dans cette Égypte bâtie par l'éternité et pour l'éternité, j'ai perçu dans ma chair la sagesse qui enveloppe toute parcelle de vie. Ces sépultures sont creusées en dehors de notre monde apparent, comme si elles servaient de demeures au plus ancien des dieux, à la puissance des origines qui les aurait choisies comme ultime retraite. Au cœur de l'univers, plongée dans un sommeil lumineux, elle veille sur le destin de l'humanité.

Lorsque je pénétrai pour la première fois dans l'une de ces profondes cavernes, accompagné de Nestor L'Hôte, armé d'une chandelle, ce dernier se mit à trembler et recula de deux pas, vivement impressionné par des représentations de serpents, d'hommes à tête coupée, de génies armés de couteaux.

— Je n'irai pas plus loin, dit-il. C'est l'enfer.

— Au début, Nestor, au début... continuons.

Malgré ses craintes, mon dessinateur accepta de progresser dans l'immense tombe du pharaon Séthi Ier, qui s'enfonçait profondément dans les entrailles de la terre. Il fut bientôt récompensé de son courage. Les scènes les plus admirables apparurent à la lueur de la chandelle. Ouverture de la bouche, franchissement des portes de l'au-delà, résurrection du corps de lumière, vision des paradis réservés aux justes... l'éblouissement des ors, des bleus, des rouges nous révélait ce que pouvait être la perfection. Je demandai à L'Hôte de tout dessiner de manière à engranger dans nos portefeuilles une exacte copie de la réalité. J'étais en fureur contre les publications précédentes qui trahissaient le génie égyptien de la manière la plus scandaleuse. Il faudrait fouetter sur la place publique la Commission d'Égypte, Gau et les Anglais qui ont osé faire paraître des croquis si informes de ces grandes et belles compositions. Je peux affirmer que L'Hôte, répondant à mes exigences, a rendu avec une scrupuleuse fidélité le style vrai et varié des monuments des différentes époques. Parvenu au fond de la tombe, sous le grand tableau astronomique décorant le plafond, je remerciai chaleureusement L'Hôte pour l'immense service qu'il rendait à l'Égypte.

Ému, conscient de l'importance de sa tâche, il redoubla d'ardeur.

— Ces sculptures sont encore plus soignées que celles que nous avons vues dans les temples, reconnut-il. Mais pourquoi avoir réservé la perfection de l'art à ces lieux condamnés au silence et à l'obscurité ?

— Peut-être parce que la beauté ne peut s'épanouir que dans le secret, répondis-je. Ce qui est enseigné ici n'est point l'art tel que nous l'entendons, mais le secret de l'éternité.

L'Hôte fut gagné par la magie qui imprégnait le moindre pouce de ces murs. Les salles désertes s'animèrent. Les figures vieilles de plus de quarante siècles ressuscitaient par notre regard attentif. Tout vivait d'une autre vie que n'atteignaient pas les bassesses humaines.

— Impossible d'imiter pareille beauté, se plaignit L'Hôte. Tout a été révélé ici, et nous l'avons perdu...

— Je ne crois pas, Nestor. Ce que les pharaons ont inscrit dans leur demeure d'éternité est un message d'espoir.

L'Hôte marcha jusqu'au sarcophage vide. La momie du roi avait disparu. Il ne subsistait que l'esprit. Le visage éclairé par une lumière vacillante, le robuste dessinateur ressemblait à un moderne Aladin découvrant l'antre aux trésors.

— Œuvre surnaturelle, jugea-t-il. Oui, surnaturelle...

L'abandonnant à ses pensées, je m'immobilisai devant un bas-relief représentant la déesse Hathor accueillant le roi. Un fac-similé de cet incomparable chef-d'œuvre avait été exposé à Paris, en 1828, lors de l'exposition de Belzoni, mais personne n'avait cru à la possible perfection de l'original. Cette fois, il fallait frapper un grand coup en prouvant au monde entier que l'art égyptien était bien au-delà des dessins misérables publiés jusque-là.

J'appelai L'Hôte.

— Nestor, lui dis-je, je vais être obligé de commettre un sacrilège. Il me faut défigurer cette tombe pour faire rayonner l'Égypte en Europe. Accordez-moi votre pardon d'artiste et d'homme d'honneur.

Abasourdi, L'Hôte ne put prononcer une seule parole.

— Donnez-moi votre scie.

Le dessinateur m'apporta l'objet qui lui servait le plus souvent de règle.

Avec précaution, les larmes aux yeux, je découpai le bas-relief, osant porter une scie profane dans la plus accomplie des tombes royales thébaines. Je le remis à L'Hôte.

— Enveloppez-le, dis-je, tremblant d'émotion. J'y tiens plus qu'à moi-même. Que lui, au moins, revienne intact à Paris [1].

*

J'avais hâte de découvrir les tombes des autres Ramsès. Celle de Ramsès III était devenue un lieu de visite depuis l'Antiquité. De curieux désœuvrés avaient souillé les murs. Comme ceux de nos jours encore, ils croyaient s'illustrer à jamais en griffonnant leurs noms sur les peintures et les bas-reliefs qu'ils ont ainsi défigurés. Les sots de tous les siècles y ont de nombreux

1. Le bas-relief est aujourd'hui exposé au musée du Louvre.

représentants. On y trouve d'abord des Égyptiens de toutes les époques qui se sont inscrits les premiers en hiératique, les plus modernes en démotique[1] ; beaucoup de Grecs de très ancienne date à en juger par la forme des caractères ; de vieux Romains de la République qui s'y décorent avec orgueil du titre de Romanos, des noms de Grecs et de Romains du temps des premiers empereurs ; une foule d'inconnus du Bas-Empire noyés au milieu des superlatifs qui les précèdent ou les suivent, plus des noms de coptes accompagnés de très humbles prières ; enfin les noms des voyageurs européens, que l'amour de la science, la guerre, le commerce, le hasard ou le désœuvrement ont amenés dans ces tombes solitaires.

J'attendais surtout avec la dernière impatience de découvrir la tombe du grand Ramsès, le pharaon qui m'avait introduit dans la connaissance des hiéroglyphes et dont l'œuvre visible était partout présente en Égypte.

Dès l'entrée, des chauves-souris m'attaquèrent. La lumière de ma bougie les effraya. Elles voletèrent en tous sens, menaçant d'éteindre la faible flamme. L'une d'elles s'accrocha dans ma barbe. D'un petit coup sec sur les ailes, je lui fis lâcher prise. Cet obstacle vaincu, je me préparais à un nouvel éblouissement. Quels trésors avait dû accumuler le plus puissant de tous les rois dont le règne avait duré soixante-treize ans !

Devant moi, deux vipères s'enfuirent, laissant sur le sable la trace de leurs menaçantes ondulations. Je ne les redoutais pas. Je n'éprouvai pas davantage de crainte en apercevant un énorme scorpion qui se réfugia dans une anfractuosité de la roche. Ces hôtes redoutables me causèrent pourtant une peine très vive ; ils déshonoraient ce qui aurait dû être la plus resplen-

---

1. Le hiératique est une manière d'écrire rapidement les hiéroglyphes au point que ceux-ci deviennent méconnaissables ; le hiératique, contrairement à ce que pourrait laisser croire son nom, est une écriture profane qui n'est jamais employée sur les murs des temples. Le démotique est une forme tardive d'écriture utilisée dans les documents administratifs.

dissante des tombes, remplie de gravats presque jusqu'au plafond.

L'accès au caveau funéraire était bouché. J'ordonnai à deux ouvriers de me ménager un passage.

— N'y allez pas, général, recommanda L'Hôte. C'est trop dangereux. Vous risquez d'être piqué par une de ces bestioles. Elles sont installées ici depuis longtemps. C'est leur domaine, à présent. Je crains qu'elles n'aient chassé le grand Ramsès lui-même.

Je refusais d'accepter une aussi triste réalité. La chaleur étouffante asphyxiait les ouvriers. L'Hôte n'y tint plus.

— Venez avec moi, général. Ne restez pas ici. Il n'y a plus rien à voir. Tout a été dévasté.

Obstiné, je me glissai en rampant par l'étroite ouverture qui avait été ménagée à grand-peine. La désillusion fut terrible. Le tombeau, d'après les vestiges, avait été exécuté sur un plan très vaste et décoré de sculptures du meilleur style. Des fouilles entreprises en grand produiraient sans doute la découverte du sarcophage de cet illustre conquérant. On ne peut, hélas, espérer y trouver la momie royale car les voleurs et les pilleurs ont tout dévasté. Où repose aujourd'hui le grand Ramsès [1] ? Retrouvera-t-on un jour sa dépouille ? Le sort s'est acharné sur sa dernière demeure. Les immenses richesses qu'elle contenait ont disparu. Mais il survit par les temples et son nom illumine encore l'Égypte entière.

*

Une joyeuse animation régnait autour de la tombe de Séthi Ier. Des serviteurs allaient et venaient, apportant une succession de plats qu'ils rangeaient en bon ordre à l'entrée du caveau où se tenait Ippolito Rosellini, habillé à la turque et à la dernière mode de Thèbes.

1. La momie de Ramsès fut retrouvée dans la cachette de Deir el-Bahari, où elle avait été mise à l'abri des pilleurs de tombes. Elle fut amenée au musée du Caire en 1881.

Il accueillit d'abord le professeur Raddi qui avait remis son costume d'Européen pour la circonstance ; puis Nestor L'Hôte, à la barbe lissée et à l'abondante moustache soigneusement taillée ; puis le père Bidant, qui avait nettoyé sa soutane ; enfin Lady Redgrave somptueuse dans une robe du soir grenat parée de bijoux en or, rehaussée par le collier de lapis-lazuli que je lui avais offert.

J'emmenai mes invités au cœur de la tombe où Soliman et Moktar avaient dressé la table. Nappe blanche, chandeliers, chemin de fleurs de jasmin... la célébration s'annonçait presque digne de l'hôte illustre qui nous hébergeait.

J'eus le bonheur de sentir heureux chacun des convives. Fascinés par la perfection des peintures, ils respectèrent un silence qui s'imposait de lui-même. Jamais nous n'avions connu de plus sublime salle des fêtes. L'Égypte nous offrait l'un de ces banquets d'éternité dont elle avait le secret.

Verre en main, je me levai.

— Je porte une santé à Belzoni, l'homme qui a découvert cette tombe. Sans lui, nous ne pourrions partager ces nourritures dans la plus belle des demeures de résurrection.

Dans mon cœur, je songeais aussi à la communauté des Frères de Louxor qui m'avait ouvert de nouveaux chemins.

Soliman attira l'attention de l'assemblée en apportant un mets que j'annonçai comme exceptionnel. Chacun goûta... et se dégoûta ! Je voulais offrir à notre jeunesse un plat nouveau pour nous et qui devait ajouter aux plaisirs de la réunion : c'était un morceau de jeune crocodile mis à la sauce piquante, le hasard voulant qu'on m'en apportât un tué d'hier matin. Mais j'ai joué de malheur, la pièce de crocodile s'est gâtée. Nous n'y gagnerons vraisemblablement qu'une bonne indigestion.

La bonne humeur revenue, grâce à un ragoût de mouton sur lequel avait veillé Nestor L'Hôte, je me levai à nouveau.

— Si j'ai organisé cette réception à laquelle je suis si heureux de voir notre communauté unie, c'est en l'honneur de la personne la plus chère à mon cœur.

Les regards se fixèrent sur moi, étonnés, interrogatifs. Lady Redgrave retint son souffle.

— Je veux parler de ma fille, Zoraïde. J'aurais dû célébrer son anniversaire le premier mars, mais il n'y avait pas assez de nourriture en Nubie... aujourd'hui, nous pouvons manger à loisir sans nuire à quiconque.

Mes hôtes portèrent en chœur une chaleureuse santé. Grâce au festin venu du Caire, nous n'avions pas à nous rationner. Pendant qu'éclataient des chants joyeux, animés par L'Hôte, Lady Redgrave vint à mes côtés.

— Vous ne m'aviez pas dit que vous étiez père...

— Les renseignements de votre oncle seraient-ils incomplets, Lady Ophelia ?

— Il ne se préoccupe pas de votre vie privée. Son seul souci consiste à démontrer que vous n'êtes pas un savant crédible et sérieux.

— Désolé de le décevoir.

— Vous n'avez pas parlé de votre femme, Jean-François.

Elle me regarda avec cette tendresse qu'elle savait si bien déployer, comme un filet tendu auquel l'âme ne pouvait échapper.

— J'ai évoqué ma fille que je ressens présente, ici, à mes côtés. Que cela vous suffise.

— Pardon de vous avoir blessé... mais j'aime autant être sans rivale auprès de vous.

Elle s'éloigna. De toute la soirée, je ne la revis pas en tête à tête. Elle s'arrangea pour voguer de salle en salle, faisant admirer sa beauté.

Quand l'aube pointa, nous avions échangé plaisanteries, souvenirs et espérances. Dans mon cœur, il y avait le sourire d'une petite fille, si chaud, si intense, que je croyais, en fermant les yeux, la tenir dans mes bras.

*

— Général, venez vite !

Sortant brutalement de mon bref assoupissement, je découvris un L'Hôte en émoi.

— Je n'avais pas sommeil, expliqua-t-il. J'ai commencé les travaux avec les ouvriers... et je crois avoir découvert une tombe inviolée !

Tout à fait réveillé, je participai à l'enthousiasme de L'Hôte. Nous courûmes vers l'endroit de la trouvaille où nous attendait déjà Rosellini, averti par la rumeur. Les ouvriers s'étaient rassemblés en une foule compacte et bavarde où l'on évoquait de fabuleux trésors à l'affût desquels se tenaient sans cesse les bandes de pillards de la région thébaine, sans compter les hommes de Drovetti.

Un rapide déblaiement mit au jour l'entrée d'un petit tombeau qui, de fait, était inviolé. Notre excitation était à son comble.

— Général, dit L'Hôte avec passion, j'ai une faveur à vous demander. Je voudrais rentrer le premier.

— Pas question, objecta Rosellini, acerbe. Vous n'êtes que dessinateur. Les directeurs scientifiques de l'expédition sont Champollion et moi-même. Nous seuls sommes habilités à exploiter une découverte archéologique.

— Ce n'est pas un Italien qui donnera des ordres à un Français, rugit L'Hôte, dont les intentions devenaient rien moins que pacifiques.

— Cela suffit, intervins-je. Ippolito, vous aurez le bénéfice des objets que nous trouverons dans cette tombe. Nestor, vous y entrerez le premier. Ce sera votre plus beau souvenir. Vous avez rendu suffisamment de services à la communauté pour jouir de ce bonheur.

Triomphant, L'Hôte ne contint pas plus longtemps son impatience. Dégageant l'entrée à la main, il se glissa avec une bougie dans l'ouverture.

— Que voyez-vous ? lui demandai-je de l'extérieur.

— Des meubles... et des momies, un homme et une femme qui portent un masque d'or... et là, à leurs pieds... des grains de blé germés dans une statue évidée en forme d'auge... il y a même de longues tiges !

Venant à la suite de L'Hôte, je reconnus le prodigieux symbole de l' « Osiris végétant » : du corps du dieu émanait une vie nouvelle, celle de la résurrection du grain, mort et revivifié par des mystères célébrés dans la tombe. Des merveilles en sortirent : sarcophages, vases, statuettes. Un modeste vestige m'émut plus que tous les autres : un disque métallique brillant, intact, qui avait servi de miroir. Il reflétait les rayons du soleil, noyant dans un éblouissement le visage de qui s'y contemplait.

Alors que je sortais de la tombe, après plusieurs heures d'un travail exaltant, une voix impérieuse m'apostropha.

— Satisfait, monsieur Champollion ?

Habillé à la turque, la moustache dessinée en larges volutes remontant sur la joue, les favoris abondants, Bernardino Drovetti, consul général de France, me toisait d'un regard noir.

CHAPITRE 23

— Heureux, monsieur le consul général ? Non, pas seulement heureux... fou de joie ! La Nubie a répondu à mes espérances et bien au-delà. Quant à Thèbes, c'est un enchantement perpétuel. Je pourrai bientôt vous informer des découvertes les plus essentielles. Vous ne regretterez pas d'avoir placé votre confiance dans mon expédition. Avez-vous des nouvelles concernant les fonds qui m'ont été octroyés et que j'attends encore ?

— Précisément, monsieur Champollion, il est temps de mettre un terme à vos travaux. Le roi m'a fait savoir que votre retour à Paris s'avérait indispensable.

— Avez-vous reçu une missive officielle ?

— N'auriez-vous pas foi en ma parole ? s'offusqua-t-il.

— Bien sûr que si. Mais ce document me concernant au premier chef, j'aimerais pouvoir en consulter moi-même les termes. Il faut se méfier de sa mémoire... quand pourrais-je lire cette lettre du roi ?

— Je l'ai laissée à Alexandrie. Je vous donne encore quelques jours. Ensuite, vous plierez bagage. Je vous attendrai au Caire pour préparer votre retour en France.

Sans attendre de réponse, Bernardino Drovetti rompit la conversation et s'éloigna d'un pas rapide en direction d'un groupe d'hommes à cheval. Il enfourcha le sien et disparut dans un nuage de poussière.

Troquant définitivement le froc du pèlerin contre le vêtement de l'indigène, nous nous installâmes plus confortablement dans une maison de Gournah, tout près de l'admirable temple de Séthi Ier dont les colonnes couvertes de relief se dorent au couchant. Parmi des bouquets de sycomores et de dattiers errent des troupeaux de chèvres. La demeure de fouille qui nous est réservée domine la voie d'accès à la Vallée des rois. Nous sommes situés entre le monde des vivants, avec ses champs verdoyants, ses cris d'enfants, ses masures de fellahs, et l'au-delà, rendu visible sur notre terre par les temples et les tombeaux. Plus un seul brin d'herbe, rien que des pierres, et un soleil divin.

Cette maison de Gournah, je l'ai aimée dès que j'y suis entré et j'ai su que je l'aimerais davantage que le plus somptueux des châteaux. Elle donnait envie d'œuvrer, de travailler sans relâche, de découvrir. Érigée sur la rive des morts, elle souriait aux vivants. Accueillante, fraîche, silencieuse, elle offrait les forces nécessaires pour le labeur du lendemain. Misérable, elle faisait de nous des princes. Chacun fut enchanté par sa chambre des plus modestes, meublée avec des coussins et des tapis.

Rosellini, qui m'avait vu m'entretenir avec Drovetti, arborait une mine inquiète. Alors que j'installais livres et manuscrits dans une bibliothèque rudimentaire, il s'approcha d'une démarche hésitante.

— Maître... combien de temps allons-nous rester ici ?

— Le plus longtemps possible.

— Le consul général semblait irrité... n'avait-il pas des impératifs à nous dicter ?

— En auriez-vous eu vent ? demandai-je, intrigué.

Rosellini recula, apeuré.

— Pas du tout... une simple impression.

— Drovetti a ses impératifs. J'ai les miens. Ne songez qu'à travailler et à parfaire sans cesse vos connaissances, Ippolito. Abandonnez-moi les autres soucis.

— Comme vous voudrez, maître.

Vexé, Rosellini sortit de ma chambre, laissant la place au père Bidant qui sollicita un entretien.

— Les nouvelles ne sont pas fameuses, à ce qu'il paraît.

J'ouvris des yeux intrigués.

— Quel mauvais vent vous les a transmises, mon père ?

— Ah, Champollion ! Mon rôle est aussi de confesser les âmes... les informations me parviennent sans que je les demande. Et puis... l'attitude de Moktar est significative. Il voudrait vous voir en grand secret et m'a chargé de la négociation.

— A quel propos ?

— Il ne se confiera qu'à vous. Il vous attendra toute la journée au Ramesseum.

*

Des bosquets de tamaris environnent le Ramesseum, le temple foudroyé du grand Ramsès. C'est le plus noble et le plus pur des admirables monuments de Thèbes, malgré les destructions qu'il a subies. Le premier pylône offre de plaisantes scènes de guerre où Pharaon, représentant de la lumière divine, met fin à la domination du chaos et des ténèbres. Au fond de la première cour, un colosse fracassé, le plus gigantesque jamais créé par les sculpteurs égyptiens. Taillé dans un seul bloc de granit, son visage est à la fois l'expression de la force et celle de la sérénité ; son poli dépasse la perfection concevable. Je passai longuement la main sur la formidable épaule, songeant à la glorieuse époque où le colosse royal était debout, contemplant l'horizon où se lève le soleil.

M'avançant avec respect dans la salle hypostyle où une trentaine de colonnes charmeraient par leur élégante majesté les yeux même les plus prévenus contre tout ce qui n'est pas architecture grecque ou romaine, je copiais les noms des nombreux fils du grand Ramsès, réunis en ce lieu pour célébrer la perpétuelle résurrection de leur père. Derrière l'hypostyle, je découvris deux petites salles à colonnes. Dans la première, sur le mur du fond, une merveilleuse figure de Pharaon assis sur son trône, sous le feuillage d'un perséa, arbre d'un vert profond aux feuilles en forme de cœur ; plusieurs divinités y inscrivaient les noms sacrés du roi. Pénétrant dans la seconde salle, dont les textes disaient qu'elle avait été recouverte d'or pur, j'y fus accueilli par deux figures étranges, sculptées au bas des jambages de la porte d'accès : un Thot à tête d'ibis tenant palette et pinceau et une déesse, Sechat, détenant aussi une palette en tant que rédactrice des livres divins.

J'eus la certitude de pénétrer dans une bibliothèque... la bibliothèque du Ramesseum, du palais du grand Ramsès ! Là étaient conservés les livres majeurs de la culture égyptienne. D'autres symboles figuraient : l'oreille accueillant le Verbe, l'œil capable de recréer le monde, le dieu de la parole, celui de l'intuition. Dans cette chambre, accessible à quelques-uns, étaient rangés les volumes relatifs aux rituels, à la protection du temple, à sa direction, aux devoirs des officiants, à la liste des biens matériels et des objets du culte, à la connaissance des mouvements du soleil, de la lune et des planètes, au retour des étoiles, aux fêtes, à la disposition des murailles suivant les règles magiques, à la conjuration des forces du mal, à la protection de la barque divine, aux grandes heures de la résurrection, à l'alchimie. Toute la science sacrée dont dépendait la vie quotidienne de l'Égypte était rassemblée là, dictant aux égyptologues futurs d'infinis sentiers de recherche.

Pris d'un vertige, je poussai mon exploration derrière le colosse, au-delà d'un grand acacia qui masquait les restes d'un pylône sur lequel se déployaient les scènes de la bataille de Kadesh contre les Hittites. Ramsès, abandonné par ses troupes, y connaît l'épreuve de la solitude, entouré par des milliers d'adversaires. Sur le point de succomber et de voir la civilisation s'effondrer sous les coups des barbares, il implore la divinité : « Mon père, dit-il, pourquoi m'as-tu abandonné ? Je ne t'ai jamais trahi ! » Le miracle se produit. L'esprit de Dieu descend du ciel et s'incarne en Pharaon, le dotant de la plus formidable des puissances. Seul, debout sur son char, il rompt le cercle de ses ennemis, les met en pièces et les boute jusqu'à l'Euphrate où ils se noient.

Fasciné par cette bataille mystique, percevant que le christianisme était sorti tout armé de la pensée des anciens Égyptiens, je réalisai soudain que j'avais oublié Moktar. Envoûté par le Ramesseum, je m'étais abandonné au récit de ses pierres vivantes.

Moktar n'était pas loin. Assis sous le grand acacia, il fumait une longue pipe. Sans doute m'avait-il suivi du regard pendant que je pérégrinais dans le temple.

Je m'assis à côté de lui, après avoir écarté quelques hautes herbes qui nous dissimulaient parfaitement.

— Qu'as-tu à me dire, Moktar ?

— Allah est miséricordieux... il révèle à l'homme ses fautes et ses erreurs. Il m'a éclairé, moi qui me suis beaucoup trompé. Surtout sur vous. Mon maître, le consul général Drovetti, vous avait décrit comme un être pernicieux, ambitieux, prêt à tout pour satisfaire votre soif de gloire, sans aucune considération pour les hommes, méprisant envers vos serviteurs... un véritable chacal du désert. Mais je vous ai vu vivre, pendant ce long voyage. J'ai découvert qui vous étiez en vérité.

J'étais abasourdi. Quel crédit accorder à ce discours ? Fallait-il croire à la sincérité de l'intendant de Drovetti ?

— J'admire mon maître, continua-t-il. Il m'a donné une maison, m'a permis de fonder une famille... il me faisait confiance, je lui faisais confiance. J'ai tué pour lui, parce que j'estimais que ses ordres ne violaient pas la volonté d'Allah. Cette fois, c'est différent... vous êtes un homme juste. Seul Dieu décide de mettre un terme à la vie de l'homme juste. Nul ne peut prétendre se substituer à lui. Je refuse d'être l'instrument d'un destin qui ne viendrait pas de Lui. C'est pourquoi, pour la première fois, j'ai désobéi à mon maître. Je n'ai pas tenté de vous assassiner, je n'ai rien signalé de vos découvertes, ni de vos projets, ni de vos rencontres. Je ne lui ai transmis que mon silence, comme s'il ne s'était rien passé. Mais mon maître est un homme lucide. Il saura bientôt que je lui ai menti comme il m'a menti. Néanmoins, s'il le désire, je continuerai à le servir. Il n'y a pas que des amis autour de vous. Quittez Thèbes le plus vite possible. Votre présence compromet des intérêts trop importants. Moi, je vais disparaître. Nous ne nous reverrons plus. Adieu. Qu'Allah vous protège.

Sans m'accorder la possibilité de l'interroger, Moktar quitta l'ombre de l'acacia et disparut dans les ruines du Ramesseum.

Invisible, le dos appuyé contre le front du colosse effondré, Soliman veillait.

*

Il ne me restait donc que quelques jours pour explorer Thèbes. Thèbes qui me rassurait, m'émerveillait, me grandissait. J'aurais dû prendre au sérieux l'ultimatum de Drovetti. Mais le temps n'existait plus. Il y avait trop à faire.

Le chef des ouvriers m'avait recommandé d'examiner le site de Deir el-Bahari. J'abandonnai mes collaborateurs à leurs fouilles et, utilisant les services d'un âne des plus dociles, cheminai dans l'air léger du petit matin.

Spectacle captivant que ce sanctuaire unique par son style ! En dépit de l'accumulation de sable, je fus certain d'identifier une succession de terrasses reliées par une rampe centrale et montant vers la muraille verticale de la falaise. Le maître d'œuvre qui avait conçu ce plan simple et lumineux avait utilisé cette dernière comme paroi de fond du Saint des saints, unissant ainsi de manière indissoluble le temple bâti par les hommes et la montagne créée par Dieu.

C'est avec vénération que je progressais pas à pas dans ces monuments aux sculptures d'une incroyable finesse. Les bas-reliefs sont si ténus, si impalpables qu'il faut attendre l'heure précise où le soleil se porte sur eux pour les déchiffrer. Le moindre détail, le moindre hiéroglyphe, les visages des dieux, les couleurs de leurs costumes sont autant de chefs-d'œuvre qui coupent le souffle. Il règne ici une grâce divine que les dégradations commises par les chrétiens n'ont point fait disparaître. Et que de merveilles recouvrent les sables que je n'aurai pas la possibilité de faire déblayer [1] !

Une autre surprise m'attendait : je m'étonnai, à la lecture des inscriptions, de découvrir l'existence d'un roi inconnu des listes anciennes, roi dûment barbu et correctement pharaonique, mais au sujet duquel étaient employés des mots au féminin comme s'il s'agissait d'une reine ! Passant la plus grande partie de la journée à creuser cette question, j'aboutis à une conclusion indubitable : une femme du nom d'Hatchepsout avait dirigé l'Égypte en tant que Pharaon, avec les mêmes droits et les mêmes devoirs qu'un souverain mâle. Il me faudrait, à partir de mes relevés, modifier ma conception de l'histoire égyptienne.

La tendre lumière du couchant habilla d'or les piliers de Deir el-Bahari. Le profil de la déesse Hathor se détacha sur le bleu profond du ciel qui se teintait de pourpre et d'orange. Ce visage était le plus beau et le plus pur qu'il m'ait été offert de contempler. J'étais bouleversé par la douceur de ses traits, par cette pierre si finement ciselée qu'elle brillait comme un bijou diffusant ses clartés. Des larmes me montèrent aux yeux. Comment un sculpteur avait-il pu vivre le génie de sa main au point de recréer sur cette terre une beauté céleste ?

Un chant s'éleva, du sommet du temple, près de l'ultime sanctuaire. Un chant très doux qui contait la naissance de l'amour entre un cheikh et une jeune Bédouine. En lui s'exprimait la poésie des gens du désert qui, autour d'un feu, se transmettaient des his-

---

1. Champollion n'a pu voir les admirables reliefs racontant la fameuse expédition envoyée par la reine-pharaon vers le merveilleux pays de Pount pour y récolter de l'encens destiné au dieu Amon.

toires de génération en génération depuis l'aube des temps. La voix était ondulante, légère. Les courbes de la mélodie suivaient les moments dramatiques du récit. Le cheikh avait aperçu la jeune fille à la dérobée. Tombé éperdument amoureux, il décrivait ses grands yeux noirs, vifs comme ceux d'une gazelle, sa taille droite et souple, sa poitrine semblable à une couple de grenades, ses paroles douces comme le miel. Sa passion le dévorant, le cheikh ne trouvait plus le sommeil. Que de luttes il avait à mener pour conquérir sa bien-aimée ! Il lui fallait convaincre les parents, se débarrasser de ses rivaux, toucher le cœur de la belle... l'histoire se terminait bien. Main dans la main, les deux jeunes amants se dirigeaient vers la tente du père de la jeune fille pour y voir leur union célébrée.

Les dernières notes du chant moururent avec les ultimes feux d'un soleil rouge sang qui disparut derrière les montagnes. Pendant quelques minutes, la rive des morts hésiterait entre nuit et jour, baignant dans une lumière éclatée en mille nuances d'or, de rouge et de pourpre embrasées dans une étreinte d'une infinie tendresse.

Je voulus savoir à qui appartenait cette voix enchanteresse ! Enjambant des blocs épars, je vis une jeune Bédouine assise au pied d'une colonne, sous la protection d'un chapiteau à tête d'Hathor. Elle jouait d'une petite flûte aux sons aigrelets, troublant à peine le recueillement des derniers moments du jour. Vêtue d'une longue robe verte, la tête couverte d'une coiffe blanche ceinte d'un fil d'or, la jeune Bédouine psalmodiait un air ancien et langoureux.

M'approchant encore, je découvris enfin son visage.

— Lady Redgrave ! Mais de quelles métamorphoses êtes-vous donc capable ?

Elle continua à jouer de la flûte, comme si je n'existais pas. Il aurait été criminel de l'interrompre. J'attendis que les dernières notes s'estompent, savourant le bonheur simple de cette musique sans âge.

— C'est le lieu que je préfère, dit-elle, le regard perdu vers le couchant. L'amour règne ici sans partage. Sa déesse n'est-elle pas la plus exigeante de toutes ? Ne nous demande-t-elle pas de dévoiler notre être le plus intime ? Qui lui refuse sa confiance ne mérite que la mort...

— Serait-ce votre cas, Lady Ophelia ?

— Je vous attendais, Jean-François. Je savais que vous viendriez.

— Est-ce vous qui avez demandé au chef des ouvriers de m'indiquer ce site ?

Je regrettai aussitôt mon agressivité. Elle ne répondit pas, continuant à fixer l'horizon.

— Pourquoi refusez-vous de me parler de votre épouse ?

— Êtes-vous mariée, Lady Redgrave ?

La brise du nord se leva, apportant le souffle de vie que Pharaon, chaque jour, avait le devoir de procurer à tous les êtres vivants.

— Oui, je suis mariée.

— Me parlerez-vous de Lord Redgrave ?

— C'est un homme parfait. Il gère son domaine, chasse à courre, vénère Dieu et la couronne d'Angleterre. Il ne commet pas une seule faute de goût. Il n'y a rien d'autre à en dire.

— Sait-il que vous voyagez en Égypte ?

— Lord Redgrave a horreur de la chaleur, moi du froid. Cela crée entre nous un fossé infranchissable.

— Avez-vous des enfants ?

— Lord Redgrave et moi ne nous sommes rencontrés qu'une seule fois : le jour de notre mariage. Nous avions obtenu ce que nous désirions l'un et l'autre : lui ma fortune, moi un titre et ma liberté. Celle de servir mon pays comme je l'entendais et de voyager. Et vous, Jean-François, qu'attendiez-vous de Mme Champollion ? Pourquoi lui demeurez-vous enchaîné ?

Elle descendit de son promontoire, s'agenouilla devant moi, me prenant les mains.

— Pourquoi chercher autre chose que cet instant, Lady Ophelia ? Pourquoi demander davantage à la vie que ce bonheur-là, ce temple, cet amour divin qui nous entoure ?

— Le divin ne me suffit pas. Jusqu'à présent, nous nous sommes menti par peur ; par peur, nous avons pris la fuite... l'amour, le véritable amour, ne connaît pas ces ruses. Ce temple est fait pour vous. Gardez les secrets de votre passé, si vous le souhaitez. Ma mission risque d'être un échec... qu'importe, si nous restons ensemble ?

— Ce temple appartient à Hathor, déesse du ciel. Nous n'y sommes que des hôtes de passage. Nous n'avons pas à imposer nos désirs.

— Et si vous abandonniez votre science au vent du désert ? Si vous acceptiez d'être un homme comme les autres ?

— Cela ne changerait rien, dis-je. Ce sanctuaire demeurerait dans le monde céleste et nous dans celui des humains.

Elle s'écarta violemment.

— Vous êtes un monstre !

S'emparant de sa flûte, elle la brisa en deux morceaux qu'elle jeta au loin. Puis elle courut en direction de la vallée que le Nil animait d'un long fil d'argent scintillant sous d'ultimes clartés.

*

Dès le lendemain matin, Rosellini tint à me conduire sur le site de l'Amenophium, le gigantesque temple funéraire d'Aménophis, troisième du nom, que les Grecs ont voulu confondre avec le Memnon de leurs mythes héroïques. Aménophis III avait été le plus brillant des souverains de Thèbes, régnant sur la cité la plus riche du monde. Son temple devait être une merveille.

La déception fut atroce.

Que l'on se figure un espace d'environ 1 800 pieds de longueur, nivelé par les dépôts successifs de l'inondation, couvert de longues herbes, mais dont la surface déchirée sur une multitude de points laisse encore apercevoir des débris d'architraves, des portions de colosses, des fûts de colonnes et des fragments d'énormes bas-reliefs que le limon du fleuve n'a pas enfouis encore, ni dérobés pour toujours à la curiosité des voyageurs. Là ont existé plus de dix-huit colosses dont les moindres avaient vingt pieds de hauteur. Tous ces monolithes de diverses matières ont été brisés et l'on rencontre leurs membres énormes dispersés çà et là, les uns au niveau du sol, d'autres au fond d'excavations exécutées par des fouilleurs modernes. J'ai recueilli sur ces restes mutilés les noms d'un grand nombre de peuples asiatiques dont les chefs captifs étaient représentés entourant la base de ces colosses. Les inscriptions grecques et latines étant beaucoup trop modernes pour moi, je les délaissai pour me rendre au village antique de Deir el-Medineh, le prochain site thébain à explorer avant que n'expire le délai accordé par Drovetti.

*

Deir el-Medineh m'intriguait depuis longtemps. De nombreux objets provenant de l'endroit m'étaient passés entre les mains. Rosellini en avait acquis un grand nombre pour son musée. Lui et L'Hôte m'accompagnaient. Nous cheminions lentement, au rythme de nos ânes, devançant Soliman et une dizaine d'ouvriers prêts à intervenir pour dégager l'entrée d'une tombe ou d'un sanctuaire.

L'Hôte vint à ma hauteur.

— Général, vous me cachez quelque chose. Ce n'est pas dans vos habitudes. C'est forcément grave...

— A votre avis, Nestor ?

— Des menaces. Vous avez reçu de nouvelles menaces. Il se trame un complot contre vous et vous refusez d'en tenir compte. Pourquoi dédaigner mon aide ?

— Parce que j'ignore tout de ces intrigues, à part le fait que Drovetti en est l'instigateur, avec le probable assentiment du pacha.

— Où est Moktar ?

— Il a quitté de lui-même l'expédition. Nous ne le reverrons plus.

— Que comptez-vous faire ?

— Rien, sinon continuer à travailler et à fouiller. Nous sommes revenus intacts de Nubie où les pires dangers nous guettaient. Thèbes ne saurait se montrer moins favorable. Ayez confiance, Nestor... et ouvrez l'œil.

Bougonnant, L'Hôte tourna la tête et s'écarta.

La paisible caravane emprunta un étroit sentier qui déboucha dans un ravin désertique dominé par des rochers. Dans un creux avaient été édifiées les maisons des artisans presque totalement enfouies sous le sable. Un petit temple, entouré d'une enceinte, dominait le désert à la lisière duquel avait poussé un mimosa ; installé sur une branche, un oiseau chantait.

Depuis l'entrée du temple, je découvris à nouveau ce désert où l'âme se dilate pour rencontrer Dieu de la manière la plus immédiate et la plus pure. Les médiocrités de l'existence disparurent. Une partie du voile qui recouvre le mystère de la vie se souleva, laissant entrevoir le mouvement immobile de l'éternité semblable à celui des dunes.

En pénétrant dans le temple des artisans où étaient représentés les plus grands architectes égyptiens, un autre voile se déchira dans mon esprit. Je compris que les arts de l'ancienne Égypte n'avaient point pour but spécial la représentation des belles formes de la nature ; ils ne tendaient qu'à l'expression seule d'un certain ordre d'idées, et devaient seulement perpétuer, non le souvenir des formes mais celui même des personnes et des choses. L'énorme colosse comme la plus petite amulette étaient des signes fixes d'une idée ; quelque fine ou quelque grossière que fût leur exécution, le but était atteint, la perfection des formes dans le signe n'étant que très secondaire. Mais en Grèce la forme fut tout ; on cultivait l'art pour l'art lui-même. En Égypte, il ne fut qu'un moyen puissant de peindre la pensée ; le plus petit ornement de l'architecture égyptienne a son expression propre, et se rapporte directement à l'idée qui motive la construction de l'édifice entier, tandis que les décorations des temples grecs et romains ne parlent trop souvent qu'à l'œil, et sont muettes pour l'esprit. Le génie de ces peuples se montre ainsi essentiellement différent. L'écriture et les arts d'imitation se séparèrent de bonne heure et pour toujours chez les Grecs ; mais en Égypte, l'écriture, le dessin, la peinture et la sculpture marchèrent constamment de front vers un même but ; et si nous considérons l'état particulier de chacun de ces arts, et surtout la destination de leurs produits, il est vrai de dire qu'ils venaient se confondre dans un seul art, dans l'art par excellence, celui de l'écriture. Les temples, comme leur nom égyptien l'indique, n'étaient, si l'on peut s'exprimer ainsi, que de grands et magnifiques caractères représentatifs des demeures célestes : les statues, les images des rois et des simples particuliers, les bas-reliefs et les peintures qui retraçaient au propre des scènes de la vie publique et privée rentraient, pour ainsi dire, dans la classe des caractères figuratifs ; et les images des dieux, les emblèmes des idées abstraites, les ornements et les peintures allégoriques, enfin la nombreuse série des hiéroglyphes se rattachaient d'une manière directe au principe symbolique de l'écriture proprement dite.

L'Égypte écrivait la vie.

Elle écrivait ma vie.

L'au-delà m'apparut à l'intérieur du temple de Deir el-Medineh sous forme d'une scène poignante, celle de la pesée de l'âme que les anciens assimilaient au cœur, conçu comme la véritable conscience de l'homme. Le grand juge Osiris occupe le fond de la salle d'une chapelle que j'éclairais à la bougie. Au pied de son trône s'élève le lotus, emblème du monde matériel, surmonté des images de ses quatre enfants, génies directeurs des quatre points cardinaux. Les quarante-deux juges assesseurs d'Osiris sont assis, rangés sur deux lignes. Debout sur un socle en avant du trône, le Cerbère égyptien, monstre composé de trois natures diverses, le crocodile, le lion et l'hippopotame, ouvre sa large gueule et menace les âmes coupables... Plus loin s'élève la balance infernale ; les dieux Horus, fils d'Isis à tête d'épervier, et Anubis, fils d'Osiris à tête de chacal, pla-

cent dans les bassins de la balance, l'un le cœur du prévenu, l'autre une plume d'autruche, emblème de la justice ; entre le fatal instrument qui doit décider du sort
de l'âme et le trône d'Osiris, on a placé le dieu Thot, le
seigneur des divines paroles. Ce greffier divin écrit le
résultat de l'épreuve à laquelle vient d'être confié le
cœur de l'Égyptien défunt et va présenter son rapport
au souverain juge.

Malgré les ténèbres environnantes, Rosellini devina
mon malaise.

— Maître... vous sentez-vous bien ?
— Laissez-moi seul, Ippolito.
— Êtes-vous certain de ne pas avoir besoin de moi ?
— Sortez, vous dis-je.
— Quand dois-je venir vous rechercher ?
— Retournez à Gournah et ne vous inquiétez pas
pour moi. Je copierai textes et scènes et me ferai une
loi de tout achever. Il me faut le silence absolu afin
d'entendre la voix des ancêtres.

*

J'étais sorti hors du temps. Je demeurai là cinq jours,
enfiévré par mon travail, mangeant ce que Soliman
m'apportait la nuit.

Je faisais face à ma mort et à mon propre jugement.
J'avais appris la liste des fautes qui condamnaient à la
« seconde mort », à l'anéantissement de l'être, et j'avais
confessé les miennes au dieu Thot et à la déesse Maât,
gardienne de l'Ordre universel.

M'arrachant à cette chapelle où s'était scellée une
destinée à laquelle, désormais, nul ne pourrait rien
changer, je gagnai, sans prendre le moindre repos, le
temple de Medinet-Habou où Nestor L'Hôte procé-
dait à un relevé d'ensemble sous la direction de Rosellini.

— Comment mon disciple a-t-il supporté mon
absence ? demandai-je à Soliman.
— Bien et mal.
— Bien ?

316

— Il a su diriger les ouvriers.

— Et... mal ?

— Il se prend pour vous. Il croit être un chef. En s'écartant de sa juste place, il s'éloigne de la vérité et finira par vous haïr.

— Tu es trop sévère, Soliman.

— Et vous trop généreux.

La vision de l'immense temple de Medinet-Habou, le plus grand d'Égypte après Karnak, mit fin à notre conversation. Une fois de plus, l'Égypte me subjuguait. Ramsès aimé d'Amon, troisième du nom et successeur de Ramsès le Grand, avait créé un édifice géant précédé d'un formidable pylône et d'un pavillon royal, unique par sa forme.

Emporté par l'enthousiasme, je marchai plusieurs heures pour appréhender ce nouvel univers, tableau abrégé de l'Égypte monumentale. Là existe, presque enfouie sous les débris des habitations particulières qui se sont succédé d'âge en âge, une masse de monuments de haute importance qui, étudiés avec attention, montrent au milieu des plus grands souvenirs historiques l'état des arts de l'Égypte à toutes les époques principales de son existence. On y trouve réunis un temple appartenant à la période la plus brillante, celle de la dix-huitième dynastie, un immense palais de la période des conquérants, un édifice de la première décadence sous l'invasion éthiopienne, une chapelle élevée sous l'un des princes qui avaient brisé le joug des Perses, un propylone de la dynastie grecque, des propylées de l'époque romaine, enfin, dans une cour du palais pharaonique, des colonnes qui soutenaient jadis le faîte d'une église chrétienne.

Mourant de soif, j'aperçus, dans la première grande cour, un groupe de Bédouins assis. S'ils avaient de l'eau, ils ne me la refuseraient pas. Étant considérée comme un don de Dieu, cette dernière n'appartenait pas aux hommes. Quiconque en demande l'aumône doit être exaucé.

Parvenu à quelques pas, je m'aperçus qu'il s'agissait d'un charmeur de serpents et de ses aides. L'homme était âgé, le visage grêlé de vérole. Autour de son torse et de son cou s'enroulait et se déroulait une vipère à tête plate. Devant lui, un grand panier d'où sortaient deux cobras qui se dressaient à son commandement. L'un des assistants n'était autre qu'une femme accroupie sur un tapis poussiéreux et tenant un enfant dans ses bras.

C'est un jeune garçon qui m'offrit de l'eau pendant que le magicien continuait à charmer ses cobras que chacun semblait considérer comme inoffensifs. Seul Soliman paraissait inquiet. A dire vrai, ce spectacle inhabituel m'apparaissait davantage comme un exercice de dressage que comme une séance de magie. Le plus intéressant résidait dans les formules incantatoires que le bonhomme répétait sans cesse à voix basse. Prenant soin de ne pas déranger les cobras, je m'approchai de lui et me penchai pour mieux entendre, Soliman me suivant comme mon ombre.

Le piège fonctionna.

Les cobras, apeurés, se terrèrent dans leur panier. Mais la vipère, quittant le cou de son maître, se détendit à une vitesse fulgurante. Tétanisé, je fermai les yeux, attendant la morsure fatale.

Je ne sentis rien, entendis un bruit de pas précipités traduisant une fuite collective.

Rouvrant les yeux, je vis le charmeur de serpents, ses acolytes, la femme tenant le bébé courir à toutes jambes. Ils avaient abandonné le panier aux cobras. Soliman était à plat ventre sur le sol, tenant à quelques centimètres de son visage la vipère qu'il avait empoignée par le cou et qui s'était enroulée autour de son bras.

— Trouvez un bâton, exigea-t-il d'une voix posée, et fracassez-lui la tête.

C'est un Bédouin, intrigué par ce remue-ménage, qui s'acquitta de la tâche avec la plus tranquille des assurances. Soliman se releva et s'épousseta.

— Je redoutais quelque traquenard de ce genre, dit-il. Les charmeurs de serpents ne travaillent pas ici, d'ordinaire. Mieux vaudrait nous éloigner.

— Tu n'y penses pas ! Impossible avant d'avoir tout exploré... ce temple est extraordinaire.

Résigné, Soliman me suivit alors que je me dirigeais vers l'étrange tour de Médinet-Habou qui m'apparut comme le seul palais royal conservé dans l'enceinte d'un temple.

*

Monter les marches conduisant aux appartements royaux fut un plaisir suave après le péril auquel j'avais échappé. J'admirai là des fresques dues au pinceau d'un dessinateur génial qui avait glorifié les jeux d'oiseaux dans les touffes de papyrus, les fleurs de lotus bleu et rose, le vol des canards. Le roi et la reine avaient coulé ici des jours heureux, entourés de leurs enfants et de leurs proches, sans jamais oublier le sacré dont le temple tout proche affirmait l'irréductible présence.

Puis je gravis l'escalier intérieur du grand pylône, cette masse si rassurante qui avait fait de Médinet-Habou un lieu d'asile contre les pillards longtemps après l'extinction des dynasties pharaoniques. Du sommet, j'obtins une vue poignante sur la région thébaine. A l'orient, le vert des cultures, le Nil, les colonnades de Louxor, les obélisques et les pylônes de Karnak ; au nord, le Ramesseum, Deir el-Medineh, l'immense nécropole avec ses quartiers de Gournet Mouraï, Drah Abou el Nagah, Gournah, Deir el-Bahari ; à l'occident, la Vallée des reines et la falaise libyque. Cet univers me submergeait, me remplissait d'une joie intense qui m'arrachait à moi-même et à mes limitations d'individu. Comment parler de mort et de passé devant tant de lumière et de vie ? Comment demeurer insensible devant tant de magie imprégnant le moindre des blocs, la plus humble des statues ?

Soliman s'assit à mes côtés.

— Voilà la vraie réalité, dit-il. Nos yeux la perçoivent à peine.

— Encore faudra-t-il la déchiffrer, Soliman, la lire

jusqu'au cœur. Tout cela est symbole de l'au-delà, de notre vraie patrie. Je veux transmettre ce que je perçois. Je veux offrir à d'autres la possibilité de suivre ce chemin.

Nous prîmes conscience, l'un et l'autre, d'une tâche qui nous écrasait. Nous nous offrîmes l'égoïste plaisir de jouir de cet incomparable spectacle, oubliant ce qui n'était pas lui.

*

A la sortie du temple, au couchant, des enfants nous entourèrent. Chacun tentait de nous vendre un scarabée, une amulette, une statuette, grossières imitations fabriquées à la hâte dans un atelier bien peu apte à reproduire la beauté égyptienne.

Une fillette se tenait à l'écart. En haillons, elle possédait pourtant un charme touchant qui, par la pureté de son visage, évoquait celui des déesses. Elle jouait avec un objet noirâtre, indifférente aux tractations commerciales de ses camarades. Brisant le cercle des marchands, je regardai par-dessus la tête de la fillette.

L'objet qu'elle manipulait était une main de momie desséchée.

Au-delà de l'horreur, une illumination éclaira mon esprit. Je compris, à cet instant, pourquoi j'étais réellement en danger de mort.

CHAPITRE 24

Je réunis les membres de l'expédition dans la salle commune de notre maison de Gournah. Chacun sentait que j'avais d'importantes informations à communiquer.

— Mes amis, le consul général de France m'avait fixé un délai très court pour quitter Thèbes. Il est sans doute déjà dépassé. Rien de fâcheux n'est survenu. Aucun ordre officiel n'a été transmis. J'attends les fonds promis. Nous avons exploré des sites, établi un programme de fouilles pour les siècles à venir.

— Parfait, conclut le père Bidant. Puisque Dieu nous a été favorable, ne tentons pas le diable. Rentrons au Caire et préparons-nous à regagner enfin la terre chrétienne.

— Nul ne sait où se trouve Drovetti, précisa Lady Redgrave. On se demande même s'il n'aurait pas quitté l'Égypte.

— Un homme comme lui ne se déclare pas si aisément vaincu, déclara L'Hôte. Vous l'avez ridiculisé, général. Il prépare sa vengeance. Le père Bidant a raison : estimons-nous heureux d'avoir vécu tant de périls, rendons grâce à la Providence et rentrons chez nous.

— Cet avis me paraît raisonnable, approuva Rosellini. Il faut procéder à l'inventaire des objets acquis. Nous ne pourrons travailler correctement qu'en Europe.

Le professeur Raddi fut le seul à ne pas donner son avis. Il avait rassemblé sa collecte du jour, une dizaine de papillons qu'il examinait avec soin.

— Vos propos sont remplis de bon sens, dis-je. Ils sont raisonnables et mesurés. Je suppose qu'un chef conscient de ses responsabilités devrait les écouter et se ranger à vos idées. Mais je ne suis pas ce chef-là. Je ne suis pas raisonnable et ne consentirai pas à l'être. Il me reste une tâche essentielle à accomplir : retourner dans les tombes.

Des soupirs d'exaspération émanèrent de l'assemblée. Je m'y attendais. Ce travail-là ne serait pas des plus aisés. Il faudrait dépenser beaucoup de soi-même et souffrir dans son corps pour découvrir les beautés de ces cavernes sacrées.

— Pourquoi vous acharner ainsi ? s'étonna le père Bidant. N'avez-vous pas eu votre compte de sépulcres ? J'en ai visité deux en compagnie de Lady Redgrave. Cela m'a suffi. On y manque d'air, on y succombe de chaleur, on s'y croirait momifié tant les mouvements sont difficiles !

— Et vous ne connaissez pas le calvaire imposé au dessinateur ! surenchérit L'Hôte. Un éclairage dérisoire, de la poussière plein les yeux, des positions qui mettent le dos à la torture, une tension incessante pour ne point commettre d'erreur...

— Vous voilà bien injuste, Nestor ! Oublieriez-vous le message que nous avons entrevu, les conceptions transcendantes qui s'imposent au premier regard ? Cette spiritualité cache sous ses figures de vieilles vérités que nous croyons très jeunes et dont nous avons le plus grand besoin. Je dois découvrir la totalité des représentations symboliques pour obtenir la clé de l'énigme.

— De quelle énigme parlez-vous ? s'inquiéta le père Bidant.

— Du sens de notre vie.

— Allons, Champollion... croyez-vous vraiment que cette religion morte pourrait avoir une quelconque supériorité sur notre foi ?

— N'oubliez pas, intervint Lady Redgrave, qu'on appelle M. Champollion « l'Égyptien ».

— Bossuet, dont vous ne contesterez pas qu'il fût un bon chrétien, dis-je au père Bidant, ne rêvait que d'étudier la théologie égyptienne. Il était réservé à notre époque d'y parvenir. Et personne ne m'empêchera d'aller jusqu'au bout de cette expérience.

— Inutile de se dresser contre la volonté de l'Égyptien, dit Lady Redgrave, énigmatique. Elle est plus forte que toutes les nôtres réunies.

Stupéfait par cette aide inattendue, j'adressai un sourire à Lady Ophelia qui demeura de marbre.

*

— Je suis épuisé, Maître, dit Rosellini. Je vous aurais bien accompagné, mais je n'ai plus la moindre force.

— Reposez-vous, Ippolito, et commencez votre inventaire dès que possible.

Je quittai à l'aube la maison de Gournah dont les hôtes étaient encore endormis. Mon disciple regagna sa chambre en bâillant. Pour ma part, j'étais doté d'une énergie presque inépuisable que trois ou quatre heures de sommeil peuplé de rêves hiéroglyphiques suffisaient à reconstituer.

Dehors m'attendaient deux ânes et Nestor L'Hôte, le seul aventurier à ne pas avoir renoncé.

— Quelle sera notre première tombe, général ?

— Celle de Ramsès le neuvième.

Quel plus grand bonheur que de cheminer ainsi, à un rythme ancestral, sur un sentier désert, peu à peu envahi par les rayons du soleil matinal, jusqu'à un lieu sacré où des sages avaient tout révélé de la transfiguration de l'âme humaine ? Les mots antiques d'un hymne de salutation au soleil levant me vinrent naturellement aux lèvres. N'était-il pas juste que la créature remercie son Créateur de lui accorder de tels instants de bonheur ?

A peine nous installions-nous dans la tombe que L'Hôte entra dans une violente colère.

— Dieu, que l'hiéroglyphe est ennuyeux! Qu'il est accablant! Nous en avons tous une indigestion... je suis comme un homme qui marche dans le feu et qui n'a plus qu'un quart d'heure à vivre! J'en ai assez, général. Votre Égypte n'est pas la mienne. J'ai besoin de pluie, de plaines vertes et humides, de fraîcheur. Je pars.

— Et où allez-vous donc, Nestor?

— En France. Gardez mes dessins. Et que Dieu vous protège, général, si vous êtes encore un peu chrétien. Vous êtes le meilleur des hommes, c'est sûr, mais je me demande si vous vivez encore parmi eux. L'Égyptien... oui, c'est bien ça... vous êtes devenu un Égyptien des premiers âges.

Laissant tomber dans le sable crayons et cartons à dessin, L'Hôte enfourcha son âne et sortit de la Vallée des rois, soulevant un nuage de poussière.

Ainsi, il m'abandonnait. Je sus que je ne le reverrais pas. J'avais aimé la loyauté de cet homme, sa force juvénile, sa confiance. Je n'éprouvais aucun ressentiment envers lui, persuadé qu'il ne m'avait pas trahi.

L'Hôte n'avait pas tort. L'Égypte m'avait fait comprendre que je n'étais qu'un passant sur cette terre, un étranger à la recherche de la lumière de l'origine d'où proviennent tous les êtres et où ils seront à nouveau réunis s'ils franchissent l'épreuve de la mort.

La mort dans laquelle j'entrais en m'enfonçant dans les profondeurs d'un tombeau royal.

*

La solitude la plus absolue m'apporta un pouvoir de concentration tel que je n'en avais point connu jusqu'alors. Les idées, les traductions, les interprétations affluaient sans cesse à mon esprit, jaillissant d'elles-mêmes. Pénétrant vivant dans l'au-delà représenté sur les parois de la tombe, je faisais dans ma chair le parcours symbolique indiqué par les divinités avec lesquelles je vivais un rapport de fraternité.

Cent fois je faillis perdre conscience. Cent fois je vainquis fatigue et suffocation. Cent fois j'accomplis le voyage de l'âme. Après avoir passé sous une porte assez simple, on entre dans de grandes galeries ou corridors couverts de sculptures parfaitement soignées, conservant en grande partie l'éclat des plus vives couleurs, et conduisant successivement à des salles soutenues par des piliers encore plus riches de décorations, jusqu'à ce qu'on arrive enfin à la salle principale, celle que les Égyptiens nommaient la « salle dorée », plus vaste que toutes les autres, et au milieu de laquelle reposait la momie du roi dans un énorme sarcophage de granit. Les plans de ces tombeaux, publiés par la Commission d'Égypte, donnent une idée exacte de l'étendue de ces excavations et du travail immense qu'elles ont coûté pour les exécuter au pic et au ciseau. Les vallées sont presque toutes encombrées de collines formées par les petits éclats de pierre provenant des effrayants travaux exécutés dans le sein de la montagne.

La décoration des tombeaux royaux était systématisée, et ce que l'on trouve dans l'un reparaît dans presque tous les autres, à quelques exceptions près. Le bandeau de la porte d'entrée est orné d'un bas-relief qui n'est au fond que la préface ou plutôt le résumé de ce qui suivra : c'est un disque jaune au milieu duquel est le soleil à tête de bélier, c'est-à-dire le soleil couchant entrant dans l'hémisphère inférieur, et adoré par le roi à genoux ; à la droite du disque, c'est-à-dire à l'orient, est la déesse Nephtys, « la souveraine du lieu sacré », et à la gauche (occident), la déesse Isis occupant les deux extrémités de la course du dieu dans l'hémisphère supérieur : à côté du soleil et dans le disque, on a sculpté un grand scarabée qui est ici, comme ailleurs, le symbole de la régénération ou des renaissances successives : le roi est agenouillé sur la montagne céleste, sur laquelle portent aussi les pieds des deux déesses.

Le sens général de cette composition se rapporte au roi défunt : pendant sa vie, semblable au soleil dans sa course de l'orient à l'occident, le roi devait être le vivificateur, l'illuminateur de l'Égypte et la source de tous les biens physiques et moraux nécessaires à ses habitants ; le pharaon mort fut donc encore naturellement comparé au soleil se couchant et descendant vers le ténébreux hémisphère inférieur, qu'il doit parcourir pour renaître de nouveau à l'orient et rendre la lumière et la vie au monde supérieur (celui que nous habitons), de la même manière que le roi défunt devait renaître aussi soit pour continuer ses transmigrations, soit pour habiter le monde céleste et être absorbé dans le sein d'Amon, le père universel.

Le secret de la vie est enseigné par le déplacement de la barque divine naviguant dans le fleuve céleste, sur le fluide primordial, principe de toute existence, pendant les douze heures du jour. Ainsi, à la première heure, la barque se met en mouvement et reçoit les adorations des esprits de l'Orient ; parmi les tableaux de la seconde heure, on trouve le grand serpent Apophis, le frère et l'ennemi du soleil ; à la troisième heure, le dieu Soleil arrive dans la zone céleste, où se décide le sort des âmes, relativement aux corps qu'elles doivent habiter dans leurs nouvelles transmigrations ; on y contemple le Créateur assis sur son tribunal, pesant à sa balance les âmes humaines qui se présentent successivement. L'une d'elles vient d'être condamnée, on la voit ramenée sur terre dans une barque qui s'avance vers la porte gardée par le dieu chacal Anubis, et conduite à grands coups de verges par des singes, emblèmes de la justice céleste ; le coupable est sous la forme d'une énorme truie, au-dessus de laquelle on a gravé en grand caractère « gloutonnerie ». Le dieu visite, à la cinquième heure, le paradis habité par les âmes bienheureuses se reposant des peines de leur voyage terrestre. Elles portent sur la tête une plume d'autruche, emblème de leur conduite juste et vertueuse. Elles présentent des offrandes aux dieux ; ou bien, sous l'inspection du seigneur de la joie du cœur, elles cueillent les fruits des arbres célestes de ces paradis. Plus loin, d'autres tiennent en main des faucilles ; elles cultivent les champs de la vérité. Leur légende porte : « Elles font des libations de l'eau et des offrandes des grains des campagnes de gloire ; elles tiennent une faucille et moissonnent les champs qui sont leur partage. » Le dieu Soleil leur dit : « Emportez les grains dans vos demeures, jouissez-en et présentez-les aux dieux en offrande pure. » Ailleurs enfin, on les voit se baigner, nager, sauter et folâtrer dans un grand bassin que remplit l'eau céleste et primordiale, le tout sous l'inspection du dieu Nil céleste. Dans les heures suivantes, les dieux se préparent à combattre le grand ennemi du Soleil, le serpent Apophis. Ils s'arment d'épieux, se chargent de filets, parce que le monstre habite les eaux du fleuve.

Les âmes condamnées, les mains liées sur la poitrine et la tête coupée, marchent en longues files ; quelques-unes, les mains liées derrière le dos, traînent sur la terre leur cœur sorti de leur poitrine. Dans de grandes chaudières, on fait bouillir des âmes vivantes, soit sous forme humaine, soit sous celle d'oiseau, ou seulement leurs têtes et leurs cœurs.

A chaque zone et auprès des suppliciés, on lit toujours leur condamnation et la peine qu'ils subissent. « Ces âmes ennemies, y est-il dit, ne discernent point notre dieu lorsqu'il lance les rayons de son disque ; elles n'habitent plus dans le monde terrestre, et elles n'entendent point la voix du Dieu grand lorsqu'il traverse leurs zones. » Tandis qu'on lit au contraire à côté de la représentation des âmes heureuses, sur les parois opposées : « Elles ont trouvé grâce aux yeux du Dieu grand ; elles habitent les demeures de gloire, celles où l'on vit de la vie céleste ; les corps qu'elles ont abandonnés reposeront à toujours dans leurs tombeaux, tandis qu'elles jouiront de la présence du Dieu suprême. »

Voilà une des mille preuves démonstratives contre l'opinion de ceux qui s'obstineraient encore à croire que les penseurs égyptiens gagnèrent quelque perfection à l'établissement des Grecs en Égypte. Je le répète : l'Égypte ne doit qu'à elle-même ce qu'elle a produit de plus grand, de pur et de beau. N'en déplaise aux savants qui se font une religion de croire à la génération spontanée des arts en Grèce, la vérité est autre. La Grèce a imité servilement l'Égypte à l'époque où les premières colonies égyptiennes furent en contact avec les sauvages habitants de l'Attique ou du Péloponnèse. Sans la civilisation des pharaons, la Grèce ne serait pas devenue la terre classique des beaux-arts.

Voilà ma profession de foi tout entière sur cette grande question. Je trace ces lignes en face des bas-reliefs que les Égyptiens ont exécutés avec génie deux millénaires avant l'ère chrétienne. L'Égypte est la mère de notre civilisation, la source de notre pensée dans ce qu'elle a de plus élevé et de plus vital.

Alors que j'étais plongé dans l'étude d'un tableau fascinant représentant la naissance d'un soleil nouveau, d'une nouvelle conscience, des cailloux dévalèrent la pente conduisant au caveau.

Quelqu'un venait d'entrer dans la tombe.

Un étrange sentiment me déchira la poitrine. J'avais peur, mais sans éprouver la moindre crainte. Peur de voir mon existence interrompue avant d'avoir assez travaillé et jouissant en même temps d'un calme absolu à l'idée de mourir dans cette demeure de résurrection. Qu'attendre encore de la vie après tant de révélations qui détachaient l'homme de lui-même pour le fondre dans le cosmos, le dissoudre dans les étoiles ?

Les pas se rapprochaient, lents, pesants. Je m'attendais à voir surgir un être de l'autre monde, armé d'un couteau, dépourvu de pitié, acharné à me demander des comptes et à dresser la liste de mes fautes.

Je me sentais prêt. J'avais constaté que la foi des anciens Égyptiens reposait sur la connaissance et non sur la croyance. Croire aux dieux ne servait à rien. Les connaître, donc les nommer, découvrir à quelle puissance créatrice ils correspondaient, était essentiel. Les hiéroglyphes étaient précisément les paroles de puissance donnant accès à cette connaissance.

Quel démon allait apparaître ? Saurais-je le vaincre en le nommant ? Dans quelques secondes, il serait devant moi... ma gorge se serra, mon cœur battit plus vite, mais je demeurais serein, bien que la silhouette des assassins de Drovetti s'imposât à mon esprit.

L'angoissant visiteur se manifesta enfin, à la lueur de sa bougie.

Le père Bidant.

Il secoua sa soutane poussiéreuse et s'assit sur une banquette de pierre courant le long du mur. Il s'épongea le front.

— Quelle maudite chaleur... comment pouvez-vous respirer dans ce bain de vapeur ?

— Regardez, mon père, regardez autour de vous ! Vous verrez l'enfer, le purgatoire et le paradis ! Ce que le christianisme a annoncé était déjà présent ici, et bien plus encore !

Je m'attendais à une réaction des plus vives, mais le religieux continua à se tamponner le front avec un mouchoir.

— C'est bien ce que je redoutais, Champollion... cela et le reste. Avant ce voyage, catholiques et protestants étaient tombés d'accord sur un point : jamais la chronologie biblique ne devrait être bouleversée. Jamais la révélation chrétienne ne serait remise en cause. Personne ne décélerait de traces de civilisation avant la seizième dynastie égyptienne. Ainsi la vérité du livre saint demeurait-elle totale et absolue, y compris dans le domaine historique.

— Je suis aujourd'hui capable de vous prouver le contraire, mon père. La chronologie admise par l'Église est fausse. Il faudra reculer de beaucoup les dates d'apparition de la pensée. Il faudra admettre que la Bible n'aurait pas existé sans l'inspiration égyptienne.

— Je sais tout cela, Champollion. Je sais aussi que vos découvertes causeront des bouleversements que vous n'imaginez même pas.

— Vous ne parlez plus comme un prêtre...

— Parce que je ne suis pas seulement un prêtre. Voilà bien des années que j'étudie l'orientalisme à Rome et que je suis vos travaux comme ceux des autres savants désireux de déchiffrer les hiéroglyphes. J'ai vite estimé que vous seriez le premier à atteindre ce but inquiétant pour l'Église. Quel besoin aviez-vous de soulever le voile épais qui recouvrait des mystères oubliés depuis des siècles ?

— La réponse est sur les murs de cette tombe, mon père ! Le secret de l'âme humaine, voilà ce que les Égyptiens avaient perçu !

Bidant acquiesça d'un hochement de tête.

— J'ai commencé à être fort inquiet quand, encore adolescent, vous aviez déclaré puis écrit que l'Égypte avait une notion de la divinité au moins aussi pure que le christianisme lui-même. C'était un défi à la fois que personne n'a pris suffisamment au sérieux. Et aujourd'hui, vous avez déchiffré les hiéroglyphes... vous ouvrez les portes de plusieurs millénaires de religion par lesquelles s'engouffreront dieux et déesses.

— Pas un défi, mon père. Une simple vérité.

— Ne jouez pas sur les mots, Champollion ! N'avez-vous point établi que les Égyptiens avaient foi en un dieu unique et en l'immortalité de l'âme ? N'écrirez-vous pas demain que le sens de l'existence humaine est la réunion avec Dieu après le jugement devant le tribunal de l'autre monde ?

— J'ai le devoir, en effet, de transcrire ce que j'ai vu. C'est ma morale de savant.

— Vous n'êtes plus un savant comme les autres. Vous êtes l'Égyptien.

— Et vous, mon père, ne seriez-vous pas l'espion au service de Drovetti ?

Cessant un instant de s'essuyer le front, le père Bidant me dévisagea avec étonnement et intérêt.

— Vous aviez aussi compris cela... vous êtes décidément beaucoup moins naïf que ne le croyaient mes supérieurs.

— Une intuition, depuis la première seconde où je vous ai rencontré... Et un début de confirmation quand vous avez servi d'intermédiaire entre Moktar et moi. Ce dont je veux être certain, en revanche, c'est de la sincérité que vous avez exprimée en Nubie. Je vous ai cru.

— Et vous avez eu raison... mais vous êtes devenu mon pire ennemi, Champollion. Vous avez presque bouleversé mes croyances. J'ai même failli vous tuer lorsque, pris de folie, j'ai tiré sur vous. C'est pourquoi le temps est venu de m'éloigner de vous et de cette Égypte au plus vite. Dieu sait par quels tourments intérieurs vous me feriez encore passer si je devais vous écouter parler de vos dieux et de votre religion. Bien que ces vieilles divinités soient mortes et confinées au fond des tombeaux, je me demande parfois si elles n'ont pas plus de force que certains de nos dogmes. Champollion ? Champollion, vous m'écoutez ! Champollion !

*

Le soleil était au zénith quand le père Bidant, soufflant et ahanant, sortit de la tombe de Ramsès IX, portant sur ses épaules Jean-François Champollion, inanimé.

CHAPITRE 25

Ce 18 mai 1829, depuis la cime qui domine la Vallée des rois, je pense à toi, mon frère Jacques-Joseph, et je t'écris. Pardonne ma graphie fiévreuse, trop rapide. J'ai tout à te dire et je n'ai que si peu de temps, à cause de l'immensité du travail qui m'attend ! Je suis bien remis de mon malaise survenu dans la tombe de Ramsès le neuvième. Le père Bidant, qui m'a amené auprès du professeur Raddi pour qu'il me soigne avec ses mains et son magnétisme, a quitté l'Égypte. Il n'a salué aucun des membres de l'expédition et s'est éclipsé avec une extrême précipitation.

Voici de longues semaines que j'ignore ce qui se passe dans le monde et que je n'ai pas de nouvelles de toi et de ceux que j'aime. Cela est dur, fort dur ; car malgré ma philosophie, quoique le néant des choses humaines soit écrit autour de moi en caractères frappants, quoique j'aille méditer de temps en temps au sommet de cette montagne aride d'où l'on découvre l'étendue du grand cadavre de Thèbes, je tiens encore à cette pauvre terre, à ses chétifs habitants et surtout à ceux qui grelottent au-delà de la Méditerranée... France ! N'en parlons pas, mon cœur se gonfle... pourtant, je dois te l'avouer, mon esprit n'aura plus d'autre demeure que la Vallée des rois où il s'est immergé dans les mystères de la vie et de la mort.

Il me faut à présent quitter mes chers tombeaux,

abandonner ces demeures de résurrection pour rejoindre Rosellini. Tu dois me considérer comme un homme qui vient de ressusciter. Voici de nombreuses journées que j'étais un habitant de ces palais souterrains où l'on ne s'occupe guère des affaires du siècle. Je vais à présent habiter notre château de Gournah, bicoque de boue à un étage, magnifique en comparaison des tanières et des terriers où se nichent nos concitoyens, les Arabes. Mais je n'y résiderai que pendant la nuit. Dès que le jour commencera à poindre, je me lèverai, enfourcherai mon âne et me lancerai sur les sentiers à petits pas, humant la fraîcheur du matin, à la recherche des nombreuses tombes que je sais encore enfouies sous le sable.

Rosellini veut me persuader que je suis épuisé et que j'use mon organisme. N'en crois pas un mot. J'espère te prouver que je suis encore capable de grandes choses.

*

Le quartier général de Gournah, organisé par un Rosellini doté d'un sens aigu de l'administration, avait pris grande allure. Une douzaine de serviteurs, placés sous la férule d'un dragoman nommé Boutros, veillaient aux moindres de nos désirs, nous qui étions les seigneurs du pays. Le dragoman est un intendant à l'allure militaire, parlant plus ou moins bien quatre ou cinq langues européennes qu'il mélange volontiers, impitoyable envers ses subordonnés, prompt à voler tout ce qui lui tombe sous la main, servile à satiété, attentif à la cuisine et à la cave pour mieux profiter de petits plats et de bonnes bouteilles, sachant faire travailler les autres sans verser lui-même la moindre goutte de sueur, poussant des soupirs à fendre l'âme pour manifester sa sympathie lorsqu'il vous voit fatigué alors qu'il vous méprise, menteur avec le sourire, bandit dans les limites de la morale qu'il a lui-même définie.

En mon absence, Rosellini avait établi un emploi du

temps rigide : lever à 6 heures, travail scientifique de 7 heures à midi, déjeuner, repos, jusqu'à 2 heures et de nouveau travail jusqu'à 4 heures très précises. Un véritable programme de directeur de musée qui ne me dérangeait guère. Dès qu'il s'achevait, je quittais le château et profitais d'un âne sellé et bridé qui m'attendait à la porte, gardé par deux Arabes chassant les mouches. Je m'octroyais aussi, en compagnie de Soliman, toujours aussi inquiet, le plaisir le plus rare : vaquer librement dans la nécropole thébaine, m'emplir le cœur de ces paysages de silence dont je savais à présent qu'ils étaient ceux de l'âme.

Un soir, alors que je rentrais de ma randonnée habituelle, j'arrivai juste à temps pour assister à un pugilat opposant le professeur Raddi à Rosellini. Aussi malhabiles l'un que l'autre, ils ne risquaient guère de se porter un coup fatal, mais je jugeai cette dispute indigne de deux savants et m'interposai avec vigueur.

— Messieurs ! Auriez-vous perdu la tête ?

— Monsieur Champollion, déclara le professeur Raddi avec emphase, Rosellini m'empêche d'exercer mon activité scientifique. Ce comportement est inacceptable et j'en appelle à votre qualité de chef de notre expédition pour sanctionner ce trublion.

Rosellini était rouge de colère.

— Le professeur perd la tête ! rugit-il. Il a décidé de transformer cette demeure en zoo ! Notre gazelle Pierre et notre chat ne lui suffisent pas. Voilà qu'il vient d'introduire un âne, un coq, une chèvre et des lézards ! Sans parler d'un bébé panthère qu'il a trouvé Dieu sait où et qui vient d'exercer ses griffes sur les pages de mon journal d'inventaire ! C'est intolérable !

— Ce monsieur exagère, objecta le minéralogiste. Quoi qu'il en soit, je ne reconnais pas son autorité.

— Et vos collections de papillons ! reprit Rosellini. Voilà que ces insectes envahissent toutes les chambres ! Champollion en trouvera même dans la sienne !

— La science a toujours avancé grâce à ses martyrs, assena le professeur Raddi, tournant le dos à Rosellini. Puisqu'il en est ainsi, je quitte cette misérable maison et je m'installe chez l'indigène. Mes collections se développeront malgré l'ignorance et l'intolérance. Dès aujourd'hui, je me promets bien d'attraper des spécimens rarissimes qui vous cloueront le bec.

Très digne, un filet à papillons à la main, la démarche auguste, le professeur partit en chasse.

— Je suis désolé, avoua Rosellini dont la colère tombait, mais je ne le supporte plus.

*

Chaque soir, au retour de ma promenade en compagnie de Soliman avec lequel je partageais des émotions muettes, je recevais les petits et grands dignitaires de Thèbes dans la « grande » salle du palais de Gournah. Bien que Rosellini fût hostile à ces entretiens qu'il estimait inutiles, j'y accordais pour ma part la plus extrême importance. Ni le professeur Raddi, qui revenait dormir à Gournah entre ses parties de chasse, ni Lady Redgrave, qui se livrait à de longues promenades à cheval dans la campagne, n'y assistaient.

D'ordinaire, les cheikhs des villages me faisaient part de leurs doléances et me demandaient d'intervenir auprès des plus hautes autorités locales pour obtenir davantage de nourriture ou de vêtements. J'agissais au mieux de leurs intérêts, leur demandant en échange de me procurer des ouvriers consciencieux. Outrepassant une nouvelle fois l'opinion de Rosellini, j'avais confié aux cheikhs des sommes d'argent de manière qu'ils payassent eux-mêmes les hommes venant travailler sur mes chantiers. Le système fonctionna à merveille, d'autant plus que je ne me montrais pas avare de menus cadeaux envers ces petits potentats, heureux de voir reconnue leur immense importance. De fait, elle l'était, puisque, sans leur consentement, les fouilles se seraient avérées impossibles. Bien entendu, ils effectuaient un important prélèvement sur les sommes à distribuer mais, en contrepartie, assuraient l'ordre et la sécurité.

Ce jour-là, les affaires courantes ayant été traitées, il

ne restait qu'un cheikh âgé, barbu et silencieux, qui m'attendait, immobile, depuis plus d'une heure.

— Pardonnez-moi de vous avoir imposé cette épreuve, dis-je, pressentant que cet entretien-là ne ressemblerait pas aux autres.

— Voilà des siècles que ma tribu et moi-même attendons. Une heure de plus n'équivaut même pas à un battement de paupière en regard de l'éternité.

L'homme était d'une fierté farouche. Son langage m'intriguait.

— Quelle est le nom de votre tribu ?

— J'appartiens aux Ababdeh, la plus noble et la plus valeureuse des tribus.

— Que Dieu lui soit favorable et la maintienne dans la prospérité.

Je comprenais la raison de mon trouble. La langue des Ababdeh était l'une des plus anciennes et des plus remarquables. Je ne l'avais étudiée que de manière superficielle et remerciais le ciel de m'offrir une pareille conversation que je souhaitais la plus longue possible.

— Connaissez-vous bien l'Égypte ? demanda-t-il, inquisiteur.

— Autant que me l'ont permis quelques mois de séjour et quarante années de passion.

— Pourquoi aidez-vous les fellahs ?

— Parce qu'ils sont des hommes, comme vous et moi, et que se croire supérieur à quiconque est le plus méprisable des vices.

Il eut une moue dubitative.

— Savez-vous qu'ils sont menteurs et paresseux ? Qu'ils méprisent souvent votre générosité ?

— Peu importe. J'agis selon ma conscience. Et je sais qu'ils vivent dans des conditions misérables alors que les innombrables villas du pacha sont éclairées au gaz et jouissent du dernier confort. Cela me révolte. Le rôle d'un chef d'État est d'offrir à ses sujets la possibilité de vivre heureux et libres. La misère ne le permet pas. Elle est l'ennemie de la civilisation. Dans le royaume de Pharaon, la fête ne pouvait être célébrée que si aucun ventre ne criait famine.

— Ce sont des propos bien dangereux, remarqua le Bédouin.

— Ce sont des propos de justice. On ne me fermera pas la bouche.

— Notre existence n'a pas changé depuis le temps d'Abraham, affirma le Bédouin. Nous vivons dans le désert et nous nous en portions bien jusqu'à l'arrivée des Mamelouks. Notre tribu a versé son sang pour les combattre. Quand Méhémet-Ali a pris le pouvoir, il nous a utilisés et a compté sur notre appui. Aujourd'hui, c'est un tyran aussi cruel que ceux qu'il a fait exécuter. Il nous a accordé un droit d'asile sur le territoire égyptien, à nous qui sommes les fils immémoriaux du sable et du vent. Puisque vous écoutez si volontiers les suppliques des fellahs, peut-être entendrez-vous celles de ma tribu ?

L'affaire devenait délicate. Les Bédouins n'avaient guère le sens de la plaisanterie. Pour eux, la parole donnée ne se reprend sous aucun prétexte. La noblesse de mon interlocuteur emporta ma décision.

Il la lut dans mon regard.

— Venez avec moi jusqu'à notre campement, exigea-t-il. Je vous y expliquerai mes projets.

*

Je fus accueilli comme un seigneur dans la tente du chef des Ababdeh. Gâteaux au miel, dattes, figues, thé à la menthe me furent offerts par deux jeunes filles silencieuses et vives comme l'éclair.

Mon hôte attendit que nous soyons rassasiés avant de continuer la conversation.

— Nous avons combattu les Mamelouks. Nous combattrons le nouveau despote.

— Par quels moyens ? demandai-je, anxieux.

— Avec notre courage, nos sabres et les fusils qu'on nous vendra. Que vous nous vendrez.

J'étais suffoqué.

— Mais... je ne suis pas un marchand d'armes !

— Ce n'est pas ce qui nous a été dit.

— Qui a osé m'accuser ainsi ?

— Cette personne qui affirme bien vous connaître, dit le Bédouin, se levant et faisant pénétrer sous la tente Lady Redgrave.

Elle se précipita au-devant de moi, ardente, passionnée.

— Qu'avez-vous donc inventé, Lady Ophelia ?

— Ces gens veulent se révolter contre le pacha, Jean-François. Leur cause est juste ! Ils ont besoin de nous, de nos deux pays, de l'appui que nous devons leur apporter. N'hésitez plus.

Le Bédouin et l'espionne anglaise me dévisageaient avec gravité.

— C'est pure folie ! Je ne suis qu'un égyptologue, mais je puis vous assurer que vous courez au désastre si vous tentez d'affronter les troupes du pacha. Il vous écrasera sans pitié, anéantira la tribu entière. Vous mésestimez sa cruauté. Il attache la plus grande importance au caractère absolu de son autorité et réagira avec la dernière violence à la moindre des menaces concernant son trône.

— Montrez-vous tel que vous êtes, insista Lady Redgrave. Vous avez prouvé cent fois que vous vous intéressiez au sort des pauvres et des malheureux. Vous n'avez pas le droit d'abandonner ces hommes. Procurez-leur, comme moi, de quoi se battre et triompher !

La colère m'envahit.

— C'était donc cela, votre mission... Provoquer le soulèvement des tribus bédouines pour renverser le pacha ou l'obliger à faire appel à l'Angleterre... En fussé-je capable, jamais je ne m'associerais à ce projet criminel. Vous enverriez à la mort des familles entières dont la seule véritable protection est précisément le désert où les soldats du pacha ne s'aventurent pas volontiers. Vous voulez détruire un équilibre fragile pour engendrer une tourmente où, comme d'ordinaire, les plus faibles seront les victimes ! C'est indigne.

— Vous n'êtes qu'un lâche ! me lança Lady Redgrave. Je me débrouillerai seule.

Elle sortit de la tente du chef des Ababdeh qui s'était assis, les jambes croisées, à la manière d'un vieux scribe. Mon sort était entre ses mains. Un seul mot de lui me condamnerait à mort.

Il tapa dans ses mains.

Les deux servantes apportèrent à nouveau du thé et des sucreries.

— Il est un temps pour la tempête, dit-il, et un temps pour la joie du cœur. Puisque le chemin de mes pensées est à nouveau dégagé, goûtons ensemble ce breuvage d'amitié.

Un long silence s'instaura. A aucun prix, je ne devais le briser.

— Lady Redgrave s'était montrée fort convaincante, reprit-il enfin. Je crois qu'elle se serait même battue à nos côtés. Les sentiments qu'elle éprouve à votre égard sont si violents qu'elle était certaine de vous convaincre. Vous lui avez infligé une douloureuse défaite et vous l'avez blessée dans sa fierté.

— Me suis-je comporté comme un lâche à votre égard ?

— Ces gâteaux au miel sont notre plaisir le plus doux. Mon père, le père de mon père et leurs ancêtres les ont savourés; le soir, quand les hommes se taisent, quand le désert commence à chanter. Cela est bien. Cela est la volonté de Dieu. Et il est bon que cela continue. Méhémet-Ali disparaîtra. Pas le désert. Cette vérité, c'est vous qui me l'avez rappelée. Vous avez évité à ma tribu une grande folie.

Plus un seul mot ne fut échangé. Lorsqu'il ne resta plus sur le plateau en argent qu'un seul gâteau au miel, la part d'Allah, les deux servantes réapparurent et se tinrent accroupies de part et d'autre de l'accès à la tente du chef. Ce dernier se leva.

L'entrevue était terminée.

Alors que je me baissais pour sortir de la tente, il reprit la parole.

— Un don pour un don, telle est notre loi... j'ai une information à vous offrir. Drovetti est de retour à Thèbes depuis plusieurs jours. Il vous épie. Si vous tenez à la vie, partez. Mais si vous voulez l'empêcher de nuire, cherchez *la tombe des vignes.*

*

Sous les pharaons, l'Égypte avait été une grande civilisation de la vigne. Les anciens étaient amateurs de grands crus désignés par le nom des souverains et leur année de règne. Déguster une « douzième année de Ramsès le Grand » devait constituer l'un des temps forts des banquets organisés par les nobles thébains. L'islam avait arraché les ceps, si bien qu'il n'était plus possible de trouver une tombe au milieu des vignes. L'indication du Bédouin prouvait qu'il en connaissait pourtant l'emplacement. Comme il refuserait de m'en apprendre davantage, ayant délibérément choisi de me mettre à l'épreuve, il ne me restait plus qu'à lui prouver mes capacités de découvreur.

Dans notre château de Gournah, régnait une température presque constante de trente-six degrés, véritable bénédiction pour ma santé. Rosellini en souffrait, appréciant la chaleur du matin, douce comme un souffle de printemps, ainsi que le vent du nord qui se levait souvent à midi et le soir. Au-dehors, il n'était pas rare de dépasser les cinquante degrés, ce qui rendait harassant l'examen des stèles, des sarcophages et des statues que mon disciple inventoriait avec sa méticulosité habituelle.

En compagnie de Soliman, j'arpentai sans relâche la nécropole. Aux fellahs que nous rencontrions, nous parlions en vain de vignes et de raisins.

— Nous n'arriverons à rien de cette manière, estima Soliman. Il doit s'agir d'un caveau qui a été rebouché après avoir été pillé. Interrogeons les vieux, village par village. Il y en aura forcément un qui se souviendra d'un détail qui nous mettra sur la piste.

Après plusieurs essais infructueux, nous apprîmes qu'un vieillard de Cheikh Abd el-Gournah, derrière le Ramesseum, était âgé de cent dix ans et avait eu vent de la plupart des fouilles clandestines accomplies dans les parages — à moins qu'il ne les ait organisées lui-même. Nous le rencontrâmes au bord du Nil où il surveillait la baignade des enfants, à un endroit qu'il assurait dépourvu de la présence des crocodiles, lesquels faisaient encore de nombreuses victimes. Le bonhomme était des plus verts mais aussi des plus revêches. Une bonne quantité de tabac fut indispensable pour lui délier un peu la langue. Avec une extrême lenteur, il fit appel à ses souvenirs. Oui, il existait bien une tombe contenant des restes de vigne. Traçant sur le sable un plan grossier de la nécropole de Cheikh Abd el-Gournah, il nous en indiqua l'emplacement approximatif.

Le vieillard s'était quelque peu trompé. Nous dûmes déblayer plusieurs entrées débouchant sur de modestes sépultures sans décor, profanées depuis longtemps. Nous accédâmes enfin à la tombe d'un noble thébain du nom de Sennefer, jardinier en chef du pharaon Aménophis III, et chargé d'embellir les domaines du dieu Amon. Une galerie en pente très raide menait jusqu'au caveau, salle de belle taille rythmée par des piliers carrés. Partout, un décor admirable où l'on voyait le défunt et son épouse, une magnifique jeune femme dont le regard me rappelait celui de Lady Ophelia, célébrer des actes rituels assurant leur survie.

Levant les yeux vers le plafond qu'éclairait Soliman, je vis que nous avions atteint notre but : le ciel de cette tombe était un luxuriant berceau de vigne aux grappes noires ! Sennefer et sa femme, qui faisait surgir de terre le sarment principal, vivaient dans un paradis de grains juteux, de pampres et d'entrelacs de feuilles de vigne.

Le spectacle de l'antichambre était, hélas, moins réjouissant. Des bandelettes brunâtres, des ossements brisés, du bois de sarcophage presque réduit en poussière... ces indices confirmaient pleinement ma première hypothèse. Et je remerciai intérieurement le chef bédouin de m'avoir procuré la preuve qui me manquait encore.

— Ce sera une rude partie, dis-je à Soliman, mais nous tenterons de la gagner.

De retour au château de Gournah, je fus accueilli par un Rosellini à la triste figure.

— J'ai une bien mauvaise nouvelle à vous annoncer, maître... une lettre de Paris qui m'était adressée pour éviter un choc trop brutal.

Le sang quitta mon visage. Je songeai aussitôt à ma fille, à mon frère.

— Parlez vite, Ippolito !

— Votre candidature à l'Académie vient d'être repoussée pour la sixième fois... c'est un M. Pardessus qui a été élu.

J'éclatai de rire

— On m'a mis par-dessous Pardessus... cela ne me surprend pas. J'eusse été flatté d'être appelé à l'Académie lorsque mes découvertes étaient encore contestées de bonne ou de mauvaise foi, peu importe. J'eusse encore été flatté qu'elle eût pensé à moi tandis que je perfectionnais mes études et commençais une magnifique récolte au milieu des ruines de Thèbes. J'eusse regardé ma nomination comme une sorte de récompense nationale ; elle a jugé à propos de me refuser cette satisfaction. Ainsi, désormais je ne ferai plus un pas vers elle et lorsque l'Académie m'appellera, je serai aussi peu empressé du fauteuil qu'un buveur délicat peut l'être d'une bouteille de champagne éventée depuis six mois. L'eau du Nil elle-même inspire le dégoût quand on n'a plus soif. Dieu lui fasse paix et miséricorde.

— Il y a aussi une meilleure nouvelle, reprit Rosellini. Un cadeau du pacha apporté par un émissaire spécial.

Mon disciple me remit un sabre en or d'un poids remarquable. Je le reçus sans mot dire et m'enfermai dans ma chambre.

*

Les soirées de Gournah m'enchantaient. Aucune plume ne saurait évoquer avec assez de couleur et de tendresse la splendeur du ciel nocturne au-dessus de la plaine.

Pourtant, cette nuit-là, je n'avais point goûté la paix habituelle inscrite au cœur du silence qui me régénérait. L'Académie, la science officielle et ses ânes bâtés bien moins utiles que ceux d'Égypte, le sabre du tyran, c'en était trop... Le feu de la révolte, qui avait attisé ma jeunesse, m'anima de nouveau.

Je commençai par rédiger un mémoire destiné à Méhémet-Ali, maître tout-puissant de l'Égypte. Sachant que les anciens représentaient parfois leur pays sous forme d'une vache, le pacha n'hésite pas à la traire et à l'épuiser sans pitié. Voilà ce qu'ont produit de bon et de beau les nobles conseils d'un Drovetti. J'exposai mes griefs en détail.

Combien de fois mon expédition avait-elle trouvé son chemin complètement balayé parce que des monuments pharaoniques de la plus grande importance avaient été détruits et rasés presque sous nos yeux ? Et d'en citer la liste, et de faire appel à la sagesse infinie du pacha pour préserver l'immense patrimoine encore subsistant qui risquait bientôt d'être réduit à néant. Les pierres souffraient, les hommes aussi. Je protestai contre l'atroce misère des fellahs, suppliant qu'ils fussent nourris et éduqués pour que leur misérable peuple sorte enfin de cet esclavage qui n'osait pas dire son nom.

Il fallait combattre contre les véritables ennemis de l'Égypte, à savoir les destructeurs de temples, les chercheurs de salpêtre, les constructeurs de sucreries, les pilleurs de tombes, la trop forte inondation, l'ignorance des fellahs et les collectionneurs d'antiquités.

Mon mémoire partirait dès l'aube pour le palais de Méhémet-Ali et je ne doutais point qu'il l'atteindrait sans délai. Mon frère Jacques-Joseph m'aurait recommandé davantage de prudence dans mes propos, afin de sauvegarder ma sécurité, mais je me souciais de cette dernière comme d'une guigne.

Dans le flux de l'exaltation, je fis le bilan de mon action de conservateur et de savant. Je n'ai pas oublié le musée égyptien du Louvre dans mes explorations, ce musée qui m'a été confié sans qu'on m'offrît des moyens décents pour le développer. Pourtant, j'ai recueilli des monuments de tout volume, et les plus petits ne seront pas les moins intéressants. En objets de gros volume, j'ai choisi, sur des milliers, trois ou quatre momies remarquables par des décorations particulières, ou portant des inscriptions grecques ; ensuite, le plus beau bas-relief colorié du tombeau de Séthi Ier, dans la Vallée des rois. C'est une pièce capitale qui vaut à elle seule une collection. Il m'a donné bien du souci et me fera certainement un procès avec les Anglais d'Alexandrie, qui prétendent être les propriétaires légitimes du tombeau. Malgré cette belle prétention, de deux choses l'une : ou mon bas-relief arrivera à Toulon, ou bien il ira au fond de la mer ou du Nil, plutôt que de tomber entre des mains étrangères. Mon parti est pris là-dessus. J'ai acquis au Caire le plus beau des sarcophages présents, passés et futurs ; il est en basalte vert et couvert intérieurement et extérieurement de bas-reliefs ou plutôt de camées travaillés avec une perfection et une finesse inimaginables[1]. C'est tout ce qu'on peut se figurer de plus parfait dans ce genre ; c'est un bijou digne d'orner un boudoir ou un salon, tant la sculpture en est fine et précieuse. Le couvercle porte, en demi-relief, une figure de femme d'une sculpture admirable. Cette seule pièce m'acquitterait envers la Maison du roi, non sous le rapport de la reconnaissance, mais sous le rapport pécuniaire ; car ce sarcophage, comparé à ceux qu'on a payés vingt et trente mille francs, en vaut certainement cent mille. Le bas-relief et le sarcophage sont les deux plus beaux objets égyptiens qu'on ait envoyés en Europe jusqu'à ce jour. Cela devait de droit venir à Paris et me suivre comme trophée de mon expédition. J'espère qu'ils resteront au Louvre en mémoire de moi à toujours.

1. Conserve au musée du Louvre.

Quand le vent frais de l'aube se leva, je m'enveloppai dans un manteau de laine et sortis du château, marchant jusqu'à la lisière du désert. Dans le lointain, une caravane partait vers le sud.

Une forme blanche, à cheval, se dirigea vers moi, soulevant de petits nuages de sable.

Lady Redgrave, les traits crispés, s'immobilisa à ma hauteur.

— Vous aimez gagner sur tous les tableaux, Champollion... soyez satisfait ! Mon oncle Thomas Young vient de mourir, à Londres, le 10 mai 1829. Il a travaillé à son dictionnaire hiéroglyphique jusqu'à la dernière seconde. Son crayon est tombé sur le sol alors même qu'il rendait le dernier soupir. Heureux ?

— Comment pourrais-je me réjouir de la disparition d'un chercheur ? répondis-je d'une voix brisée par l'émotion. J'aurais tellement aimé le rencontrer et lui expliquer pourquoi il se trompait.

— Il ne s'est pas trompé. C'est vous qui êtes dans l'erreur ! La postérité vous aura oublié depuis longtemps quand elle célébrera le renom de Thomas Young, le véritable déchiffreur des hiéroglyphes !

Elle tourna bride et partit au grand galop en direction du levant.

*

Nous déjeunions quand Soliman vint me prévenir de la présence d'une escorte de soldats turcs dirigée par un officier se recommandant du pacha. J'étais convié à me rendre séance tenante dans l'un des palais thébains de Méhémet-Ali où il venait d'arriver.

— Qu'est-ce que cela signifie ? s'inquiéta Rosellini. Pourquoi cette convocation précipitée ?

— Quelques problèmes domestiques, répondis-je, faussement détendu. Si... Si je ne revenais pas, prévenez les autorités françaises et regagnez l'Europe sans tarder.

Rosellini, effaré, demeura la bouche ouverte pendant que je quittais notre salle à manger de Gournah pour me jeter dans les griffes de Méhémet-Ali.

*

Jamais l'expression « faire le fier » ne s'était mieux appliquée qu'à moi-même, le sieur Jean-François Champollion qui tentait de porter beau en pénétrant dans les appartements privés du pacha d'Égypte alors qu'il tremblait intérieurement comme un peuplier battu par le vent.

Méhémet-Ali était assis dans un fauteuil à haut dossier qui lui conférait une stature impériale. Il fumait une longue pipe d'ambre et passait la main dans son abondante barbe blanche, taillée avec soin. Il était immobile, comme un fauve guettant sa proie.

— Permettez-moi, Votre Béatitude, de vous remercier pour votre magnifique présent.

— J'ai lu votre mémoire avec beaucoup d'attention, monsieur Champollion. Il contient bien des faits étranges.

Contrairement aux usages de la politesse orientale, le pacha entrait immédiatement dans le vif du sujet. C'était mauvais signe. Le vice-roi oubliait ses qualités de diplomate au profit de celles de chef de guerre.

— Vous parlez de temples démolis, rasés... ne s'agit-il pas de fausses rumeurs ? Ces ravages ne sont-ils pas plutôt l'œuvre du temps ?

— Non, Votre Béatitude. Ces graves événements se sont bien produits sous votre règne. Des sanctuaires aussi considérables que ceux d'El-Kab, d'Antinoé ou de Contralatopolis ont totalement disparu par la faute d'iconoclastes et de profanateurs. Il était de mon devoir de porter à votre connaissance ces faits déplorables qui sont imputables à des barbares. Ils ne peuvent, bien entendu, avoir agi qu'à votre insu.

— Bien entendu, approuva-t-il, glacial.

— Dans mon mémoire, repris-je, vous avez enfin une information claire et complète. A présent, Votre Béatitude, il faut agir avec fermeté. Votre honneur de chef d'État est en jeu, de même que votre renommée à la face du monde entier. Promettez-moi de protéger les monuments qui subsistent encore, d'empêcher qu'ils subissent de nouvelles dégradations.

Méhémet-Ali hocha la tête d'une manière ambiguë. Il m'était impossible d'insister davantage.

— Parlez-moi de Ramsès le Grand, exigea-t-il d'un ton très sec.

Maîtrisant mon étonnement, je me lançai dans une description du règne de cet étonnant pharaon, rappelant l'incroyable nombre de monuments qu'il avait érigés ou restaurés. J'évoquai le formidable état d'avancement des sciences et des arts que l'Égypte ancienne avait atteint. A l'instant où je parlais de la cartographie, le pacha m'interrompit.

— Pourriez-vous m'établir une carte détaillée de l'Égypte des pharaons ? Elle facilitera la surveillance des sites.

— Je la mettrai au point dès que possible, Votre Béatitude.

— Vous ne vous êtes pas enfermé dans les limites du passé, monsieur Champollion... votre mémoire insiste beaucoup sur la condition des fellahs, comme si j'étais responsable de leur misère.

— Je n'ai pas écrit cela, Votre Béatitude. Le peuple doit recevoir une éducation que vous seul êtes capable de lui dispenser. Les Mamelouks l'ont plongé dans la pauvreté et le malheur. Il vous reviendra d'être le souverain qui mettra fin à cette injustice.

Le pacha fuma longuement, gardant le silence. Puis un sourire malicieux anima son visage :

— Alors, dit-il, Ramsès a-t-il été vraiment le plus grand des pharaons ?

Je ne sais quelle intervention divine m'empêcha d'étrangler ce tyran hypocrite. Conscient de la rage qui montait en moi, il s'amusait.

Balbutiant quelque formule de politesse à peine compréhensible, je pris congé.

*

En arrivant au château de Gournah, j'étais encore agité par les effets de cette colère rentrée. Elle fut brutalement remplacée par la plus vive des angoisses lorsque je vis attroupés plusieurs serviteurs devant l'entrée principale.

Je fus obligé de les bousculer pour pouvoir entrer.

Ce que je vis me glaça le sang.

Ippolito Rosellini était étendu sur le sol de terre battue, les yeux révulsés. Le professeur Raddi, penché sur lui, tentait de lui faire boire une potion.

— Il a été piqué par un scorpion, expliqua le minéralogiste.

Je m'agenouillai, affolé.

— Ippolito...

— Il vivra, diagnostiqua le professeur Raddi. Mais je ne lui garantis pas la meilleure des santés pour les années à venir. Aidez-moi à le porter sur son lit.

— Où est Soliman ?

— Parti chercher le guérisseur. A nous deux, nous sortirons votre disciple de ce mauvais pas.

*

Rosellini demeura inconscient deux jours et deux nuits pendant lesquelles je fus incapable de dormir une seule minute. Enfin, malgré une mine effroyable, un corps brisé et douloureux, il revint parmi nous. Le professeur Raddi et le guérisseur, grâce au magnétisme et à la science des herbes, avaient fait un miracle. Rosellini, après s'être un peu alimenté, sombra dans un sommeil réparateur.

— Vous devriez l'imiter, recommanda le minéralogiste. Vous avez dépassé les limites de l'épuisement.

— Vous-même avez dépensé tant d'énergie pour le soigner...

— Cela n'a plus la moindre importance, Champollion Ma collection de minéraux est terminée. Je connais l'histoire de la terre et je pourrais l'écrire. Mais elle ne m'intéresse plus, depuis que j'ai découvert les papillons. Ils sont si doux, si colorés, si fragiles... j'ai eu tort de les chasser. J'aurais dû me contenter de les observer. Nous gaspillons la vie, nous sommes coupables de légèreté face à ce monde qui nous dépasse. Le désert, Champollion, voici la vraie sagesse, le véritable amour... le grand voyage, c'est de partir dans le désert avec le vent comme compagnon.

Craignant de trop bien comprendre, je me plaçai devant la porte principale de notre château.

— Inutile d'essayer de me retenir, Champollion... vous savez bien que je n'en fais qu'à ma tête, comme vous. Qui pourrait s'occuper encore d'un vieux fou ? Je n'ai plus d'attache, plus de famille, plus de patrie depuis que j'ai rencontré le désert. Il m'appelle, il m'appelle si fort...

— Restez ici ce soir, professeur. Nous sommes trop fatigués, l'un et l'autre, pour avoir un long entretien. Demain matin, nous parlerons. J'ai beaucoup à vous dire.

Le professeur Raddi s'étendit sur une natte et s'endormit aussitôt. Je résistai au sommeil le plus longtemps possible, mais mes paupières me trahirent. Je m'effondrai à mon tour.

*

Soliman m'éveilla.

Me dressant en sursaut, je vis que la couche du professeur Raddi était vide.

— Il est parti avant l'aube, expliqua Soliman.

— T'a-t-il dit où il allait ?

— Vers le Delta, par le désert.

— Et tu ne l'as pas retenu !

— Personne ne peut empêcher un être d'aller vers son Orient.

Nous ne revîmes jamais le professeur Raddi. Personne ne retrouva son corps.

CHAPITRE 26

Un petit homme rougeaud, en costume européen, demanda l'entrée du palais de Gournah alors que Rosellini et moi déjeunions dans le plus absolu silence. Mon disciple se remettait mal de sa piqûre de scorpion. Il geignait et se plaignait de douleurs diffuses entravant sa réflexion et le gênant dans son travail. La disparition du professeur Raddi ne l'avait affecté en rien. Il se déclarait même heureux de demeurer en ma seule compagnie, entre égyptologues, à la tête d'équipes d'ouvriers poursuivant un programme de fouilles dont il surveillait le déroulement à la loupe.

Soliman introduisit le visiteur.

— Monsieur Champollion ?

— Moi-même.

— Je suis le secrétaire particulier de M. Mimaut, annonça le petit homme avec emphase, comme s'il parlait du pape ou du roi de France.

Mon absence de réaction le déçut profondément.

— Fort bien, lui dis-je, mais qui est ce personnage ?

Notre hôte, vexé, se rengorgea.

— M. Mimaut est le successeur de Bernardino Drovetti.

Le ciel de Thèbes me tomba sur la tête.

— Mais... depuis quand ?

— La décision a été prise le 5 janvier. Une lettre vous a été envoyée à Alexandrie.

— Je ne l'ai jamais reçue.

— Impossible! Il s'agissait d'un document officiel adressé au consul général Drovetti qui avait pour mission de vous la faire parvenir! Une enquête administrative s'impose.

— Le pacha était-il au courant de cette mutation?

— Bien entendu, répondit le secrétaire. C'est même lui qui est à l'origine de la sanction frappant Drovetti avec lequel il était pourtant en excellents termes avant votre venue en Égypte. Méhémet-Ali a su que le consul général a mené beaucoup d'intrigues contre vous, notamment en ce qui concerne les autorisations qu'il aurait dû vous délivrer sans délais. Il en a été de même à propos de la somme d'argent destinée aux fouilles. Ces dix mille francs demandés depuis seize mois pour les fouilles à Thèbes et bloqués par Drovetti, je vous les apporte aujourd'hui.

Rosellini oublia la chaleur, la fatigue, les scorpions et les douleurs. Une délicieuse sensation de triomphe m'envahit. Elle fut, hélas, de courte durée, car les conséquences de ce bouleversement inattendu étaient inquiétantes.

— Drovetti sait donc depuis plusieurs mois qu'il va être remplacé...

— L'ancien consul général, indiqua le petit homme avec sécheresse, est un homme passionné. Il a protesté contre cette décision qu'il a été obligé d'accepter avec beaucoup d'amertume. Il a cependant manifesté sa bonne volonté en acceptant de s'acquitter plusieurs mois d'un office dont il n'était plus titulaire, permettant ainsi à M. Mimaut de prendre posément ses dispositions. Cette période de transition touche à son terme.

— Savez-vous où se trouve Drovetti?

— Ici même, à Thèbes, qu'il quittera ce soir ou demain avec un imposant convoi.

— Avez-vous vérifié ses bagages?

Le petit homme s'indigna.

— Vous n'y pensez pas, monsieur Champollion! Bernardino Drovetti est diplomate. Il est libre d'aller et de venir à son gré, et d'emporter ce qui lui semble bon.

— C'est bien ce que je craignais. Il ne me reste plus que quelques heures pour mettre fin au plus abominable des trafics!

Abandonnant l'émissaire et Rosellini, aussi éberlués l'un que l'autre, je me ruai au-dehors, Soliman sur les talons.

— Il faut intervenir au plus vite, dis-je. Précipitons-nous à la nécropole de Cheikh Abd el-Gournah.

— Prenez ceci, me recommanda-t-il, tendant un fusil.

— Je ne sais pas m'en servir. Demandez à deux hommes sûrs de nous accompagner.

Cette fois, nos ânes furent forcés de presser l'allure. En abordant la colline où étaient creusées les sépultures, je n'éprouvais aucune crainte. Je croyais savoir ce que j'allais découvrir, mettant au jour l'abominable secret de Drovetti. J'estimais que ma seule présence éviterait toute violence.

Je fis stopper ma petite troupe au bas de la colline percée de nombreux trous qui avaient autrefois abrité des tombeaux, aujourd'hui vidés par les pillards. D'ordinaire, aucune présence humaine ne hantait ces lieux dévastés.

— Là-bas! indiqua Soliman.

Une silhouette fugace venait de s'enfoncer dans un tombeau à mi-pente.

— Allons-y.

— Laissez-moi marcher en tête, exigea Soliman. Vous seriez trop exposé.

Nous avançâmes de front vers le sombre orifice que nous avions repéré. Il s'agissait de l'entrée d'une véritable grotte à laquelle on accédait par un souterrain en pente raide. Sans nul doute une belle et vaste tombe d'un grand personnage thébain pillée depuis longtemps. A peine fûmes-nous engagés dans la galerie qu'un jet de pierre nous épargna de peu.

Soliman épaula et tira un coup de feu qui déclencha un remue-ménage dans la profondeur du tombeau.

Je dus expliquer aux deux Arabes qui nous accompagnaient, armés eux aussi, qu'il n'y avait ni génies ni esprits malins, mais bien des voleurs de la pire espèce.

Nous accédâmes en courant à une première salle d'assez vastes dimensions. Le spectacle qui agressa nos sens, tant la vue que l'odorat, était si horrible que je dus faire barrage de mon corps pour empêcher nos acolytes de déguerpir à toutes jambes.

Plus de vingt momies, les unes dressées contre les murs, les autres couchées sur le sol, formaient la plus macabre des assemblées. Quelques-unes étaient encore enveloppées dans leurs bandelettes, mais la plupart, aux chairs noirâtres, étaient plus ou moins décomposées. Des têtes, des mains, des pieds gisaient dans des paniers.

— Voici le commerce de Drovetti et de sa bande, dis-je à Soliman, maîtrisant mal mon émotion... vendre aux amateurs de la chair de momie. Cette cargaison-là devait partir avec lui pour l'Europe. Tu comprends pourquoi il voulait tant m'éloigner de Thèbes et avait même souhaité ma disparition. Il pressentait que je découvrirais ses crimes perpétrés contre les anciens Égyptiens.

Soliman, d'ordinaire si calme, perdait son sang-froid.

— Je croyais que ce trafic maudit était interrompu...

— Il a connu ses meilleures heures aux XVIe et XVIIe siècles, expliquai-je. On croyait aux vertus médicinales de la chair de momie. Les paysans les déterraient et les acheminaient au Caire et à Alexandrie. De là, des trafiquants faisaient parvenir leur marchandise en Europe, soit par momies entières, soit par morceaux. Quand on venait à manquer de momie, on en fabriquait en assassinant quelques fellahs.

— Il faut arrêter les misérables qui se livrent à ces pratiques. Par où sont-il passés ?

Quelques minutes suffirent pour dégager l'entrée d'un boyau très étroit dissimulé à la hâte par des pierres. Je m'y avançais déjà, à moitié asphyxié par la poussière, lorsque Soliman me retint par la taille.

— A moi de vous tenir tête, pour une fois. Je suis armé.

Il me repoussa sans ménagement et entama la pénible descente. D'autres momies avaient été entreposées dans le boyau. En passant et en nous appuyant sur les cadavres, nous les faisions tomber en poussière. Nos visages entraient en contact avec ceux de vieux Égyptiens morts depuis des siècles. Une tête roula sous mes pieds.

Soudain, un double coup de feu.

Soliman s'effondra devant moi.

Avec peine, je le tirai par les épaules et le remontai vers la salle supérieure. Rendus furieux par la blessure de leur chef, les deux Arabes s'engouffrèrent à leur tour dans l'étroit boyau.

J'étendis Soliman sur le sol. Sa poitrine était ensanglantée. Respirer lui infligeait une intolérable souffrance.

— Ne tentez pas... de me réconforter... c'était bon, Champollion... bon d'avoir un Frère... comme vous.

Soliman mourut dans mes bras, le sourire aux lèvres.

J'avais trop mal pour pleurer. L'Égyptien que j'avais le plus aimé était mort à cause de moi.

*

Soutenant le cadavre de Soliman, entouré des deux Arabes gardant le silence, je demeurai prostré un temps infini. Mon esprit voguait dans un monde sans formes. Curieusement, les momies m'ancrèrent dans la certitude de la résurrection. Elles étaient les témoins d'une vie future dans laquelle l'âme de Soliman entrerait en pleine gloire.

Les deux acolytes, dès que je parus reprendre conscience, me demandèrent l'autorisation de descendre au plus profond du caveau, là où se trouvait la dépouille mortelle de celui que Soliman avait abattu.

Ce n'était pas Drovetti, mais son fidèle intendant, Moktar, qui l'avait servi jusqu'au trépas.

*

Le pacha avait quitté Thèbes pour Alexandrie. Mon intervention auprès de son représentant ne fut d'aucune utilité. Il me promit, bien entendu, de déclencher une enquête approfondie sur le compte des bandits en fuite employés par Drovetti, lequel était déjà parti pour Le Caire.

Il me fut impossible de joindre le secrétaire de M. Mimaut qui avait également regagné la capitale. De quoi avais-je à me plaindre ? Je disposais enfin des finances nécessaires pour entreprendre des fouilles sérieuses, mon disciple se trouvait à mes côtés, Drovetti ne m'importunerait plus d'aucune façon... la mort d'un serviteur n'était qu'incident sans importance, balayé par le vent du désert.

Personne ne savait que je pleurais un Frère, un être qui avait veillé sur moi pendant toute la durée de l'expédition, qui m'avait fait don de son existence pour que je transmette ce que les dieux m'avaient offert.

La nuit précédant l'enterrement de Soliman, je n'avais cessé de travailler à mon dictionnaire et à ma grammaire. C'était le plus vibrant hommage que je me sentais capable de lui rendre.

La cérémonie funèbre débuta peu après l'aube, afin d'éviter les ardeurs du soleil. J'avais tenu à ce que la dépouille mortelle fût veillée dans la grande salle du château de Gournah, dans cette modeste demeure où nous avions vécu si heureux.

Un groupe de pleureuses, faisant grand bruit, se présenta sur le seuil. De la terre sur les cheveux, elles se battaient la poitrine et poussaient des cris sur un rythme incantatoire, espérant repousser les forces destructrices de la mort. Aucun membre de la famille n'étant présent, Rosellini et moi remplissions cet office. Notre rôle, en contraste avec celui des pleureuses, consistait à demeurer immobiles et sereins.

Deux officiants déshabillèrent le cadavre, le lavèrent avec soin et l'enveloppèrent dans un drap d'une absolue blancheur. Un *ulema* récitait des prières extraites du Coran. Les modernes momificateurs placèrent ensuite la dépouille dans une caisse en bois, sans couvercle, et la recouvrirent d'un châle rouge. Puis l'on me demanda de rompre le sceau de Soliman, lequel valait pour sa signature, désormais inutile dans le monde des humains.

La procession s'organisa avec, à sa tête, de jeunes enfants que l'occasion amusait. Il ne fallait point s'en offusquer. La mort, en Orient, se porte en blanc. A la peine de la disparition d'un être cher se superpose la joie de le savoir au paradis des justes. Avant que le cortège ne s'ébranlât en direction du cimetière, les officiers répandirent sur le cadavre de l'eau de rose et l'encensèrent. Savaient-ils encore qu'en vieil égyptien, le mot « encens » est synonyme de « rendre divin » ? Ainsi doté d'une odeur de sainteté qui lui permettrait de passer sans encombre les portes de l'autre monde, mon Frère Soliman fut emporté au pas de course vers sa dernière demeure pendant que les pleureuses, s'aspergeant derechef de poussière, déclenchaient une tempête de glapissements.

Le cimetière était des plus humbles : quelques petites pierres tombales groupées près du village, exposées en plein soleil. Sans perdre une seconde, comme si la mort était pressée de nous ravir l'aspect matériel de Soliman, son cadavre fut extrait de la caisse en bois et mis en terre, la tête vers le sud. L'officiant boucha la sépulture avec des pierres et du sable, recommandant au mort de se préparer à répondre correctement aux deux anges qui l'accueilleraient de l'autre côté, lui faisant subir un interrogatoire qui déciderait de son ultime destinée, enfer ou paradis. En écoutant ces mots, comment n'aurais-je point pensé à ma chère religion égyptienne qui se trouvait ainsi prolongée et vécue ?

Les pleureuses et l'officiant se turent. La misérable nécropole retourna au silence. Les pauvres s'approchèrent. Les villageois et moi-même leur distribuâmes du pain et des dattes, en souvenir des antiques banquets familiaux qui se célébraient dans les chapelles mêmes des tombeaux, unissant de manière indissoluble les vivants et les morts.

Resté seul, je déposai une palme et un roseau sur la sépulture de mon Frère.

Illusion des sens? Je crus voir son âme s'envoler sous la forme d'un oiseau, aux grandes ailes éployées, qui monta d'un trait vers le soleil, à une vitesse fulgurante, et s'y noya.

Une jeune Arabe s'approcha, déposa un lys sur la tombe. Son visage était masqué par un voile. La silhouette me permit d'identifier sans peine Lady Redgrave.

— Je dois quitter l'Égypte, Jean-François. J'ai été dénoncée au pacha. Et si, vous aussi, vous pensiez au retour?

— Au retour?

— Vous n'allez pas passer le restant de votre vie ici. Je saurai bien vous ramener, si vous m'aimez un peu...

Ces paroles me déchirèrent. Elle avait su éveiller en moi la passion, mais elle venait de lui opposer un autre amour.

— Savez-vous ce qu'est l'exil, Lady Ophelia? Connaissez-vous l'intolérable souffrance d'être éloigné de son pays natal, de la terre où l'on désire vivre chaque heure de son existence? J'ai subi cet exil, près de quarante années. J'ai dû attendre tant de jours pour regagner l'Égypte, pour retrouver ma patrie. Vous me prendrez peut-être pour un fou, mais c'est bien ici que je suis né. C'est ici, mon vrai pays. Je m'y sens si bien... tous mes soucis de santé s'estompent. Une énergie nouvelle, inépuisable, m'anime. Je me sens capable de tous les exploits, de vaincre toutes les fatigues. Ce soleil, qui brille chaque jour de l'année, me nourrit l'âme et le corps. Si je quitte ce sol, si je m'éloigne de ces monuments, je meurs.

Lady Ophelia pleurait.

— A cause de vous, j'aurai donc tout perdu...

— Ne croyez pas cela, Ophelia. Avec moi, vous n'auriez jamais connu le bonheur que vous espérez. L'Égypte est une maîtresse trop exigeante.

— Laissez-m'en seule juge, Jean-François Champollion.

CHAPITRE 27

Le 1er août 1829, Rosellini et moi décidâmes de quitter le château de Gournah où nous avions passé tant d'heures heureuses pour nous installer sur la rive est, dans l'enceinte même du gigantesque Karnak. Après l'univers des tombes, après tant de départs et d'abandons, j'avais besoin du temple des temples pour vivre une nouvelle sérénité.

J'installai notre nouveau quartier général, comme l'aurait dit L'Hôte, dans le temple ptolémaïque dédié à la déesse Opet dont le rôle secret, d'après les textes gravés sur les murs, était de servir de matrice céleste pour ressusciter Osiris, considéré comme un nouveau soleil.

Ce petit sanctuaire se révéla le plus commode des logements avec ses corridors s'ouvrant sur diverses pièces et une salle à colonnes en longueur. Cuisiniers et domestiques habitèrent au-dehors, sous des tentes.

Résider dans un temple, est-il plus beau rêve pour un égyptologue ? La fraîcheur qui y régnait, le souvenir si tangible de la présence des initiés, la puissance magique des formules sacrées qui nous environnaient s'avéraient des plus propices au travail et à la recherche. Ma seule contrariété résidait dans un sentiment nouveau que j'éprouvais à l'égard de mon disciple, une sorte de défiance dont je n'étais pourtant pas coutumier envers les êtres. La passion du savant était indéniable, mais elle desséchait la sensibilité de l'être profond. Combien

358

me manquaient la fraternité silencieuse de Soliman, la chaleur de L'Hôte, la sage folie du professeur Raddi et même la foi angoissée du père Bidant... leurs ombres virevoltaient dans la pénombre du temple où je voyais aussi, bien trop souvent, le sourire d'une femme se confondant avec celui d'Isis.

Le monde de Karnak est le plus inépuisable qui se puisse concevoir. Les Égyptiens l'avaient appelé avec raison le ciel sur la terre. Ce temple est, en réalité, une ville sacrée composée de plusieurs quartiers, un organisme vivant qui n'a jamais cessé de croître. Aucun architecte n'a terminé ce chantier où les bâtisseurs de demain travailleront plusieurs siècles pour restaurer les monuments, redresser les colonnes effondrées, réparer les pylônes, faire ressurgir des beautés cachées par le sable, les détritus et la bêtise humaine.

Je viens d'apprendre que monseigneur l'archevêque de Jérusalem a jugé à propos de me décorer très bénévolement de la croix de chevalier du Saint-Sépulcre ; que les diplômes sont arrivés à Alexandrie où je pourrai les retirer moyennant les droits d'usage fixés pour moi à cent louis chacun. Il paraît qu'on ignore sur les bords du Cédron que les érudits du bord de la Seine ne sont pas des Crésus et que la roue de la fortune ne tourne guère pour eux s'ils ne sont un tant soit peu industriels. Quelle que soit donc mon ardeur d'arborer la croix de chevalier pour combattre les infidèles, je dois renoncer à cet honneur et me contenter d'avoir été jugé digne de l'obtenir ! Ce n'est pas à la pauvre érudition de supporter les charges du siècle.

Je terminais un chapitre de ma grammaire, assis au fond du temple, quand Rosellini, très sec, presque pincé, demanda à me parler.

— Maître, dit-il, j'ai pris une décision importante. Je ne peux plus travailler correctement dans ces conditions. Je dois rentrer en Italie et commencer à organiser un musée. Le voyage sera long et pénible. Des objets seront sans doute brisés, voire perdus. Une tâche majeure m'attend, et ma santé n'est pas bonne. La réussite d'une expédition comme celle-ci tient d'abord à l'exploitation scientifique des résultats obtenus sur le terrain. Sinon, ce n'aurait été qu'une promenade d'agrément.

— Une promenade où des hommes sont morts, Ippolito, et où d'autres ont vu leur destin s'accomplir.

— Ces détails ne me concernent pas.

— Vous êtes libre d'agir à votre guise.

Rosellini était sur le point de sortir du sanctuaire lorsqu'il se ravisa et tourna la tête.

— Une dernière question, maître : êtes-vous réellement parvenu à déchiffrer les hiéroglyphes ?

— Je le crois et j'en apporterai la preuve.

— Pourquoi, en ce cas, ne pas m'avoir offert la totalité des clés que vous possédez ?

De quelle manière aurais-je pu répondre, sinon par un mensonge, ce qui me répugnait, ou bien par une mise en cause de sa personnalité, ce qu'il n'aurait ni admis, ni compris ? Je fus incapable de proférer le moindre mot. Dieu sait comment il interpréta mon silence.

*

Me voici donc seul, avec mes ouvriers, les fellahs et Karnak. Les scribes chantaient si bien cette douceur du domaine d'Amon et de sa campagne que je m'y perdis avec délices une journée entière, abandonnant mes chères pierres pour me mêler aux paysans. Dans les champs, où les femmes se promènent sans voiles et où les enfants jouent nus, on s'amusa de ma présence et l'on me réserva le meilleur accueil. Il est vrai que je n'avais plus rien d'européen et que je parlais la langue de ces gens simples, répétant des gestes millénaires, grattant la terre, semant, arrosant, levant les récoltes, faisant paître les troupeaux, vivant en compagnie des chameaux, des ânes, des buffles et de leurs vigilants chiens jaunes ou noirs qui, endormis sous le chaud soleil de midi, savaient si bien garder les villages la nuit.

Assis sur la margelle d'un puits, au milieu des

cultures, je m'accordais de douces heures de méditation. Tout près de moi, sous le couvert d'un tamaris, une mère avait étendu son bébé sur un tapis aux couleurs passées et jouait avec lui. J'appris ainsi la chaleur du ciel, la respiration de la terre chantant son amour pour le Nil, la transparence des humains s'abandonnant au cycle des saisons.

Je voudrais m'abandonner à la douceur de ne rien faire et de ne rien penser, mais non... Nous devons continuer à nous torturer jusqu'à la mort, à travailler pour extraire le meilleur de nous-même comme si ce passage terrestre était dérisoire en regard de l'éternité.

On croirait que ma vie se passe au milieu des morts, à remuer la vieille poussière de l'histoire. Mais beaucoup de ces travaux et de ces recherches me mettent en contact avec des êtres vivant d'une vie éternelle... Il n'y a pas tant de vivants autour de moi. La masse se figure seulement qu'elle existe, alors qu'elle n'est déjà, comme moi-même, qu'une ombre dévorée par le temps.

Quand je vis rentrer les troupeaux, cheminant dans la plaine verte en bordure des moissons dorées, je crus que j'avais rêvé. Était-ce déjà le soir qui s'annonçait ? Le vent du nord se leva, animant le feuillage des bouquets sombres formés par les palmiers. La douceur ineffable de cette brise pénétrait le corps entier. Je sortis peu à peu de ma torpeur, vivant cette résurrection de la fin du jour. Le vert, de plus en plus dense, s'assombrit. La chaleur tomba, abandonnant sa violence pour devenir caresse sur la peau. Les collines perdirent de leur sécheresse pour rougeoyer sous les rayons du soleil déclinant.

Le ciel explosa en dizaines de couleurs étalées à grands coups de pinceau. Les oiseaux volaient dans des sillons d'orange et d'azur, de grenat et de violet. A leur chant s'ajoutaient ceux des mariniers sur le fleuve, des fellahs tirant encore un peu d'eau, des femmes remontant vers le village. Le Nil céleste et le Nil terrestre allaient bientôt se confondre en une même route vers l'au-delà. Le paysage de ce monde s'estompait, laissant la place à celui de l'âme. Pour moi, c'était le moment de retourner à l'intérieur du temple de Karnak et d'errer dans ses allées.

Les guetteurs montaient sur des colonnes en limon du Nil pour surveiller les villages. Acacias, mimosas, palmiers, orges et blés s'enfonçaient dans la pénombre, jouissant de la fraîcheur nocturne, attendant le miracle d'un nouveau matin que leur offrirait peut-être le soleil, s'il parvenait à vaincre le démon des abîmes souterrains.

La paix d'Atoum, lumière secrète du couchant qui est celle de l'origine de la vie, s'étendait sur toutes choses. A peine percevait-on encore dans l'air du soir le grincement d'un chadouf, diffusant une plainte mélancolique. Quand je franchis le grand pylône d'accès au temple, le soleil s'était couché, mais d'étranges lueurs emplissaient le ciel, venant d'un horizon caché. Une ombre de nuit émanant de l'occident se déroulait comme une écharpe irisée sur le fleuve qui offrait au couchant d'ultimes clartés argentées.

C'était bien à l'intérieur du sanctuaire qu'il fallait à présent chercher la lumière qui illuminerait les ténèbres et conduirait l'œuvre alchimique s'accomplissant dans les profondeurs pour gester un jeune soleil. Pour l'heure se déployait le manteau des étoiles brillant de cette lueur chaude et proche qu'elles ne possèdent nulle part ailleurs.

Je passai le long de la salle des fêtes de Thoutmosis III, où les pharaons étaient initiés à leur fonction, et montai l'escalier conduisant à l'observatoire d'où les astrologues déchiffraient les lois du ciel. Grâce aux constellations, vers lesquelles volaient les hirondelles, emportant avec elles l'esprit des anciens rois, le mystère devenait visible. Au cœur du lapis-lazuli de la nuit, il élevait l'âme comme une ivresse joyeuse, l'entraînant dans une danse aérienne jusqu'à la voie lactée.

Karnak a tenu plus qu'il ne promettait. Je me laissais pénétrer par la sérénité de ses pierres, bien décidé à passer la nuit sur le toit du temple de Khonsou lorsqu'un homme, surgissant du champ de ruines comme un fantôme, se dirigea vers moi.

Était-il la mort ? Était-il le commandeur du *Don Giovanni* de Mozart qui venait m'inviter au banquet de l'autre monde ?

Il marchait d'un pas égal. Grâce à la lumière lunaire, je vis qu'il tenait dans la main droite une sorte de grattoir à trois dents. Il s'agenouilla devant l'entrée du temple de Khonsou et se prosterna à plusieurs reprises, saluant une divinité cachée dans la nuit. Puis il se releva et vint s'asseoir à mes côtés.

— Belle nuit, dit-il, si calme, si douce... Je suis le jardinier de Karnak. Je viens gratter le pied des plantes, autour du lac sacré, pendant que le soleil dort. Le jour, je taille de petites flûtes dans les roseaux et je joue pour que les fleurs ne meurent pas. Mon arrière-grand-père, mon grand-père et mon père étaient jardiniers. Ce sont eux qui m'ont appris les secrets du métier. Je les apprendrai à mon fils.

La voix était grave, envoûtante. Elle avait brisé ma réflexion, à l'instant même où je prenais ma décision : quitter ma propre expédition, abandonner Jean-François Champollion l'égyptologue, rester en Égypte, fellah anonyme, vivre jusqu'à mon dernier souffle dans ce pays qui est le mien depuis toujours.

— Avez-vous des enfants ? me demanda le jardinier de Karnak.

— Une fille.

— Alors, vous devrez rentrer. Elle a besoin de vous. Un père n'abandonne pas son enfant.

Il lisait dans ma pensée.

— Je sais ce que vous ressentez, dit-il. Quitter l'Égypte, c'est mourir. Mais votre fille vivra de votre vie. Vous n'avez pas le droit de la priver de votre présence. C'est la seule faute que Dieu ne pourrait vous pardonner.

Il me perçait le cœur. Il m'arrachait à moi-même comme s'il déterrait une simple fleur. Ma fille... pour elle, j'allais abandonner mon sol nourricier, l'air qui me revivifiait, la chaleur qui me guérissait, les temples et les tombeaux où le sens de la vie s'imposait de lui-même, éliminant le superficiel et l'inutile. J'allais perdre le paradis de Karnak pour connaître à nouveau l'enfer de Paris.

— Quand vous partirez, continua le jardinier, les villageois accourront de toutes parts. Ils quitteront leurs demeures et se rassembleront sur la berge, près du sycomore géant sous lequel sera amarré votre bateau. Un cortège de pleureuses poussera des cris de désespoir. Vous, vous aurez les yeux fixés sur le temple. Vous ne verrez rien, vous n'entendrez rien. Vous tenterez de vous imprégner de la vie de ces pierres jusque dans la moelle de vos os. Et vous partirez, mon Frère, pour ne plus revenir.

ÉPILOGUE

— Parle encore, papa, demanda Zoraïde. Parle...

— Tu sais, l'obélisque... il est arrivé à Paris. Je n'aime pas cette Babel moderne qui me ronge la santé, mais je suis heureux de ne pas être trop loin de cette pierre magique. Et j'ai donné une carte de visite à la postérité, ma grammaire...

— Parle encore...

— Qu'on me donne encore deux ans, dit Champollion, se frappant le front, il y en a là-dedans !

Zoraïde le regarda si intensément qu'elle était certaine de le retenir encore un peu auprès d'elle. Il trouva de nouvelles ressources pour lui transmettre sa foi.

— Rappelle-toi... seul l'enthousiasme est la vraie vie. Il faut que le cœur s'enflamme, que l'être s'anime d'un désir qui le dépasse et l'absorbe. Sois fidèle à ton enthousiasme. Donne-lui de quoi se nourrir... et puisses-tu dire, à ton dernier souffle : je n'ai pas à rougir d'une seule heure de ma vie.

Puis il se tut, épuisé par cet ultime effort.

Et sa tête, inerte, roula sur l'oreiller.

Ce 4 mars 1832, à quarante-deux ans, Jean-François Champollion venait de mourir.

Zoraïde ne pleura pas. Malgré la déchirure qui la brûlait à l'intérieur, malgré ce feu dont elle savait qu'il ne s'éteindrait plus, elle éprouvait une joie étrange pour son père. Elle avait vu son âme-oiseau prendre son envol vers l'Égypte, là où elle le rejoindrait un jour.

Zoraïde fit le tour de la chambre de son père. Elle contempla le journal de famille où avaient été inscrites les paroles prononcées par le guérisseur qui avait procédé à l'accouchement de Champollion : « Je vous prédis la naissance d'un garçon promis aux plus hautes destinées. Il sera la lumière des siècles à venir. »

Puis elle toucha chacun des objets que son père avait rapportés d'Égypte et auxquels il tenait tant. Elle s'arrêta sur un papyrus du *Livre des Morts* qu'elle plaça sur le cœur du défunt. Elle grimpa sur le lit et s'endormit à ses côtés, la tête posée sur le papyrus dont les hiéroglyphes, traduits de la main de Champollion, disaient : *« Un dieu semblable à la lumière s'est manifesté. Il vivra toujours. »*

BIBLIOGRAPHIE DES ŒUVRES
DE CHAMPOLLION

Dictionnaire égyptien en écriture hiéroglyphique, publié par Champollion. Figeac, 1841.

Écritures égyptiennes, Lettres à M. Z***, 1825.

L'Égypte sous les pharaons, tomes I et II, 1814.

Lettre à M. Dacier relative à l'alphabet des hiéroglyphes phonétiques, 1822 (réimp. Geuthner, 1922, Édition du Centenaire).

Lettre sur la découverte des hiéroglyphes acrologiques, 1827.

Lettres à M. le duc de Blacas d'Aulps relatives au Musée royal égyptien de Turin, 2 tomes, 1824-1826.

Lettres à M. le duc de Blacas d'Aulps sur le nouveau système hiéroglyphique de MM. Spohn et Seyffarth, 1826.

Lettres écrites d'Égypte et de Nubie en 1828 et 1829, 1833.

Lettres et journaux de Champollion, recueillis et annotés par H. Hartleben, Bibliothèque égyptologique, 1909 (réimp. Christian Bourgois, 1986).

Lettre relative au zodiaque de Dendera, 1822.

Lettres à Zelmire, présentées par E. Bresciani, 1978.

Mémoires sur les signes employés par les anciens Égyptiens à la notation des divisions du temps dans leurs trois systèmes d'écriture, 1818.

Monuments de l'Égypte et de la Nubie d'après les dessins exécutés sur les lieux, 4 volumes, 1835 à 1845 (réimp. Centre de documentation du monde oriental, Éditions de Belles-Lettres, Lausanne, s.d.).

Notices descriptives : Monuments de l'Égypte et de la Nubie, notices descriptives conformes aux manuscrits autographes rédigés sur les lieux, 2 vol., 1844-1879 (réimp. Collection des Classiques égyptologiques, Genève, 1973, 5 vol.).

Notice descriptive des monuments égyptiens du musée Charles X, seconde division, VIII, 1827.

Observations sur l'obélisque égyptien de Philae, 1822.

Panthéon égyptien, collection des personnages mythologiques de l'ancienne Égypte, d'après les monuments, 1825.

Précis du système hiéroglyphique des anciens Égyptiens ou recherches sur les éléments premiers de cette écriture sacrée, 1824 (2e édit. augm., 1828).

Principes généraux de l'écriture sacrée égyptienne, Institut d'Orient, 1984 (Grammaire égyptienne, 1836).

Rapport sur la collection égyptienne nouvellement acquise par l'ordre de Sa Majesté à Livourne, 1826.

BULWER-LYTTON

LES DERNIERS JOURS DE POMPÉI

« Le jour se changea en nuit, et la lumière en
obscurité : en quantité inexprimable poussières et cendres jaillirent, inondant la terre, la mer, et l'air même,
ensevelissant deux cités entières, Herculanum et Pompéi, pendant que les habitants étaient au théâtre,
assis. »

C'est ainsi que l'historien Dion Cassius résume l'une
des plus grandes catastrophes de l'Antiquité. Une
promenade dans les rues des deux cités mortes permet
d'imaginer, comme si le temps s'était arrêté, une foule
bruyante et colorée d'hommes et de femmes affairés,
des jeux et des spectacles, enfin tout ce qui faisait le
bonheur de vivre dans cette Campanie du premier
siècle de notre ère.

Ce sont ces paysages, ces ruines ensoleillées, ces
corps figés dans leur carapace de boue qui ont inspiré
au baron Edward George Bulwer-Lytton (1803-1873),
romancier et homme d'Etat britannique, le plus célèbre
roman du XIXe siècle pour le monde romain : *les
Derniers Jours de Pompéi.*

Rien n'y manque de ce qui fait le charme des romans
de feu et de passion : un héros jeune et beau, une pure
héroïne, une amante jalouse, un traître aux noirs
desseins. Et, surplombant la cité, comme une menace
permanente, le Vésuve dont les flancs annoncent par
quelques sourds grondements la catastrophe finale.

Les Derniers Jours de Pompéi n'avaient jamais
encore été intégralement traduits en français. C'est
chose faite, et le récit apparaît tel qu'il est : la plus
magistrale évocation d'un monde disparu.

ROGER BOURGEON

LE FILS DE BEN-HUR

Des millions de lecteurs ont quitté Ben-Hur alors que le héros, sa vengeance accomplie, allait, enfin, goûter les joies d'un amour partagé.

Des millions de lecteurs ont regretté d'abandonner un homme dans la force de l'âge alors que la vie lui réservait, sans doute, de nouvelles et palpitantes aventures.

Il fallait donc une suite à *Ben-Hur* et nul n'était plus qualifié pour l'écrire que Roger Bourgeon, ancien animateur du cirque Ben-Hur, qui fit les beaux jours du Palais des Sports de Paris, dans les années 60.

Ben-Hur s'est marié avec Esther, il a un fils, Philippe, qui possède la même ardeur et le même courage que son père. Au milieu des intrigues de la cour de Néron, dans les profondeurs des catacombes, parmi les cruels jeux du cirque, tous deux protègent inlassablement les premiers chrétiens.

Echappés aux flammes de l'incendie qui dévore Rome en 64 de notre ère, déchirés, devant Jérusalem assiégée en 70 par les légions de Titus, entre leur cœur — juif — et leur raison — romaine —, meurtris, comme tant d'autres, par l'éruption du Vésuve, en 79, et par la disparition de Pompéi, où vivait leur famille, Ben-Hur et son fils Philippe cherchent, en ce siècle de fer, à réconcilier César et Dieu. Tâche gigantesque que retrace un roman haut en couleur et plein de vie.

HUBERT MONTEILHET

NÉROPOLIS

Ce roman retrace l'histoire du jeune et innocent Kaeso vers la fin de la dynastie issue du sang de César, époque charnière où s'entrecroisent de façon aiguë les questions juive, arménienne, chrétienne, et la question même de l'avenir de Rome — et du nôtre. La vieille Ville va mourir et de ses cendres doit renaître une Rome resplendissante qu'un Néron artiste rêve de baptiser de son nom. Au mythe de la *Néropolis* s'oppose le mythe chrétien de la cité vertueuse.

Période baroque et passionnée, s'il en fut, marquée par l'émancipation provocatrice des femmes, la fascination de l'inceste, le massacre des enfants, les tortures inquisitoriales, les tueries de l'amphithéâtre, la tragique brutalité des courses de chars, la vogue de la bestialité et du théâtre pornographique, le succès des lupanars, l'exhibitionnisme des sodomites et des gitons, les honteuses délices de l'esclavage, l'apogée des débauches de groupe et le premier génocide pour raison d'Etat, tandis que les étranges soldats du Christ spéculent sur une apocalypse qui ne sera pas encore au rendez-vous.

Enfin, les Romains tels qu'ils furent vraiment, vus par un historien rigoureux et minutieux, mais qui est d'abord un romancier à l'humour noir, amateur de métaphysique troublante !

Néron, époux comblé de Poppée, de Pythagoras et de Sporus, Sénèque, Pierre et Paul ont respiré la même atmosphère vicieuse et viciée. De tels contrastes valaient qu'une plume impartiale récrive un *Quo Vadis* sans convention, à la lumière, certes, des dernières thèses parues, mais en accord aussi avec les sensibilités et les curiosités de notre époque inquiète, où semblent reparaître des Nérons qui n'ont pas même à leurs débordements l'excuse de l'art.

LEWIS WALLACE

BEN-HUR

En ce temps-là, Rome régnait sur le monde, et les peuples conquis, de la Gaule à la Grèce, de Carthage à l'Egypte, avaient oublié jusqu'aux noms glorieux de leurs ancêtres.

Seul, un petit Etat ne courbait pas la tête (ses habitants seraient un jour appelés le « peuple à la nuque raide »). La Judée, car c'était son nom antique, était un fragment de l'ancien royaume juif conquis et morcelé par les Romains.

Chacun, à sa façon, y luttait contre le Romain, les uns plongés dans l'étude de la Loi, les autres sur les traces d'un prophète juif, nommé Jésus, descendant de David, qui passait pour le Messie tant attendu.

C'est dans ce climat de passion et de ferveur que le prince Judas, de l'illustre famille des Hur, va voir son destin bouleversé. Né dans cette aristocratie juive que l'empereur Auguste ménageait, il va néanmoins se trouver plongé dans un univers de souffrances et de violences. Devenu galérien, il sauvera la vie d'un noble romain qui l'adopte. Dès lors, il consacrera sa vie à retrouver les siens, et à tirer vengeance de son ancien ami, le Romain Messala. De courses de chars en combats, d'errances en aventures, il rencontrera sur son chemin l'amour et la révélation divine.

Ce chef-d'œuvre de la littérature romanesque, rendu célèbre par d'innombrables adaptations, est ici présenté pour la première fois au public francophone dans sa version intégrale.

NICHOLAS WISEMAN

FABIOLA

En ce début du IVe siècle, le vieux monde païen s'écroule dans le fracas des armes et le sang des chrétiens.

L'aristocratie romaine, aveugle aux changements, continue sa vie de fêtes et d'insouciance. Seuls quelques esprits perspicaces, comme le riche Fabius, ont compris que le christianisme, après avoir conquis les cœurs, allait s'emparer, bientôt, du pouvoir.

Fabiola, la belle et orgueilleuse fille de Fabius, est hostile à la foi nouvelle. Mais dans son entourage, le christianisme fait peu à peu des adeptes. Après la mort en martyrs de sa cousine Agnès et de Sébastien, le capitaine de la garde impériale, elle comprend enfin où se trouve le salut.

Incarnée au cinéma par Michèle Morgan, l'héroïne du beau roman du cardinal Nicholas Wiseman (1802-1865) va enfin revivre pour le lecteur moderne qui découvrira le texte dans son intégralité.

ALEXANDRE DUMAS

ACTÉ

En cette année 57 de notre ère, Corinthe est en fête :
elle renoue avec la tradition des jeux grecs. Parmi les
concurrents venus de tous les coins de l'Empire romain,
un mystérieux inconnu remporte tous les prix. Il est
jeune, il est beau, il est riche, il semble posséder un
pouvoir quasi divin. Et lorsqu'il repart pour Rome, il
enlève, sur son navire, la jeune et ravissante Acté.

Or, ce jeune homme a pour nom Néron, et tous
tremblent devant ses caprices : c'est l'Empereur, le
Maître du Monde, une vivante divinité.

Comment Acté va-t-elle découvrir le monstre qui se
cache derrière des apparences si aimables ; dans quelles
tortueuses intrigues se trouvera-t-elle plongée, depuis
la cour de Néron jusque dans les arènes sanglantes, en
passant par les Catacombes, c'est ce que le lecteur
apprendra dans ce roman de jeunesse d'Alexandre
Dumas (1802-1870), encore tout vibrant des cris des
martyrs chrétiens et des flammes qui ont incendié
Rome. Avec pour figures de proue, le monstre impérial
et la pure jeune vierge.

DANIEL KIRCHER

ATTILA, LE MAÎTRE DES STEPPES

En l'an 450, Attila, le plus célèbre et le plus redouté des rois barbares, menace le monde romain. Il règne sur tous les peuples de la Germanie et de la steppe, tandis que l'empire romain d'Orient lui paie tribut en tremblant. Un seul homme échappe à son autorité : son ami d'enfance, le général romain Aetius, qui gouverne l'empire romain d'Occident.

Rompant les serments d'amitié éternelle qui les liaient, Attila va ravager la Gaule, puis l'Italie, avant de se retirer vaincu par la puissance spirituelle qui s'établit alors sur l'Europe : le christianisme.

Avec un grand talent de conteur et une érudition admirable, Daniel Kircher nous entraîne des fastes de Constantinople jusqu'au célèbre palais d'Attila, en passant par la cour des rois wisigoths de Toulouse. Il nous fait vivre les invasions, les guerres, les intrigues des diplomates, le martyre des saints. Il nous peint des hommes brutaux et violents, mais aussi des femmes qui dans cette époque chaotique ont infléchi le cours de l'Histoire : Honoria, sœur de l'empereur Valentinien III, obligée de demander la main d'Attila pour être délivrée de la tyrannie de son frère, Génovéfa, la protectrice de Lutèce, Ildico, la princesse franque dont la grande beauté finira par être fatale au maître des steppes, Attila.

LION FEUCHTWANGER

LA JUIVE DE TOLÈDE

L'Espagne du XIIe siècle. Les siècles d'or de la domination musulmane appartiennent déjà au passé. C'est l'heure de la « reconquista », de la reconquête de la péninsule Ibérique par le christianisme militant.

La première croisade, un siècle plus tôt, a claironné au monde que l'épée venait au secours de la foi et les rudes guerriers chrétiens réfugiés dans les montagnes de l'Espagne du nord ont compris que leur heure était venue. En quelques décennies ils ont refoulé les Arabes dans le sud, se sont taillé des royaumes, Portugal, León, Aragon, Castille dont les noms sonnent comme autant de défis aux émirats de Cordoue ou de Séville.

Entre les Maures et les Espagnols, entre les musulmans et les chrétiens, les juifs. Tolérés ici, rejetés ailleurs, honorés parfois, toujours sur le qui-vive. A Séville, ils ont dû, au moins en apparence, se faire musulmans. A Tolède, les chrétiens les supportent, à l'écart, dans leur « judería ».

Mais le roi de Castille, Alphonse VIII, a besoin d'argent et quel meilleur ministre des Finances choisir que Jehuda ben Esra, un juif de Séville ? Un roi est aussi un homme et une juive, malgré les interdits qui s'attachent à elle, n'en est pas moins femme. Surtout lorsqu'elle est belle, cultivée, intelligente comme Raquel, la fille de Jehuda...

Et pendant sept ans le roi très chrétien et la fille d'un peuple maudit vont s'aimer, bravant l'envie, la jalousie, l'intolérance, la haine, la mort enfin. La mort qui est le destin des amours interdites.

HENRIK SIENKIEWICZ

LES REMPARTS DE CRACOVIE

Un chevalier polonais vit un véritable martyre, alors qu'il prétend seulement retrouver sa fille. Un autre, malgré tous ses efforts, ne pourra pas vivre avec celle qu'il aime. Les Chevaliers Teutoniques, responsables de tous ces malheurs, semblent l'emporter et entraîner la Pologne dans l'humiliation et dans l'horreur.

Henrik Sienkiewicz conte ici la suite des démêlés de ses héros polonais avec les Chevaliers Teutoniques, les fondateurs du futur Etat prussien. C'est aussi l'histoire de la résistance de tout un peuple parvenant à surmonter les épreuves les plus tragiques grâce à une double foi, religieuse et patriotique.

Ce remarquable roman d'amour et d'aventures avait, lorsqu'il fut publié pour la première fois en 1900, pour objectif de maintenir intacte l'espérance d'un pays effacé de la carte. Aujourd'hui, il est tout à la fois un témoignage sur la Pologne du début du xve siècle et sur celle du début du xxe siècle et, vibrant de passion nationale, il nous parle également d'une Pologne plus récente.

HENRIK SIENKIEWICZ

LES CHEVALIERS TEUTONIQUES

Nous sommes à la fin du XIVe siècle. Le royaume de Pologne s'est uni depuis peu à celui de Lituanie grâce au mariage de Jadwiga et de Jagellon. Mais le nouvel Etat est gravement menacé : la reine Jadwiga, déjà considérée comme une sainte, meurt. Et les Chevaliers Teutoniques, solidement implantés au nord de la Pologne et sûrs de leur force, entendent poursuivre, au détriment du royaume, l'expansion allemande dont ils sont le fer de lance.

L'amour entre Zbyszko, qui accompagne un vieux chevalier polonais, et Danusia, la suivante d'une duchesse polonaise, est lui aussi menacé. Les Chevaliers Teutoniques exigent la condamnation à mort du jeune homme, et ourdissent un plan machiavélique pour vaincre et humilier le père de la jeune fille. D'autre part, la séduisante Jagienka est elle aussi amoureuse du héros.

Ecrit juste après *Quo vadis,* dans une Pologne dont l'histoire semblait à tout jamais effacée, ce roman historique conciliait l'évasion et l'actualité. Aujourd'hui encore, le lecteur s'en apercevra, les passions qu'il raconte sont loin d'être éteintes et son double attrait est intact.

MIKA WALTARI

LES AMANTS DE BYZANCE

Depuis avril 1453 les forces du sultan Mohammed II se sont lancées à l'assaut de Constantinople, dernier vestige de l'empire byzantin. Depuis un millénaire, la fière cité s'est dressée devant les Perses, les Arabes, les Latins même. Elle a maintes fois repoussé tous ceux qui l'ont assiégée. Mais, aujourd'hui, exsangue, à bout de ressources matérielles et humaines, elle vit ses derniers jours.

Derrière ses remparts défendus par 8 000 soldats, marins, mercenaires, moines et marchands, les luttes continuent entre Grecs et Latins, entre Byzantins et Vénitiens ou Génois, entre le pouvoir impérial et les manœuvres de l'aristocratie qui préfère les Turcs à l'alliance avec la Papauté.

Parmi ces aventuriers venus de tous les pays, un homme que l'on nomme Jean l'Ange semble être ici pour chercher une fin qu'un destin invisible paraissait toujours lui promettre. Ancien familier du sultan, il est suspect aux yeux de tous, sauf peut-être, pour d'obscures raisons, à ceux de son vieux serviteur.

Mais le destin joue souvent avec les mortels : il offre à celui qui ne cherche que la mort un amour impossible en ces temps de fin de monde.

Un très beau roman par l'auteur de *Sinouhé l'Egyptien*.

MIKA WALTARI

L'ESCHOLIER DE DIEU

Né au début du XVIe siècle dans un Nord où Danois et Suédois se livrent une lutte sans merci, le jeune Mikaël part à la conquête du savoir. L'université de Paris et ses humanistes sèment le doute en son âme de catholique, et s'il trouve un temps la paix du cœur auprès de Barbara, son étrange épouse, les flammes de l'Inquisition consument avec elle les restes de sa foi en la Papauté.

Dans l'Allemagne déchirée par les doctrines réformistes, il rejoint les paysans révoltés qui, confondant théologie et politique, mettent à feu et à sang tout le pays. Mikaël plaide leur cause auprès du grand-duc de Weimar et de Luther lui-même, mais ne peut empêcher la coalition des seigneurs.

Il réussit non sans mal à échapper au massacre, s'enrôle en qualité de chirurgien dans les armées de Charles Quint et participe, avec effroi et horreur, au sac de Rome en 1527.

Encore une fois, Mika Waltari incarne toutes les interrogations d'une époque en un roman éblouissant, et tous ceux qui n'ont pas oublié la figure tourmentée de Sinouhé l'Egyptien découvriront avec passion ce nouveau héros : Mikaël, *l'Escholier de Dieu*, que l'on retrouvera dans *Le serviteur du Prophète*, second volet de l'Escholier de Dieu.

MIKA WALTARI

LE SERVITEUR DU PROPHÈTE

En ce XVIe siècle où Soliman le Magnifique règne sur
« les deux moitiés de l'univers », les pèlerins qui
tentent de traverser le bassin méditerranéen connaissent trop souvent un sort funeste.

Ainsi Mikaël, l'escholier de Dieu, qui s'est embarqué
en compagnie de son frère, le géant débonnaire Antti,
de son chien et d'une belle Vénitienne aux yeux
maléfiques, tombe entre les mains des barbaresques et
ne doit la vie sauve qu'à sa conversion à la religion
musulmane. Devenu un vrai serviteur du prophète, il
apprend le Coran à l'école de la mosquée d'Alger. Son
destin le mène jusqu'à la cour où, nommé médecin, il
accompagne le sultan dans ses expéditions. Tour à tour
guerrier, philosophe, esclave, favori au faîte du pouvoir
ou prisonnier croupissant au fond d'une geôle, il
échappe par miracle à la haine de la puissante Roxe-
lane. Mais parviendra-t-il à oublier ses amours malheu-
reuses avec Guilia, l'esclave à la beauté fatale ?

Avec Mikaël, le serviteur du prophète, Mika Waltari
nous entraîne dans un monde passionnant, aussi riche
et authentique que celui qu'il nous avait fait découvrir
en compagnie de *Sinouhé l'Egyptien*.

Achevé d'imprimer en avril 1989
sur les presses de l'Imprimerie Bussière
à Saint-Amand (Cher)

PRESSES POCKET - 8, rue Garancière - 75285 Paris
Tél. : 46-34-12-80

— N° d'édit. 3063. — N° d'imp. 8072. —
Dépôt légal : mars 1988.
Imprimé en France